# НОРА РОБЕРТС

# НОРА РОБЕРТС

## Шипы
## и лепестки

ЭКСМО

Москва
2012

УДК 82(1-87)
ББК 84(7США)
Р 58

Nora Roberts

BED OF ROSES

Перевод с английского *И. Файнштейн*

Художественное оформление *Е. Савченко*

**Робертс Н.**

Р 58   Шипы и лепестки / Нора Робертс ; [пер. с англ.
И. Л. Файнштейн]. — М. : Эксмо, 2012. — 416 с.

ISBN 978-5-699-54843-9

Талантливая флористка Эмма Грант владеет свадебным агент-
ством. У нее полно поклонников, но она не может найти среди них
своего единственного. Эмма не подозревает, что он уже давно рядом: Джек Кук стал для нее не просто другом, а настоящим членом
семьи. Однако его чувства к Эмме давно вышли за рамки дружбы.
Но он никогда не связывал себя серьезными отношениями с женщиной, а Эмма мечтает о любви на всю жизнь. И если они хотят
найти взаимопонимание или хотя бы просто сохранить дружбу, им
придется искать ответ не только в своих сердцах, но и в своем прошлом.

УДК 82(1-87)
ББК 84(7США)

ISBN 978-5-699-54843-9

Любой цветок благоухает,
Пьяня своим дыханьем мир.

*ВОРДСВОРТ*

Любовь — как воспламе-
нившаяся дружба.

*БРЮС ЛИ*

*Свадебный шифр:*

Н — невеста
Ж — жених

МН — мать невесты
ОН — отец невесты
ЛПН — лучшая подруга невесты
БН — брат невесты
БЖ — брат жениха
МачН — мачеха невесты

ПН — подружка невесты
ДЦ — девочка-цветочница
НК — носитель колец

НЧ — невеста-чудовище
НЧС — невеста — чудовищная стерва

МИБ — мерзкий изменщик братец
ПДП — потаскушка деловая партнерша

# Пролог

Эммелин искренне верила, что каждая влюбленная и любимая женщина неповторима и прекрасна. Женщина, которую любят, которую безмерно ценят, величественна, как королева, а каждый влюбленный мужчина — сказочный принц. Эммелин каждый раз мечтательно вздыхала, представляя себе цветы, мерцающие свечи, долгие прогулки при луне, но самой высокой оценки, по ее романтической шкале, удостаивалось кружение в танце с избранником в освещенном луной безлюдном саду. Эммелин словно наяву видела тот прекрасный сад, посеребренный лунным светом, вдыхала аромат летних роз, слышала музыку, льющуюся из открытых окон бального зала, и чувствовала биение (точно такое, как сейчас) своего сердца.

Она страстно мечтала танцевать под луной в уединенном саду.

Ей было одиннадцать лет.

Поскольку Эммелин так ясно видела, как это должно быть — как это будет, — она с упоением и во всех деталях рассказывала о чудесном танце своим лучшим подругам. Каждый раз, устраивая пижамные вечеринки, девочки часами говорили обо всем на свете, слушали музыку, смотрели фильмы. Им разрешалось ложиться спать, когда захочется, или вообще не спать всю ночь, правда, ни одной из них не удалось продержаться без сна до утра. Пока.

Когда подруги собирались у Паркер, им разрешалось играть на веранде ее спальни до полуночи, разумеется, если погода позволяла. Эммелин больше всех времен года любила весну и обожала стоять на веранде, вдыхая ароматы садов поместья Браунов и чудесный запах травы, скошенной днем неутомимым садовником.

Миссис Грейди, домоправительница, приносила печенье и молоко, а иногда и пирожные. Время от времени заходила миссис Браун, чтобы проверить, чем занимаются подружки, однако, по большей части, четырем девочкам никто не мешал.

— Когда я стану успешной деловой женщиной и буду жить в Нью-Йорке, мне будет некогда крутить любовь, — заявила Лорел, очаровательная блондинка с ярко-зелеными прядями, покрашенными сухим концентратом напитка из лайма. Расправившись с собственными волосами, Лорел теперь воплощала свои дизайнерские фантазии, заплетая ярко-рыжие волосы Макензи в длинные тонкие косички.

— Без любви жить невозможно, — возразила Эмма.

— Угу, — пробормотала Лорел, от усердия прикусив кончик языка. — А я хочу быть такой, как тетя Дженнифер. Она без конца говорит моей маме, что у нее нет времени на семью и для самоутверждения ей не нужен никакой мужчина. Она живет в Верхнем Ист-Сайде и посещает вечеринки с Мадонной. Папа говорит, что тетя Дженнифер вертит мужчинами, и я хочу вертеть мужчинами и посещать вечеринки с Мадонной.

— Кто бы сомневался, — фыркнула Мак и только захихикала, когда Лорел дернула ее за косичку. — Танцевать здорово, и любовь тоже ничего, если не превращаешься в идиотку. Моя мама только и думает что о романах. И о деньгах. В общем, она думает только о романах и деньгах. Как будто можно получить любовь и деньги в одном флаконе.

— Это вовсе не любовь, — отрезала Эмма, но тут же успокаивающе погладила плечо Мак. — Я думаю, что любовь — это когда люди готовы на все ради возлюбленного. — Эмма глубоко вздохнула. — По-моему, это просто замечательно.

— Мы должны поцеловать какого-нибудь мальчишку и выяснить, на что это похоже. — Все замерли и уставились на Паркер, которая, лежа на кровати на животе, наблюдала за подружками, играющими в парикмахерскую. — Надо выбрать парня и заставить его поцеловать нас. Нам почти по двенадцать. Мы должны попробовать и узнать, понравится ли.

— Вроде эксперимента? — спросила Лорел, прищурившись.

— А с кем будем целоваться? — поинтересовалась Эмма.

— Составим список. — Паркер перекатилась по кровати к тумбочке и схватила новенький блокнот с парой розовых туфелек на обложке. — Запишем всех знакомых мальчишек и выберем подходящих.

— Что-то не очень романтично, — грустно заметила Эмма.

Паркер улыбнулась ей.

— Надо же с чего-то начинать, а списки всегда помогают. Вряд ли подойдут родственники; я имею в виду братца Дела. Братья Эммы не годятся по той же причине, и к тому же они для нас староваты. — Паркер открыла блокнот на чистой странице. — Итак...

— Иногда они пропихивают язык тебе в рот.

Заявление Мак повлекло за собой визги и сдавленные смешки.

Паркер соскользнула с кровати и уселась на полу рядом с Эммой.

— Итак, сначала составим общий список, а потом разделим его на два столбика — «Да» и «Нет» — и будем выбирать из первого. После эксперимента поделимся впечатлениями. Если парень сунет язык кому-нибудь в рот, об этом тоже придется рассказать.

— А вдруг тот, кого мы выберем, не захочет нас целовать? — засомневалась Эмма.

Закрепляя последнюю косичку Мак, Лорел покачала головой.

— Ну что ты говоришь, Эм? Уж тебя-то целовать никто не откажется. Ты такая хорошенькая и так уверенно с ними разговариваешь. Многие девчонки совсем глупеют рядом с парнями, но ты не такая. И у тебя уже появляются груди.

— Мальчишки любят груди, — с мудрым видом подхватила Мак. — А если он тебя не поцелует, поцелуешь его сама. Подумаешь, ерунда какая.

Однако Эмма поцелуй ерундой не считала. Поцелуй, по ее мнению, был или должен был быть очень важным событием.

Девочки все-таки составили список. Каждое имя сопровождалось взрывом смеха, тем более что Лорел и Мак тут же изображали, как поведет себя очередной кандидат в предложенных обстоятельствах. Девочки так хохотали и катались по полу, что кот Мистер Фиш гордо покинул спальню и устроился в гостиной Паркер.

Когда появилась миссис Грейди с молоком и печеньем, Паркер быстренько спрятала блокнот. А потом подружки решили поиграть в девичью поп-группу и начали перетряхивать шкаф и комод Паркер в поисках подходящей для сцены одежды. В конце концов они и не заметили, как заснули, кто раскинувшись поперек кровати, а кто и свернувшись клубочком прямо на полу.

Эмма проснулась еще до рассвета. Мрак слегка рассеивался ночником и лунным светом, струившимся в окна. Кто-то прикрыл ее легким одеялом и подсунул под голову подушку. Кто-то всегда это делал, когда подружки ночевали вместе.

Эмма вышла на веранду. Прохладный ветерок, напоенный ароматом роз, легко коснулся ее щек. Внизу серебрились под луной сады, где уже хозяйничала весна, оживляя голые ветви крохотными листьями и нежными бутонами. Эмма словно наяву услышала музыку, почувствовала аромат цветов, увидела себя танцующей среди роз, и азалий, и еще не распустившихся пионов. Ей даже привиделся силуэт партнера, кружащего ее в танце. В вальсе. Обязательно в вальсе, как в сказке.

Это и есть любовь, подумала Эмма, закрывая глаза и с наслаждением вдыхая ночной воздух. Когда-нибудь, пообещала она себе, у меня обязательно будет настоящая любовь.

**П**ервая кружка кофе не помогла Эмме привести в порядок теснившиеся в голове мысли, поэтому пришлось свериться с ежедневником. Справедливости ради следовало признать, что перспектива нескольких консультаций подряд бодрила почти так же, как крепкий сладкий кофе. Наслаждаясь и тем и другим, Эмма откинулась на спинку стула в своем уютном кабинете и принялась читать пометки, отражающие ее впечатления о клиентах.

По ее опыту, личность пары — или, точнее, невесты — помогала выбрать верный тон консультации и определиться с оформлением свадьбы. Эмма ни капельки не сомневалась в том, что цветы — душа свадебного торжества. Элегантные или забавные, изысканные или простенькие, цветы, по ее мнению, символизировали любовь. Ее работа, работа флориста, как раз и заключалась в том, чтобы клиенты получили наглядное воплощение любви и романтики, о которых они мечтали.

Эмма со вздохом потянулась, улыбнулась крохотным розочкам, красовавшимся в вазе на письменном столе. Весна. Что может быть прекраснее?

Свадебный сезон в самом разгаре. Полные хлопот дни и долгие чудесные ночи, когда можно дать волю фантазии и воплотить самые смелые идеи в проектах свадеб не только этой, но и следующей весны. Успех, радость творчества, удовлетворение, уверенность — все это подарили ей и трем ее лучшим подругам «Брачные обеты» — их собственная фирма по организации свадеб и других торжеств. А ей, Эмме, этот счастливый бизнес подарил возможность день за днем играть с цветами, жить с цветами, практически купаться в цветах.

Эмма задумчиво осмотрела царапинки и крохотные порезы на пальцах и тыльной стороне ладоней. Иногда эти неизбежные спутники ее работы казались ей боевыми шрамами, а иногда — почетными медалями, но сегодня утром она просто сделала мысленную заметку вставить в свое плотное расписание маникюр.

Взглянув на часы, Эмма поняла, что до консультаций успеет заглянуть в главный дом и подлизаться к миссис Грейди, и не придется самой возиться с завтраком. Она зашла в спальню, накинула прямо на пижаму алую фуфайку с капюшоном и вприпрыжку сбежала с лестницы.

Нынешний образ жизни предоставлял кучу дополнительных преимуществ. Ее личная гостиная одновременно служила и демонстрационным залом, и местом встреч с клиентами. Сейчас, проходя через гостиную, Эмма подумала, что перед первой консультацией надо будет обязательно освежить выставленные цветы... не все, конечно. Изумительно раскрывшиеся восточные лилии «Старгейзер», ярко-розовые, в крапинку, с белой каймой, она точно не тронет!

Эмма вышла в парк из бывшего гостевого домика поместья Браунов, ставшего ее жилищем и местом работы одновременно — в нем располагался офис ее «Цветочной фантазии», входящей в «Брачные обеты». Девушка глубоко вдохнула весенний воздух и поежилась. Черт побери, ну почему так холодно? Апрель ведь. Уже распустились высаженные в грунт веселые анютины глазки. Ну нет, ни утренний холод, ни заморосивший дождик настроения ей не испортят. Эмма съежилась, сунула одну руку — другая была занята кофейной кружкой — в карман и поспешила к главному дому.

Все вокруг возвращается к жизни, думала она, оглядываясь по сторонам. Если хорошенько присмотреться, можно заметить, что кроны кизиловых и вишневых деревьев окутаны нежно-зеленой дымкой, предвещающей скорое цветение. Вот-вот распустятся нарциссы, а крокусы уже радуют глаз. Вероятно, еще выпадет мимолетный весенний снег, но самое худшее позади, и очень скоро можно будет снова копаться в земле и переносить в парк прекрасных пленников оранжереи. Разумеется, без букетов, вазонов и гирлянд не обойтись, но нет лучшего фона для свадьбы, чем трогательная красота природы, и ни одному природному ландшафту не сравниться с поместьем Браунов.

Сады, изумительные даже сейчас, скоро взорвутся буйством цвета и аромата, приглашая прогуляться по извилистым тропинкам, отдохнуть на скамье, затаившейся в тени деревьев или разогретой солнцем. Паркер передала сады под ее, Эммы, ответственность — насколько вообще Паркер способна поделиться ответственностью, — поэтому из года в год Эмма наслаждалась бесконечным шоу: либо сама подсаживала новые растения, либо руководила работой ландшафтной бригады.

Укромные уголки парка и роскошные лужайки идеальны для проведения свадеб. Приемы у бассейна, брачные церемонии под увитой розами аркой, или в беседке, или даже у пруда под ивами — Эмма гордилась тем, что «Брачные обеты» могут удовлетворить любой, самый изысканный вкус.

А главный дом? Есть ли на свете что-либо более изящное, более прекрасное? Этот изумительный нежно-голубой цвет, чуть тронутый легкими желтыми и кремовыми мазками. Все эти перетекающие друг в друга линии крыш, арочные окна, балкончики с кружевными решетками, подчеркивающие невыразимое обаяние и элегантность особняка. И величественный портик, словно созданный для окружающей его пышной зелени и многообразия великолепных цветов. Ребенком Эмма считала поместье сказочной страной с волшебным замком, а теперь здесь был ее дом.

Когда Эмма свернула к домику у бассейна — жилищу и фотостудии ее подруги и партнера Макензи Эллиот, — распахнулась парадная дверь. Расплывшись в улыбке, Эмма помахала рукой появившемуся на крыльце долговязому, взлохмаченному парню в твидовом пиджаке:

— С добрым утром, Картер!

— О, Эмма! Привет!

Их семьи дружили, сколько она себя помнила, а теперь Картер Магуайр, бывший профессор Йеля и нынешний преподаватель английской литературы в Академии, их родной средней школе, помолвлен с одной из ее лучших подруг.

Жизнь не просто хороша, подумала Эмма, иногда она похожа на ложе из роз. Наслаждаясь пришедшим в голову сравнением, Эмма подбежала к Картеру, ухватила его за лацканы пиджака, привстала на цыпочки и звонко чмокнула в губы.

— Блеск, — слегка покраснев, пробормотал Картер.

— Эй! — Сверкая рыжей шевелюрой, на крыльцо вышла заспанная Мак и оперлась о дверной косяк. — Пытаешься соблазнить моего парня?

— Будь моя воля, я бы его украла, но — увы — ты уже ослепила и соблазнила его.

— Чертовски верно.

Картер застенчиво улыбнулся подругам.

— Отличное начало дня. Хотел бы я получить хоть половину подобного удовольствия от утреннего совещания с коллегами.

— Позвони им и скажи, что заболел, — вкрадчиво предложила Мак. — Я доставлю тебе удовольствие.

— Ха-ха. Не получится, но спасибо за предложение. Пока.

Картер поспешил к своей машине. Эмма ухмыльнулась ему вслед.

— Боже, какой он милый.

— Не буду спорить, — согласилась Мак.

— Только взгляни на себя, Счастливая Девчонка.

— Счастливая Помолвленная Девчонка. — Мак помахала пальцами перед носом Эммы. — Хочешь еще раз полюбоваться моим колечком? — Эмма не стала разочаровывать подругу и покорно заохала и заахала. — Ты случайно не завтракать собралась? — спросила удовлетворенная Мак.

— Так было задумано.

— Подожди меня. — Мак схватила с вешалки куртку и захлопнула дверь. — Я только кофе выпила, так что... — Не успели девушки сделать и пары шагов, как Мак нахмурилась. — Это моя кружка.

— Хочешь забрать ее прямо сейчас?

— Да ладно. Я знаю, почему я счастлива в такое дерьмовое утро. Кстати, по той же причине я не успела позавтракать. Она называется: «Давай вместе примем душ».

— Счастливая Девчонка еще и Хвастливая Ведьма.

— И горжусь этим. А ты с чего такая бодренькая? У тебя дома мужчина?

— К сожалению, нет. Зато у меня на сегодня назначено пять консультаций. Отличное начало недели плюс прекрасные впечатления от вчерашней свадьбы. Правда, дневной прием был очень мил?

— На седьмом десятке пара обменялась клятвами в кругу его детей, ее детей и целого выводка внуков. Не просто мило, но и обнадеживает. Второй брак для каждого, однако они готовы снова пройти весь путь, готовы делить радости и горести и учиться жить друг с другом. Несколько снимков получились просто потрясающими. Я уверена, у этой безумно влюбленной пары все получится.

— К слову о безумно влюбленной паре, нам давно пора поговорить о цветах для твоей свадьбы. Пусть декабрь и кажется далеким, но, как ты прекрасно знаешь, — Эмма снова поежилась от холода, — время пролетит незаметно.

— Я еще даже не продумала предсвадебную фотосессию. И платья не смотрела, и цветовую гамму не выбрала.

Эмма театрально захлопала ресницами.

— Я прекрасно выгляжу в ярких платьях.

— Ты прекрасно выглядишь и в мешковине, так что еще неизвестно, кто из нас хвастливая ведьма. — Мак распахнула дверь в маленькую прихожую и, поскольку миссис Грейди вернулась с зимних каникул, прилежно вытерла ноги. — Как только я найду платье, мы проведем «мозговой штурм» и решим остальные вопросы.

— Ты первой из нас выходишь замуж, и именно здесь.

— Да. Интересно, как мы умудримся провести свадьбу, будучи ее главными действующими лицами.

— Положись на Паркер. Если кто и справится с этой проблемой, то только она.

Эмма и Мак вошли в кухню и попали прямо в эпицентр бури. Паркер и Лорел яростно спорили. Бушующие страсти, похоже, не задевали невозмутимо колдующую у плиты Морин Грейди, да и по внешнему виду Паркер невозможно было определить степень ее раздражения: темно-каштановые волосы стянуты в аккуратный «конский» хвост, на синем, под цвет глаз, деловом костюме ни морщинки. Зато Лорел — встрепанная, во фланелевых пижамных штанах и майке, — похоже, только что в гневе вскочила с постели.

— Лорел, ты должна согласиться.

— Бред, бред, бред собачий!

— Лорел, это бизнес. В бизнесе главное — клиенты.

— Сейчас объясню, куда я хотела бы послать *эту* клиентку.

— Помолчи и послушай. — Ярко-синие глаза Паркер вспыхнули нетерпением. — Я уже составила список: предпочтения невесты, количество гостей, цветовая гамма, выбранные цветы. Тебе даже не придется с ней общаться. Вся связь через меня.

— Хочешь, скажу, куда ты можешь отправить свой список?

— Невеста...

— Невеста — наглая глупая стерва, которая год назад заявила, что не нуждается в моих услугах и не желает иметь со мной никаких дел. И теперь, когда она осознала свой идиотизм, не видать ей ни крошки моего торта как своих ушей. — Высказавшись, Лорел рухнула на стул.

— Пожалуйста, успокойся. — Паркер наклонилась, подняла с пола папку и положила ее на стол. — Здесь все, что тебе нужно. Я заверила невесту, что мы все уладим, поэтому...

— Вот сама до субботы придумай и испеки четырехъярусный свадебный торт, торт жениха и набор десертов на двести человек, причем без всякой предварительной подготовки. Да, и не забудь, что в оставшиеся три дня у нас еще вечерний прием и три торжества в выходные.

С вызывающим видом Лорел схватила папку и снова швырнула ее на пол.

— Теперь ты ведешь себя как капризный ребенок.

— Прекрасно. Я — капризный ребенок.

Миссис Грейди подмигнула вновь прибывшим и сладким голосом нараспев объявила:

— Девочки, ваши маленькие подружки пришли поиграть.

— Ой, меня мамочка зовет. — Эмма повернулась к двери, сделав вид, что хочет уйти.

Лорел вскочила.

— Ну нет! Стойте. Вы должны это услышать. Представляете! Свадьба Фолк-Харриган. В субботу вечером! Вы наверняка помните, как фыркнула невеста, когда ей предложили торт и десерты от «Сладкой мечты» в «Брачных обетах». С каким презрением она отметала все мои предложения и расписывала свою кузину, шеф-кондитера из Нью-Йорка, которая училась в Париже и обеспечивает тортами самые пафосные торжества. Вы помните, что она мне сказала?

Лорел ткнула пальцем в грудь Эммы.

— Ой! — вскрикнула Эмма, отпрянув. — Не дословно.

— А я прекрасно помню. Она сказала, что, может, я и гожусь для других, но для своей свадьбы она хочет самое лучшее. И сказала она это, нагло глядя мне в лицо.

— Не спорю, она вела себя по-хамски, — согласилась Паркер.

— Я не закончила, — процедила Лорел. — Вдруг в последний момент выясняется, что выдающаяся кузина сбежала с одним из своих клиентов. Скандал, скандал, поскольку вышеупомянутый клиент познакомился с выдающейся кузиной, заказывая торт для своей помолвки с совсем другой девушкой. В общем, беглецы исчезли в неизвестном направлении, и невеста требует, чтобы я спасла ее свадьбу.

— Для этого мы и существуем. Лорел...

— Я спрашиваю не тебя. — Лорел отмахнулась от Паркер и ткнула рукой в сторону Мак и Эммы. — Я спрашиваю их.

— Что? Ты что-то сказала? — Мак улыбнулась во весь рот. — Прошу прощения, наверное, я после душа воду из ушей не вытряхнула. Ничегошеньки не слышу.

— Трусиха. Эм?

— А?

— Завтрак! — проворковала миссис Грейди. — Все к столу. Белковые омлеты на ржаных тостах. Садитесь, садитесь. Приятного аппетита.

— Я не дотронусь до еды, пока...

— Давайте присядем. — Эмма постаралась прервать тираду Лорел как можно более мягким тоном. — Мне нужно подумать. Просто присядем и... О, миссис Грейди, какая красота. — Эмма схватила две тарелки и, выставив их перед собой, как щит, направилась к столу. — Не забывайте, что мы — команда.

— Не тебя оскорбляли и не ты завалена работой!

— Между прочим, со мной было то же самое, — возразила Эмма. — Мы еще не видели невесты хуже Уитни Фолк. У меня с ней связаны личные кошмары, но о них в другой день.

— Я тоже могла бы кое-что порассказать, — заметила Мак.

— Значит, слух к тебе вернулся, — пробормотала Лорел.

— Она грубая, требовательная, капризная и наглая, — продолжила Эмма. — Но, даже когда мы планируем свадьбу для проблемных или странных пар, мне приятнее думать, что мы помогаем им красиво начать долгую и счастливую совместную жизнь. Что касается Уитни, я удивлюсь, если ее брак продержится хотя бы пару лет. Лорел, она грубила тебе, но вряд ли от презрения, скорее от раздутого самомнения. И да, мне она тоже не нравится.

Воодушевленная поддержкой, Лорел дерзко улыбнулась Паркер и приступила к завтраку. Только рано она обрадовалась. Оказалось, что Эмма еще не закончила.

— При всем вышесказанном нельзя забывать, что мы — команда. И мы должны возиться даже с наглыми и самодовольными клиентами. Это серьезные причины. — Эмма не дрогнула под хмурым взглядом Лорел. — Но есть причина и получше. Ты продемонстрируешь грубой, глупой, самодовольной, костлявой заднице, на что способен действительно выдающийся шеф-кондитер, причем в сжатые сроки и в предельно стесненных обстоятельствах.

— Паркер уже пробовала зайти с этой стороны.

— О! — Эмма сунула в рот крохотный ломтик омлета. — Ну, это правда.

— Я легко втоптала бы в грязь ее кузину, ворующую чужих женихов.

— Без сомнений. Но сначала пусть Уитни поунижается хоть немножко.

— Мне нравится, когда передо мной унижаются, — задумчиво сказала Лорел. — И умоляют.

— Я могла бы организовать и то и другое, — пообещала Паркер, поднося к губам чашку с кофе. — И я уже предупредила, что срочность обойдется ей в лишних двадцать пять процентов. Уитни ухватилась за мое предложение, как за спасительную соломинку.

Голубые глаза Лорел удовлетворенно вспыхнули.

— Она плакала?

Паркер кивнула и вопросительно посмотрела на Лорел.

— Ну, так как?

— Хотя ее слезы греют мне душу, она должна без претензий и с глубочайшей благодарностью принять все, что я для нее сделаю.

— Даже не сомневайся.

— Как только определишься с тортом и десертами, обязательно дай мне знать. Я подберу цветы для украшения столов. — Эмма с сочувствием улыбнулась Паркер. — Когда Уитни тебе позвонила?

— В три двадцать ночи.

Лорел потянулась к Паркер и погладила ее руку.

— Прости меня.

— Это моя часть бизнеса. Мы справимся. Мы всегда справляемся.

До сих пор мы прекрасно справлялись, размышляла Эмма, освежая цветы в своей гостиной. И дай бог, так будет всегда. Эмма перевела взгляд на фотографию в простой белой рамке: три маленькие девочки, играющие в свадебную церемонию в летнем саду. В тот день она, Эмма, была невестой — в кружевной фате, с букетиком из одуванчиков и лесных фиалок — и не меньше подруг изумилась и восхитилась, когда голубая бабочка опустилась на одуванчик в ее букете. Разумеется, и Мак была с ними. За кадром. Ловила мгновение.

И через столько лет они все еще вместе. Эмма никогда не принимала это как нечто само собой разумеющееся. Просто чудо, настоящее чудо, что удалось превратить детскую игру в процветающий бизнес, который позволяет каждой из них заниматься любимым делом.

Хотя одуванчики остались в далеком детстве, невозможно сосчитать, сколько раз те же восхищение и изумление вспыхивали в глазах очередной невесты при виде созданного специально для нее уникального свадебного букета. Хорошо бы, чтобы уже первая из сегодняшних консультаций стала началом событий, которые приведут к свадьбе, на которой собранные Эммой цветочные композиции удостоятся такого восхищенного взгляда.

Девушка взбила диванные подушки, разложила альбомы и папки, проверила перед зеркалом, в порядке ли деловой костюм, прическа и макияж. В «Брачных обетах» безупречный внешний вид партнеров был одним из главных приоритетов.

Затрезвонил телефон. Эмма сняла трубку.

— «Цветочная фантазия», «Брачные обеты». Да, здравствуйте, Розанн. Конечно, я вас помню. Октябрьская свадьба, верно? Нет, не слишком рано. — Разговаривая, Эмма вытащила из ящика стола блокнот. — Можем назначить консультацию на следующую неделю, если вам удобно. У вас есть фотография свадебного платья? Отлично. И если вы уже выбрали платья для подружек или хотя бы их цвет... Понятно. Я вам помогу. Вас устроит следующий понедельник в два часа?

Эмма отметила время консультации и оглянулась к окну на шум подъехавшего автомобиля.

Один клиент на проводе, другой стучится в дверь. Господи, как же прекрасна весна!

Эмма подвела последнюю на сегодня клиентку к витринам с шелковыми цветочными композициями.

— Это я сделала, когда вы прислали фотографию свадебного платья и сообщили, какой видите свою цветовую гамму и какие цветы любите. Я помню, что мы говорили о большом каскадном букете, однако... — Эмма взяла с полки аккуратный букет из лилий и роз, перевязанный белой лентой, усыпанной жемчужинами. — Просто посмотрите перед тем, как принять окончательное решение.

— Прекрасный букет, и мои любимые цветы. Но, по-моему, он маловат. Мне хотелось букет побольше.

— Учитывая силуэт вашего платья — прямая юбка, жесткий корсаж с прекрасной бисерной вышивкой, — лучше смотрится более современный вариант, но я хочу максимально удовлетворить ваше желание. Смотрите, Миранда, этот образец ближе к тому, что вы задумали.

Эмма взяла в руки большой каскадный букет.

— Он похож на сад!

— Да, вы правы. Позвольте, я кое-что покажу вам. — Эмма открыла папку и достала две фотографии.

— Ой, мое платье! И с обоими букетами.

— Моя партнер Макензи — богиня фотошопа. Эти снимки позволят вам понять, как каждый из букетов смотрится с вашим платьем. О неверном решении и речи нет. Это ваш праздник, и любая его деталь должна быть точно такой, какой вы ее видите.

— А ведь вы правы, не так ли? — спросила Миранда, сравнив оба снимка. — Большой букет подавляет платье, а маленький выглядит так, словно создан именно для него. Элегантный и в то же время романтичный. Правда, романтичный?

— Согласна. Розоватые лилии на фоне белых роз и бледной зелени, вьющаяся белая лента с мерцающими жемчужинами — очень романтично. Если вы его выберете, я предложила бы для ваших подружек только лилии, перевитые розовой лентой.

— Я думаю... — Миранда взяла букет и подошла к большому старомодному зеркалу в подвижной раме, стоящему в углу. Ее улыбка расцвела, как цветы, которые она держала в руках. — Кажется, что этот букет создали очень талантливые феи. Я в него влюбилась.

Эмма сделала пометку в своем блокноте.

— Замечательно. Поддержим впечатление спирально закрученными лентами. На главный стол я поставлю прозрачные вазы, и букеты не только останутся свежими, но и послужат дополнительным украшением. Теперь обсудим букет, который вы будете бросать. Я предлагаю не очень крупные белые розы, вроде этих. — Эмма достала еще один образец. — С розовыми и белыми лентами.

— Идеально. Все оказалось гораздо легче, чем я думала.

Довольная Эмма сделала еще одну пометку.

— Выбор цветов очень важен, но кто сказал, что его нельзя совместить с удовольствием? Главное — помнить, что ваш выбор всегда правильный. Из наших разговоров я поняла, что вы представляете свою свадьбу в стиле современной романтики.

— Да, да, совершенно верно.

— Вашей племяннице пять лет?

— Исполнилось в прошлом месяце. Она только и думает о том, как будет разбрасывать по проходу розовые лепестки.

— Не сомневаюсь. — Эмма вычеркнула помандер из своего мысленного списка. — Можно взять вот такую корзинку, обшитую белым атласом, с каймой из мелких кустовых роз и с развевающимися белыми и розовыми лентами. Лепестки — розовые и белые. Можно сплести для девочки венок опять же из розовых и белых мелких розочек. В зависимости от ее платьица и ваших предпочтений, венок может быть лаконичным или со струящимися по спине лентами.

— Ленты, обязательно ленты. Она обожает наряжаться и будет в восторге. — Миранда примерила венок. — О, Эмма. Он похож на корону! Как у принцессы.

Эмма рассмеялась.

— Совершенно верно. Пятилетняя девочка будет на седьмом небе от счастья, а вы на всю жизнь станете ее любимой тетей.

— Она будет очаровательна. Да, да, я согласна на все, что вы предложили. Корзинка, венок, ленты, розы, цветовая гамма.

— Отлично. С вами очень легко работать. Теперь перейдем к мамам и бабушкам. Можно сделать букетики на корсаж, на запястье или в виде броши. Из одних роз, или одних лилий, или из роз с лилиями. Однако...

Миранда заулыбалась и отложила венок.

— За вашим «однако» каждый раз следует что-то фантастическое. Итак, однако?

— Я подумала, что мы могли бы усовершенствовать классический тусси-мусси.

— Понятия не имею, что это такое.

— Вот такой букетик в салфеточке, перевязанный лентой с бантиком. Кончики стеблей заключены в капсулу, чтобы цветы оставались свежими. Рядом с приборами мам и бабушек можно поставить крохотные вазочки, которые украсят и выделят их столы. Можно взять и лилии, и розы, но миниатюрные, и поменять цвета — розовые розы и белые лилии, и опять же чуть-чуть бледной зелени, а если такой вариант не подойдет к их платьям, то букетики могут быть просто белыми. Маленькие, изящные, с серебряным бантиком. На бантике можно выгравировать дату свадьбы, или ваши имена, или их имена.

— Какая прелесть! У них будут миниатюрные копии моего букета. О, моя мама просто... — В глазах Миранды засверкали слезы, и Эмма протянула ей салфетку из коробки, которую всегда держала под рукой. — Спасибо. Чудесная мысль. Я подумаю о монограммах. И мне хотелось бы посоветоваться с Брайаном.

— У вас полно времени.

— Но я обязательно закажу тусси-мусси, и, как вы предложили, поменяем цвета роз и лилий. Так букетики будут более индивидуальными. Можно, я посижу минуточку?

Эмма провела расчувствовавшуюся клиентку к дивану, поставила перед ней на журнальный столик коробку с салфетками и ласково сказала:

— Не волнуйтесь, все будет прекрасно.

— Я знаю. Я вижу свою свадьбу словно наяву, а ведь мы еще не приступили к оформлению и настольным композициям. Но я вижу... и я должна кое-что вам сказать.

— Не стесняйтесь.

— Моя сестра... она будет моей лучшей подружкой. Она уговаривала нас обратиться к Фелфутам, поскольку их брачное агентство считается самым престижным в Гринвиче и там действительно очень красиво.

— Там потрясающе красиво, и их свадьбы всегда великолепны.

— Но мы с Брайаном влюбились в ваш дом, в его красоту, в чувства, которые он вызывает, в вашу дружную команду. Мы поняли, что хотим пожениться только здесь, и каждый раз, как я приезжаю сюда или встречаюсь с кем-то из вас четверых, я убеждаюсь, что мы не ошиблись. Простите. — Миранда снова промокнула глаза салфеткой.

— Не плачьте. — Правда, Эмма вытащила салфетку и для себя. — Мне приятно это слышать и сидеть рядом с невестой, утирающей слезы счастья. Как насчет бокала шампанского? Успокоимся и займемся бутоньерками.

— Вы не шутите? О, Эммелин, если бы я так безумно не любила Брайана, то сделала бы вам предложение.

Эмма рассмеялась, вставая.

— Не скучайте. Я сейчас вернусь.


Позже, проводив довольную, хотя и слегка уставшую невесту, Эмма устроилась в кабинете с кружкой кофе. Миранда права, думала она, вводя в компьютер все детали. Получится изумительная свадьба. Изобилие цветов, мерцание свечей, переливы лент и вуали. Розовое и белое с дерзкими сине-зелеными вспышками для контраста. Акценты из серебра и хрусталя. Плавность линий и причудливость китайских фонариков. Современно и романтично.

Составляя уточненный контракт, Эмма поздравила себя с очень продуктивным днем, и поскольку следующий день обещал быть не менее напряженным — подготовка к вечернему приему посреди недели, — решила, что заслужила спокойный вечер. Она не пойдет в главный дом, не станет выяснять, что миссис Грейди приготовила на ужин, а просто настрогает себе салат или сварит спагетти. А потом свернется клубочком перед телевизором, посмотрит кино или полистает журналы, позвонит маме. Расслабится и, как послушная девочка, ляжет спать в одиннадцать часов вечера.

Телефон дважды звякнул, определяя персональную линию. Эмма взглянула на дисплей и улыбнулась.

— Привет, Сэм.

— Привет, красотка. Почему ты сидишь дома, а не веселишься со мной?

— Я работаю.

— Уже седьмой час. Собирайся, детка. У Адама и Вики вечеринка. Можем сначала где-нибудь поужинать. Я заеду за тобой через час.

— Стоп. Погоди. Я говорила Вики, что сегодня мне не очень удобно. Я была занята весь день консультациями, и еще целый час...

— Но ты же должна поесть, верно? И если ты целый день трудилась, то имеешь право поиграть. Поиграй со мной.

— Очень мило, но...

— Не заставляй меня идти на вечеринку в одиночестве. Пообщаемся немного, выпьем, повеселимся и уйдем, когда захочешь. Не разбивай мое сердце, Эмма.

Эмма возвела глаза к потолку, мысленно провожая свой спокойный вечер и долгий ночной сон.

— Поужинать не смогу, но встретимся на вечеринке около восьми.

— Я могу заехать за тобой в восемь.

«А когда привезешь меня домой, попытаешься войти и остаться. Ну уж нет».

— Встретимся на вечеринке. Тогда если я захочу уехать, а ты еще не навеселишься, то сможешь остаться.

— Если это лучшее, на что я могу рассчитывать, договорились. До встречи.

## 2

Эмма напомнила себе, что любит вечеринки, любит большие компании и разговоры, обожает выбирать подходящий наряд, подкрашиваться, делать прическу. А еще ей нравятся Адам и Вики. Вообще-то, именно она познакомила их четыре года назад, когда стало ясно, что она и Адам гораздо лучшие друзья, чем любовники. Естественно, свадьбу провели «Брачные обеты».

Эмма остановила машину перед современным двухэтажным домом и опустила защитный козырек, чтобы посмотреться в зеркальце. И вздохнула, вспомнив о Сэме. Симпатичный парень. С ним очень приятно поужинать, сходить на вечеринку, на концерт... Проблема в ней самой, в ее романтической шкале. При знакомстве умный, веселый и красивый Сэм получил твердые семь баллов с реальной возможностью роста, однако поцелуй на первом свидании срезал оптимистичную семерку до жалкой двойки.

Парень не виноват. Просто не заискрило. Она дала ему второй шанс — еще несколько поцелуев, в конце концов, поцелуи — ее любимое занятие, но ничего не получилось. Даже первоначальная двойка показалась слишком щедрой оценкой.

Нелегко сказать мужчине, что не собираешься с ним спать, ведь рискуешь ранить его самолюбие. «И все же я это сказала, — думала Эмма, выходя из машины. — Жаль, что Сэм не поверил. Может, сегодня удастся с кем-нибудь его познакомить».

Эмма вошла в дом, и от яркого света, грохота музыки, звона голосов у нее сразу поднялось настроение. Она действительно обожала вечеринки.

Один беглый взгляд выхватил из толпы дюжину знакомых. Продвижение по гостиной в поисках хозяев сопровождалось дружескими поцелуями и объятиями. Заметив дальнюю кузину Аддисон, Эмма помахала ей рукой и призадумалась. Аддисон — веселая, очень красивая и в данный момент одинокая. Пожалуй, Аддисон и Сэм прекрасно подойдут друг другу. Надо обязательно их познакомить.

Эмма нашла Вики в рабочей зоне просторной кухни-столовой. Весело болтая с подругами, хозяйка выкладывала на поднос закуски.

— Эмма! Я не думала, что ты сможешь выбраться.

— Я ненадолго. Ты выглядишь потрясающе.

— И ты тоже. — Вики взяла у Эммы охапку полосатых тюльпанов. — О, спасибо! Какие красивые!

— И подчеркивают весеннее настроение. Тебе помочь?

— Нет, спасибо. Бокал вина? — предложила хозяйка.

— Полбокала. Я за рулем и скоро уеду.

Вики положила цветы на рабочий стол.

— Ты приехала одна?

— Да, но вроде как договорилась с Сэмом.

— Понятно, — многозначительно протянула Вики.

— Нет, нет, вовсе нет.

— Неужели?

— Послушай. Нет, дай я сама. — Эмма забрала у Вики вазу для цветов и понизила голос: — Что ты думаешь насчет Сэма и Аддисон?

— Они встречаются? Я не знала, что...

— Нет. Я просто прикидывала. По-моему, они могут понравиться друг другу.

— Ну, возможно. Только вы так хорошо смотритесь. Ты и Сэм.

Эмма пробормотала нечто неразборчивое и сменила тему:

— Где Адам? Я не разглядела его в толпе.

— Вероятно, на террасе, пьет пиво с Джеком.

— И Джек здесь? — как можно безразличнее спросила Эмма, перебирая цветы. — Надо с ним поздороваться.

— Когда я видела парней в последний раз, они болтали о бейсболе. Ну, ты же их знаешь.

Разумеется, Эмма знала. Она знала Джека Кука больше десяти лет, поскольку Джек и Делани, брат Паркер, во время учебы в Йеле жили в одной комнате и Джек много времени проводил в поместье Браунов. В конце концов он окончательно переехал в Гринвич и открыл небольшое, но первоклассное архитектурное бюро.

Джек оказал неоценимую поддержку Паркер и Делу, когда разбились в катастрофе частного самолета их родители. А потом он просто спас четырех подруг, взяв на себя львиную долю забот по реконструкции дома у бассейна и гостевого дома под нужды задуманного ими бизнеса. В общем, Джек был членом семьи, и Эмма сделала себе мысленную заметку обязательно до ухода переброситься с ним парой слов.

Выходя из кухни с бокалом в руке, Эмма чуть не столкнулась с Сэмом и в который раз отметила, как он красив. Высокий, стройный, с неизменными озорными огоньками в глазах. Всегда безупречно подстрижен и к месту одет... очень правильный, даже, пожалуй, слишком.

— А вот и хозяйка. Привет, Вики. — Сэм вручил Вики бутылку хорошего каберне — очень правильный подарок, — чмокнул хозяйку в щеку и сердечно улыбнулся Эмме: — И та, которую я искал.

Сэм с энтузиазмом поцеловал Эмму в губы, но едва добрал до отметки «приятно» по ее шкале. Эмма умудрилась отстраниться на дюйм и упереться свободной рукой в его грудь на случай, если ему взбредет в голову поцеловать ее снова. Однако, чтобы не обижать парня, улыбнулась и дружески хихикнула:

— Привет, Сэм.

В этот момент с террасы на кухню вошел Джек — вылинявшие джинсы, кожаная куртка нараспашку, взлохмаченные вечерним ветром темно-белокурые волосы. При виде Эммы его брови вопросительно приподнялись, губы изогнулись в усмешке.

— Привет, Эм. Прости, не хотел мешать.

— Джек! — Эмма оттолкнула Сэма еще на дюйм. — Ты, кажется, знаком с Сэмом?

— Конечно. Как поживаешь, Сэм?

— Отлично. — Сэм развернулся, одной рукой обнял Эмму за плечи. — А ты?

— Не жалуюсь. — Джек взял ломтик хрустящего картофеля и обмакнул его в соус сальса. — Как бизнес, Эм?

— Мы очень заняты. Весна — время свадеб.

— Весна — время бейсбола. Я видел на днях твою маму. Она все еще самая прекрасная женщина на свете.

Эмма растроганно улыбнулась:

— Это правда.

— И я все еще не могу уговорить ее бросить твоего отца и сбежать со мной, правда, надежды не теряю. Ну, скоро увидимся. Пока, Сэм.

Джек удалился. Сэм тут же повернулся к Эмме, однако она предвосхитила его маневр и вывернулась, не позволив прижать себя к кухонному шкафчику.

— Ой, Сэм, я совсем забыла, сколько у нас с Вики и Адамом общих друзей. Я должна пообщаться. Ах да, а тебя я хочу кое с кем познакомить. — Эмма решительно схватила Сэма за руку. — Ты ведь не знаешь мою кузину Аддисон?

— Вроде нет.

— Я не видела ее несколько месяцев. Давай поищем ее, и я вас познакомлю. — И с этими словами Эмма потащила свою жертву в гостиную.

Прихватив горсть орехов, Джек общался с друзьями и следил, как Эмма тянет за собой сквозь толпу Перспективного Администратора На Отдыхе и при этом выглядит... сногсшибательно. И не просто сексапильно, хотя этих темных миндалевидных глаз, пухлых улыбающихся губ, золотистой кожи, роскошных вьющихся волос и соблазнительной фигуры вполне достаточно, чтобы свести с ума любого мужчину. Эмма словно излучает тепло и свет. Потрясающая девушка и, напомнил себе Джек, почти что сестра его лучшего друга.

В любом случае он чаще видит ее в компании подруг, или в окружении множества людей, или, вот как сейчас, с каким-нибудь парнем. Если женщина выглядит так, как Эммелин Грант, то рядом с ней всегда ошивается какой-нибудь парень.

И хоть Джек привык относиться к Эмме как к другу, никто не пострадает, если он просто полюбуется ею. Как мужчина и архитектор, он вполне способен оценить линии и формы и в женщинах, и в зданиях, а, на его профессиональный взгляд,

Эмма архитектурно идеальна. Потому Джек и щелкал орехи, притворяясь, что прислушивается к разговору, и смотрел, смотрел, как Эмма ловко и вроде бы бесцельно лавирует среди гостей, останавливаясь, чтобы поздороваться, перекинуться парой слов, улыбнуться, посмеяться чьей-то шутке... только за годы знакомства он успел изучить ее и понимал, что у нее есть цель.

Охваченный любопытством, Джек отделился от собеседников и присоединился к другой группе, стараясь не выпускать Эмму из поля зрения. Парень — Сэм — то и дело поглаживал ее спину или плечи. Эмма улыбалась, посмеивалась, поглядывала на него снизу вверх из-под длинных густых ресниц, но язык ее тела — а Джек прекрасно, издали, естественно, изучил ее тело — говорил о том, что Сэму вряд ли стоит рассчитывать на взаимность.

— Аддисон! — позвала Эмма и, пылко обняв очень привлекательную блондинку, рассмеялась своим удивительным смехом, от которого у Джека в жилах обычно закипала кровь. Девушки принялись болтать, радостно улыбаясь, но сначала, как это обычно делают женщины, внимательно оглядели друг друга и наверняка обменялись комплиментами. *«Ты выглядишь потрясающе!»*, *«Как ты похудела!»*, *«Отличная прическа!»*. По наблюдениям Джека, этот женский ритуал иногда претерпевал кое-какие изменения, но смысл его не менялся.

Затем Эмма слегка повернулась, парень с блондинкой оказались лицом к лицу. И тут, по тому, как Эмма отстранилась, как похлопала парня по плечу и взмахнула рукой, Джек понял ее замысел. Точно! Она бросает беднягу и надеется, что блондинка его утешит. Когда Эмма направилась в сторону кухни и исчезла за спинами гостей, Джек поднял бокал с пивом в ее честь. Молодец, Эммелин, разыграно как по нотам.

Джек покинул вечеринку рано. На завтра на восемь утра у него была назначена деловая встреча, а затем сплошные поездки по стройплощадкам. И в ближайшие день-два придется выкроить время, чтобы поработать над проектом перестройки дома Макензи, где она и Картер живут после помолвки. Джек уже представлял, как это сделать, не испортив облика здания, но, прежде чем показывать что-либо Мак, хотел сначала сам поиграть с пространством.

Он еще не привык к мысли о том, что Мак собирается замуж... да еще за Картера. А привыкать придется. Хотя Картер учился в Йеле в одно время с ним и Делом, они почти не общались. Но парень приятный... и — что немаловажно — зажег счастливые огоньки в глазах Мак.

Под грохот музыки, рвущейся из автомобильных динамиков, Джек прикидывал разные варианты пристройки, чтобы обеспечить Картера кабинетом, где тот мог бы заниматься... ну, тем, чем занимаются преподаватели английской литературы в своих домашних кабинетах.

Дождь, почти весь день то прекращавшийся, то снова надоедливо моросивший, вернулся мокрым снегом. Обычный апрель в Новой Англии. Ничего нового. Свет фар полоснул по автомобилю, притулившемуся у обочины, и женщине, подбоченившейся перед открытым капотом. Джек остановился, выбрался из машины и неторопливо подошел к Эмме.

— Привет. Давно не виделись.

— Черт. Мотор заглох. Ни с того ни с сего. — Эмма обреченно взмахнула руками, и Джек отскочил, чтобы не получить по лбу фонариком. — Да еще, как назло, снег пошел. Видишь?

— Да, конечно. Может, у тебя бензин кончился? Ты проверяла?

— Ничего у меня не кончилось. Я не идиотка. Виноват аккумулятор или карбюратор. Или один из шлангов. Или ремней.

— Ну, ты ограничила круг проблем.

Эмма возмущенно выдохнула:

— Черт побери, Джек, я флорист, а не механик.

— Справедливо подмечено, — ухмыльнулся Джек. — Ты звонила в службу техпомощи?

— Собиралась, но решила сначала посмотреть сама. Вдруг ничего страшного. Ну почему никто не хочет облегчить жизнь простым водителям?

— А почему цветам дают латинские названия, которые и выговорить невозможно? Слишком серьезные вопросы. Дай взглянуть. — Джек протянул руку за фонариком. — Господи, Эмма, ты совсем окоченела.

— Если бы я знала, что застряну в дороге посреди ночи во время снежной бури, то оделась бы теплее.

— Не преувеличивай. Это всего лишь мелкий снег. — Джек снял куртку и протянул ей.

— Спасибо.

Эмма завернулась в куртку, а Джек склонился над мотором.

— Когда эта машина в последний раз проходила техобслуживание?

— Понятия не имею. Когда-то.

Джек обернулся и мрачно взглянул на нее.

— Твое «когда-то» больше похоже на «никогда». Проржавели клеммы аккумулятора.

— И что это значит? — Эмма подошла и тоже сунула голову под крышку капота. — Можешь починить?

— Я могу...

Джек повернул голову, уставился в оказавшиеся совсем рядом бархатные карие глаза и потерял дар речи.

— Что? — спросила Эмма, и он почувствовал на своих губах ее теплое дыхание.

— Что «что»? — «Какого черта я здесь делаю?» Распрямившись, Джек покинул опасную зону. — Единственное, что я могу, так это дать тебе прикурить. Не смотри на меня так. Это значит завести твой двигатель от моего аккумулятора, чтобы ты добралась до дома.

— Ну, ладно. Хорошо. Очень хорошо.

— А ты пообещаешь отправить эту колымагу на техобслуживание.

— Обязательно. Первым же делом. Клянусь.

Ее голос слегка сорвался, видимо, от холода.

— Залезай в машину и ничего не трогай, пока я не скажу.

Джек подогнал свою машину к машине Эммы, капот к капоту, но, когда достал провода, Эмма снова вылезла на холод.

— Я хочу посмотреть. Вдруг мне придется когда-нибудь самой это делать.

— Хорошо, смотри. Провода для прикуривания. Аккумуляторы. Вот плюс, вот минус. Если вдруг перепутаешь...

Джек подсоединил один провод, сдавленно вскрикнул и затрясся. Правда, испуганного визга не дождался. Эмма только рассмеялась и шлепнула его по руке.

— Идиот. У меня есть братья, и я разбираюсь в ваших играх.

— Твои братья должны были показать тебе, как заводить двигатель от чужого аккумулятора.

— Кажется, они пытались, но я не вдавалась в подробности. У меня в багажнике есть такие же провода и еще какое-то барахло на всякий пожарный случай, но я никогда ничем не пользовалась. — Эмма хмуро уставилась на двигатель его машины. — А твой мотор чище моего.

— Котлы в аду чище твоего мотора.

Эмма вздохнула:

— С этим не поспоришь.

— Залезай в машину и включай зажигание.

— Издеваешься?

— Ха. Если и когда заведется, не вырубай.

— Ясно. — Сев за руль, Эмма подняла скрещенные пальцы и повернула ключ зажигания.

Двигатель закашлялся, запнулся, заставив Джека поморщиться, и наконец неохотно затарахтел.

Эмма высунула голову в боковое окно и ослепительно улыбнулась:

— Заработало!

У Джека промелькнула мысль, что от ее улыбки можно было бы завести сотню заглохших двигателей.

— Пусть поработает пару минут, а потом я провожу тебя до дома.

— Совсем необязательно. Тебе же не по пути.

— Я поеду следом. Вдруг ты снова заглохнешь.

— Спасибо, Джек. Один бог знает, сколько бы я проторчала на дороге, если бы не ты. Я проклинала себя за то, что вообще поехала на эту чертову вечеринку, а ведь хотела посмотреть фильм и пораньше лечь спать.

— Так зачем поехала?

— Ну, слаб человек. — Эмма пожала плечами. — Сэм не хотел ехать один, а я люблю вечеринки. Вот и решила встретиться с ним там и повеселиться часок.

— Угу. И как у него сложилось с блондинкой?

— Прости, не поняла.

— С блондинкой, которую ты ему подсунула.

— Я никого ему не подсовывала. — Девушка отвела взгляд, но, смирившись с разоблачением, посмотрела Джеку в глаза. — Ладно, подсунула. Я точно знала, что они друг другу понравятся. Так и случилось. Доброе дело стоило этой вылазки. Если не считать заглохший двигатель. Вот это несправедливо. И неловко, поскольку ты заметил.

— Наоборот, я был потрясен. Твой маневр и сальса — самые яркие впечатления сегодняшнего вечера. Я отсоединю провода. Посмотрим, не заглохнет ли двигатель. Если все нормально, не уезжай, пока я не сяду за руль.

— Спасибо, Джек. Я перед тобой в долгу.

— Разумеется, — ухмыльнулся он.

Поскольку двигатель не заглох, Джек закрыл сначала капот ее машины, потом своей, бросил провода в багажник, сел за руль и помигал фарами, поезжай, мол. И покатил за ней сквозь снежную пыль, стараясь не думать о том моменте, когда почувствовал теплое дыхание Эммы на своих губах.

Доехав до частной дороги, ведущей к поместью Браунов, Эмма посигналила. Джек остановился и смотрел на мерцающие во мраке задние фонари ее машины до тех пор, пока они не исчезли за поворотом к гостевому дому. Потом он еще немного посидел в темноте, затем включил зажигание и повернул к дому.

В зеркало заднего вида Эмма заметила, что Джек остановился, и подумала, не должна ли она пригласить его выпить кофе. Может, и должна, во всяком случае, могла бы, но момент упущен. И к лучшему, безусловно, к лучшему.

Неразумно поздно ночью наедине развлекать друга семьи, заслужившего оглушительную десятку по ее личной шкале. Особенно когда внутри до сих пор все дрожит, а главное, из-за чего! Из-за какого-то глупого мгновенья под крышкой капота! Мгновенья, когда она чуть не набросилась на парня самым унизительным образом! Нет, это никуда не годится.

Хорошо бы обсудить эту нелепую ситуацию с Паркер, с Лорел или с Мак, а еще лучше — со всей троицей сразу. Нет, и это не годится. Кое-чем невозможно поделиться даже с лучшими на свете подругами. Особенно если учесть, что Джек и Мак когда-то были близки. Пожалуй, Джек был близок со множеством женщин. Конечно, нельзя винить его в этом. Она сама любит мужскую компанию. И секс любит. Иногда одно ведет к другому. И потом, как прикажете найти любовь всей своей жизни, если не утруждать себя поисками?

Эмма подъехала к своему дому, выключила мотор, закусила губу и снова повернула ключ зажигания. Мотор как-то горестно закряхтел, но все же завелся. Наверное, это хороший признак. Надо как можно скорее отправить машину в мастерскую, только сначала расспросить Паркер о механиках, ведь Паркер знает все на свете.

Войдя в дом, Эмма прихватила бутылку воды и отправилась наверх. Из-за Сэма и дурацкого аккумулятора не получилось лечь спать в праведные одиннадцать часов, но к полуночи она вполне успеет, хотя тем самым и лишит себя уважительной причины для прогула запланированной на завтра утренней тренировки. Не стоит даже пытаться увиливать.

Эмма поставила бутылку на тумбочку рядом с

фрезией в вазочке, начала раздеваться и только сейчас заметила, что на ней куртка Джека.

— О черт.

Куртка так хорошо пахла. Натуральной кожей и Джеком. Но это не тот запах, что навевает безмятежные сны. Эмма отнесла куртку в дальний конец комнаты и повесила ее на спинку стула. Теперь придется как-то возвращать куртку, но об этом можно побеспокоиться позже.

Кто-нибудь из подруг поедет по делам в город и забросит куртку Джеку. И это вовсе не трусость с ее стороны. Это практицизм. Трусость здесь ни при чем. Они с Джеком часто видятся. Они постоянно видятся. Постоянно. Какой смысл специально ехать к нему, если можно это перепоручить? Наверняка у Джека есть другая куртка. Не похоже, что ему срочно понадобится именно эта. А если ему так необходима именно эта куртка, то почему он ее не забрал?

Сам виноват!

И разве не решено побеспокоиться об этом позже?

Эмма переоделась в ночную сорочку и отправилась в ванную комнату совершать свой ежевечерний ритуал: снимать макияж, протирать лицо тоником, наносить увлажняющий крем, чистить зубы, расчесывать волосы. Привычные действия и красота ее ванной комнаты обычно способствовали расслаблению. Эмма обожала яркую веселую плитку, ванну на ножках, полку с бледно-зелеными бутылочками, в которые она ставила любые цветы, которые оказывались под рукой... Правда, сейчас ей показалось, что крохотные нарциссы, празднующие приход весны, смеются над ней, и она раздраженно выключила свет.

Ритуал продолжился удалением с кровати приличной горки декоративных подушек, складыванием вышитого покрывала и взбиванием подушек для сна. Наконец Эмма скользнула под пуховое одеяло, свернулась клубочком, наслаждаясь шелковистостью простыней, нежным ароматом фрезии и...

Черт! Даже сюда доносится запах его куртки.

Вздыхая, Эмма перекатилась на спину.

Ну и что? Ну и что, если в голове роятся похотливые мысли о лучшем друге брата лучшей подруги? Это не преступление. Похотливые мысли абсолютно естественны, и в них нет ничего предосудительного. На самом деле эти самые мысли очень даже полезны, приятны и не запрещены законом.

Она была бы сумасшедшей, если бы они не лезли ей в голову, а вот превращать их в руководство к действию действительно было бы сумасшествием.

Интересно, как отреагировал бы Джек, если бы она преодолела тот последний дюйм и поцеловала его? Ну, точно не отшатнулся бы. И они провели бы несколько очень приятных минут на пустынной обочине в таинственной снежной дымке. Разгорающийся жар тел, ускоряющееся биение сердец...

Нет, нет и нет... я опять все романтизирую. Ну почему я всегда так стремительно выскальзываю из здоровой похоти в романтику? Ладно, это моя личная проблема, и я прекрасно знаю, что ее истоки в романтической любви моей мамы и папы. Естественно, я мечтаю о том, что посчастливилось найти им.

Итак, прочь романтику. Никаких мыслей о долгой и счастливой жизни с Джеком. Ограничимся похотью. Если бы мы с ним сплелись в жарком объятии на обочине, то после импульсивного и, несомненно, сногсшибательного поцелуя нам стало бы неловко, пришлось бы бормотать извинения или пытаться превратить все в шутку. Получилась бы очень напряженная и дурацкая ситуация. Простая истина заключается в том, что время для похоти давно упущено. Мы друзья, почти что семья. Нельзя флиртовать с друзьями и с членами семьи. Лучше, гораздо лучше держать свои мысли при себе и продолжать поиски настоящей любви — любви на всю жизнь.

# 3

Эмма устало втащилась в спортзал в главном доме. Ее переполняли обида и жалость к себе. Вероятно, поэтому она с утра чувствовала себя совершенно разбитой и испытывала непреодолимое отвращение к тренажерам, которые Паркер подобрала так же безукоризненно, как все, что она делала.

На экране плоского телевизора бормотал что-то диктор CNN, Паркер — с неизменной телефонной гарнитурой — наматывала мили на эллиптическом тренажере. Сдернув фуфайку, Эмма злобно покосилась на нагло сверкающий в углу «Бауфлекс» и повернулась спиной и к нему, и к велотренажеру, и к полке с компакт-дисками, на которых слишком самоуверенные или слишком пылкие инструкторы заманивали простачков в мир йоги и пилатеса, пытали несчастных огромным ярким мячом или унижали гимнастикой тай чи.

Эмма раскатала коврик, уселась, намереваясь разогреться перед тренировкой, но в конце концов просто растянулась на полу.

— Доброе утро. Ты не выспалась? — спросила Паркер, не останавливаясь ни на секунду.

— Сколько ты уже пашешь на этой штуковине?

— Хочешь сюда? Я почти закончила. Сейчас освобожу, только сбавлю темп.

— Я здесь все ненавижу. Пыточная камера с натертыми полами и красивыми стенами все равно остается пыточной камерой.

— Тебе станет легче, когда пройдешь милю-другую.

— С чего вдруг? — Распростертая на полу Эмма вскинула руки. — Кто это сказал? Кто решил, что все должны каждый день шагать до посинения или скручиваться в неестественные позы? Кто решил, что это полезно? Я думаю, те, кто продает все эти жуткие тренажеры и рекламирует соблазнительные гимнастические костюмы вроде твоего. — Эмма уставилась на синевато-серые обтягивающие легинсы Паркер и ее серую с розовым маечку. — Сколько у тебя таких прикидов?

— Тысячи, — сухо ответила Паркер.

— Вот видишь? А если бы тебя не убедили шагать до посинения и скручиваться в неестественные позы — и так классно при этом выглядеть, — ты не тратила бы бешеные деньги на спортивные костюмы, а жертвовала бы их на добрые дела.

— Эти легинсы отлично подчеркивают мою задницу.

— Не спорю. Но никто, кроме меня, не видит твою задницу, так в чем смысл?

— В собственном удовольствии. — Паркер замедлила шаг и вскоре остановилась, затем спрыгнула с тренажера, протерла его дезинфицирующей салфеткой. — Эмма, что с тобой?

— Я уже сказала. Я ненавижу эту комнату и все, что она символизирует.

— Ты и раньше так говорила, но я узнаю тон. Ты раздражена, а это с тобой бывает очень редко.

— Я раздражаюсь, как любой другой человек.

— Нет. — Паркер обтерла лицо полотенцем, отпила воды из бутылочки. — Ты почти всегда веселая, оптимистичная, благожелательная. Даже когда стервозничаешь.

— Я такая? Боже, какая гадость.

— Ничего подобного. — Паркер подошла к «Бауфлексу» и принялась с кажущейся легкостью качать руки и плечи. Эмма знала, что это вовсе не легко, и, предчувствуя новый прилив негодования, приняла сидячее положение.

— Я раздражена. Мое раздражение бьет через край. Вчера вечером... — Эмма осеклась, поскольку вошла Лорел — с закрученными на затылке волосами, в спортивном бюстгальтере и велосипедных шортах, выгодно подчеркивающих ладную фигурку.

— Долой новости, они мне неинтересны. — Лорел взяла пульт и переключила канал. Бормотание диктора сменилось грохочущим роком.

— Хотя бы сделай потише, — попросила Паркер. — Эмма хочет рассказать, почему она так злится сегодня.

— Эмма никогда не злится. — Лорел раскатала на полу коврик. — Какая гадость.

— Вот видишь? — Эмма подумала, что раз уж она сидит на полу, то с тем же успехом можно поделать упражнения на растяжку. — Вы — мои лучшие подруги и все эти годы позволяли мне раздражать окружающих.

— Может, это раздражает только нас. — Лорел приступила к «скручиваниям». — Мы больше всех с тобой общаемся.

— Ну и катитесь. Боже милостивый, неужели вы обе измываетесь над собой каждый день?

— Паркер — каждый, она одержимая. Я — три раза в неделю. Четыре, если есть настроение. Обычно это случается в выходной, но мне пришла в голову идея для омерзительной невесты, и я завелась.

— Ты уже можешь что-то показать? — спросила Паркер.

— Вот видишь, Эм, она одержимая. — Лорел приступила к подъемам верхней части тела. — После. Сейчас я хочу послушать о раздражении.

— Как у тебя это получается? — возмутилась Эмма. — Как будто кто-то дергает за веревку-невидимку.

— Стальной пресс, детка.

— Я тебя ненавижу.

— Кто бы стал тебя винить? Думаю, раздражение вызвано мужчиной, — решила Лорел. — Выкладывай подробности.

— Вообще-то...

В комнату влетела Мак, на ходу стягивая фуфайку с капюшоном.

— Господи, что это? Женский день в потогонке Браунов?

— Скорее снегопад в преисподней, — откликнулась Лорел. — А ты что здесь делаешь?

— Я иногда сюда забегаю.

— Ты иногда разглядываешь тренажеры и называешь это тренировкой.

— Я начинаю жизнь с чистого листа. Ради своего здоровья.

Лорел ухмыльнулась:

— Бред собачий.

— Ладно, бред. Просто я собираюсь купить свадебное платье без бретелек, и мои руки и плечи должны быть идеальны. — Мак повернулась к зеркалу и потянулась. — У меня хорошие руки и плечи, но недостаточно хорошие. — Виляя бедрами, Мак высвободилась из спортивных брюк и вздохнула: — Я потихоньку превращаюсь в одержимую, суетливую невесту. Я сама себя ненавижу.

— Зато ты будешь одержимой, суетливой невестой с идеальными руками, — утешила Паркер. — Посмотри, что я делаю.

— Я вижу. — Мак нахмурилась. — Но мне это не нравится.

— Ты просто не спеши. Я ослаблю сопротивление.

— Это намек на мою изнеженность, Паркс?

— Я делаю эти упражнения три раза в неделю. Если ты начнешь на моем уровне, то завтра будешь стонать и плакать.

— У тебя и правда классные руки и плечи.

— И еще я знаю из достоверных источников, что моя задница классно смотрится в этих легинсах. Итак, Макензи, не торопясь, аккуратненько. Три подхода по пятнадцать раз. — Паркер похлопала Мак по плечу. — Надеюсь, больше никаких отвлечений. Эмма, на пол.

— Она уже на полу, — заметила Мак.

— Тсс. Эмма злится, потому что...

— Потому что вчера вечером я ездила к Адаму и Вики — помните Макмилланов? — что я совершенно не планировала, так как весь день был забит битком, и сегодня мне предстоит та же песня. В общем, день прошел отлично, особенно последняя консультация. Потом я составила контракты, привела в порядок заметки, решила легко поужинать, посмотреть какой-нибудь фильм, рано лечь спать.

— И кто же вытащил тебя из дома? — спросила Мак, сосредоточенно борясь с тренажером.

— Сэм.

— Болван-компьютерщик — бывает же такое сочетание! — в сексапильных, старомодных очках, как у Бадди Холли?

— Нет, нет. — Эмма затрясла головой. — Это Бен. Сэм — рекламщик с потрясающей улыбкой.

— Тот, с которым ты решила больше не встречаться, — уточнила Паркер.

— Да. Это не было настоящим свиданием. Я отказалась поужинать с ним и не позволила заехать за мной. Однако... ладно, я клюнула на вечеринку и согласилась встретиться у Макмилланов. Еще две недели назад я прямо сказала, что не собираюсь с ним спать, но, похоже, он не поверил. Зато на вечеринке была Аддисон, моя дальняя кузина, кажется, с папиной стороны. Она очень красивая и точно в его вкусе. Я их познакомила, и, по-моему, удачно.

— Может, включим в пакет услуг сватовство? — предложила Лорел, переходя к подниманию ног. — Даже если ограничиться парнями, которых бросает Эмма, мы удвоим прибыли.

— В слове «бросать» есть негативный оттенок. Я их перенаправляю. Короче, там был Джек.

— Наш Джек? — уточнила Паркер.

— Да, к счастью для меня. Я уехала рано, но на полпути моя машина заглохла. Представляете! Закашлялась, подавилась и вырубилась. Вокруг снегопад, темень. Я замерзаю, а на дороге, разумеется, никого.

Поскольку упражнения на поднимание ног не показались ей ужасными, Эмма стала повторять движения Лорел.

— Ты должна установить спутниковый навигатор, — посоветовала Паркер. — Я найду необходимую информацию.

— Вам это не кажется жутковатым? — пропыхтела Мак, продираясь сквозь третий сет упражнений. — Они всегда точно знают, где ты находишься. И, по-моему, они все слышат, даже когда не нажимаешь на кнопку. Они подслушивают, точно, подслушивают.

— Им скучно, и они развлекаются фальшивым пением водителей под радио. Кому ты позвонила? — спросила Паркер.

— Не пришлось никому звонить, потому что подъехал Джек. Он только взглянул и понял, что дело в аккумуляторе. И помог мне завестись. Да, и он одолжил мне свою куртку, которую я потом забыла ему вернуть. Я всего лишь хотела поесть салата и посмотреть романтический фильм! А вместо этого мне пришлось увиливать от губ Сэма, затем я умудрилась застрять посреди ночи на обочине в жуткий мороз, теперь мне нужно тащить машину в мастерскую и как-то возвращать Джеку куртку. И все это при том, что у меня сегодня ни одной свободной минутки! Ни одной. Это отвратительно, потому что... — Эмма перекатилась и занялась другой ногой. — Я плохо спала, потому что тревожилась, как все это успеть, и ругала себя за то, что вообще попалась на удочку. — Эмма перевела дух. — А теперь, когда я все вам выложила, получается, что я дергалась из-за ерунды.

— Поломка машины не подарок, — подала голос Лорел. — А ночью и в снегопад просто кошмар. Ты имеешь право на раздражение.

— Джек заявил, что я сама виновата. И что самое противное, он прав: я действительно ни разу не возила машину на техобслуживание. Но он меня спас. Плюс куртка. Плюс он проводил меня до дома, чтобы убедиться, что я добралась в целости и сохранности. Теперь я должна искать механика. У меня полно знакомых парней, которые взяли бы на себя все заботы, но я не желаю выслушивать еще одну лекцию на тему, как плохо я обращаюсь со своей машиной, бла-бла-бла. Итак, Паркер, куда мне ее тащить?

— Я знаю, я знаю! — Мак с облегчением покинула тренажер. — Поезжай к приятелю Дела, который зимой отбуксировал мамину машину. Я голосую за любого, кто может противостоять разбушевавшейся Линде.

— Поддерживаю, — согласилась Паркер. — Если ему доверяет Делани Браун, то и ты можешь довериться. Дел — маньяк во всем, что касается его автомобилей. Механик Каванаф. Я дам тебе его телефон и адрес.

— Малком Каванаф, владелец автомастерской, — добавила Мак. — Классный парень.

— Правда? Ну, может, сдохший аккумулятор — не такое уж несчастье. Я постараюсь все уладить на следующей неделе. А сегодня кто-нибудь едет в город в окрестности офиса Джека? Я точно не смогу выбраться.

— Отдашь куртку в субботу, — предложила Паркер. — Джек в списке гостей вечернего приема.

— О, прекрасно. — Эмма с отвращением посмотрела на эллиптический тренажер. — Ну, раз уж я здесь, можно и попотеть немного.

— Посмотрите на меня, — потребовала Мак. — Я уже накачалась?

— Потрясающие улучшения. А теперь поработаем над бицепсами, — скомандовала Паркер. — Я покажу тебе как.

К девяти часам утра Эмма успела принять душ, одеться и устроиться за любимым рабочим столом в окружении любимых цветов. К пятидесятилетию совместной жизни родителей дети решили воссоздать их свадьбу — прием в саду, только более пышный.

На доске перед Эммой были прикноплены копии фотографий из свадебного альбома юбиляров, ее собственные эскизы, список цветов и аксессуаров. На другой доске красовались рисунок Лорел — простой, но изящный трехъярусный свадебный торт, украшенный ярко-желтыми нарциссами и бледно-розовыми тюльпанами, — и фотография фигурки, венчающей торт и очень похожей на пару в день их свадьбы вплоть до кружевного волана на пышной юбке коктейльного платья невесты.

Пятьдесят лет вместе, размышляла Эмма, разглядывая фотографии. Множество дней и ночей и повторяющихся из года в год праздников. Рождения и смерти, споры и примирения, слезы и смех. Почему-то это казалось ей даже более романтичным, чем сказочные замки посреди пустынных болот. Пожилая пара получит свой сад. Целый мир садов.

Эмма начала с желтых нарциссов, рассаживая их в длинные, устланные мхом корытца, перемежая белыми нарциссами, тюльпанами и гиацинтами, добавляя тут и там побеги барвинка. Раз шесть она полностью уставляла цветами тележку и отвозила их в холодильную камеру. Она смешивала галлоны цветочной подпитки с водой и наполняла высокие стеклянные цилиндры, очищала стебли, обрезала их под струей воды и составляла композиции из дельфиниума, левкоев, водосбора, воздушной гипсофилы, кружевной декоративной спаржи. Сочетание растений разной высоты, соцветий нежных и дерзких оттенков создавало иллюзию весеннего сада.

Время бежало незаметно. Эмма повела затекшими плечами, покрутила головой, размяла пальцы. А теперь пятьдесят букетов невесты, пятьдесят копий того букета, что невеста держала в руках пятьдесят лет назад. Эмма смочила маленький флористический оазис, прикрыла его блестящим листом лимона, обрезала стебли разноцветных роз — даже не чертыхнулась, когда царапнула руку, — и, начиная с центра, принялась кропотливо собирать первый букет. Получилось очень красиво, весело... очаровательно.

— Осталось всего сорок девять, — произнесла Эмма вслух, устанавливая подставку с букетом в широкую стеклянную вазу, и решила сделать небольшой перерыв, вознаградить себя за утренние труды.

Оттащив мешки с цветочными обрезками к компостерному контейнеру, отчистив зелень с пальцев и из-под ногтей, Эмма устроилась в патио с баночкой диетической колы и тарелкой салата из спагетти.

Над прудом, усеянным глянцевыми листьями лилий, склонились едва зазеленевшие ивы. Парк Браунов не мог пока конкурировать с тем садом, что Эмма создавала своими руками, но еще немного — и из земли, успевшей забыть под весенним солнцем о выпавшем ночью снеге, вырвутся зеленые побеги, на деревьях набухнут бутоны, освежится листва многолетних растений. И все станет как полвека назад в Южной Вирджинии, где поженилась счастливая пара.

На веранде главного дома появилась группа людей — потенциальные клиенты. Паркер им что-то говорила, указывая на арку и беседку. Клиентам придется включить воображение, чтобы увидеть изобилие белых роз и буйство глицинии, но Эмма подумала, что и высаженные ею в вазоны анютины глазки, и стелющийся барвинок смотрятся очень мило.

Интересно, будет ли через пятьдесят лет флористка, которая на данный момент еще даже не родилась, прилежно создавать пятьдесят букетов в память о свадьбе жениха и невесты, только планирующих сегодня свое торжество? И будут ли дети, внуки и правнуки так любить их, что захотят устроить им этот праздник?

С тихим стоном — из-за боли в мышцах, изнуренных утренней тренировкой, — Эмма закинула ноги на соседний стул, подставила лицо солнцу и закрыла глаза. Остро пахло влажной землей и мульчей, весело чирикала какая-то птица...

— Нельзя так надрываться. — Эмма вздрогнула и распахнула глаза. Джек? Без единой мысли в голове она смотрела, как он выдергивает завиток спагетти из ее тарелки и бросает себе в рот. — Вкусно. Еще есть?

— Что? О боже! — Эмма в панике взглянула на часы и вздохнула с облегчением. — Наверное, я задремала, но всего на пару минут. У меня еще сорок девять букетов.

Джек сдвинул брови.

— У тебя сорок девять невест?

— Хм. Нет. — Эмма потрясла головой, пытаясь развеять окутавший мозги туман. — Пятидесятая годовщина свадьбы и копия букета невесты за каждый год. А ты что здесь делаешь?

— Приехал за курткой.

— Ах да. Прости, я вчера забыла о ней.

— Ничего страшного. У меня тут неподалеку деловая встреча. — Джек выхватил из тарелки еще один завиток. — Так как насчет салата? Я пропустил ленч.

— Да, конечно. Уж ленч я тебе точно должна. Садись. Я принесу тарелку.

— Отлично, и я не возражал бы против дозы кофеина. Неважно, горячего или холодного.

— Без проблем. — Внимательно глядя на него, Эмма поправила волосы, выбившиеся из-под шпилек. — Ты какой-то взъерошенный.

— Тяжелое утро. И минут через сорок меня ждут на очередной стройплощадке. Ты оказалась между двумя объектами, так что...

— Тебе повезло. Я сейчас вернусь.

Конечно, взъерошенный, думал Джек, усаживаясь и вытягивая ноги. И вовсе не от работы или утренней стычки с инспектором, с которой он справился бы лучше, если бы выспался, а не метался почти всю ночь в постели, пытаясь заблокировать сексуальные грезы о красотке со жгучими испанскими глазами. Любой бы на его месте выглядел взъерошенным. И только мазохист мог воспользоваться идиотским предлогом и явиться за курткой. С другой стороны, кто знал, как соблазнительно выглядит разомлевшая на солнце Эмма?

Он теперь знает. И это не избавит его от бессонницы. Необходимо волевым усилием разделаться с наваждением. Назначить свидание какой-нибудь блондинке или рыжей... несколько свиданий нескольким блондинкам и/или рыжим, и не успокаиваться, пока не удастся задвинуть Эмму обратно в «Запретную зону» и надежно там запереть.

Эмма вернулась с подносом и злополучной курткой.

Джек подумал, что именно от такой красоты у мужчин перехватывает дыхание, а улыбка Эммы — вот такая, как сейчас, — пронзает, как молния. В общем, срочно пришлось мысленно воздвигать знак «Запретная зона».

— У меня осталось немного оливкового хлеба. Очень вкусного. И я принесла холодный кофеин.

— Отлично. Спасибо.

— На здоровье. Приятно передохнуть в компании. — Эмма опустилась на свой стул. — Чем ты сейчас занимаешься?

— Несколько параллельных объектов. — Джек с аппетитом откусил огромный кусок хлеба. — Ты права. Потрясающе.

— Секретный рецепт тети Терри. Ты сказал, что одна из строек где-то рядом?

— Даже две. Та, куда я сейчас еду, никогда не закончится. Два года назад у клиентки возникло желание переделать кухню, что плавно перетекло в полную реконструкцию хозяйской ванной комнаты, которая теперь может похвастаться деревянной японской ванной, джакузи и душевой кабиной, способной вместить компанию из шести человек.

Эмма задумчиво пошевелила бровями, невольно привлекая внимание к роскошным темным глазам, и откусила крохотный кусочек спагетти.

— Затейливо.

— Я все ждал, когда клиентка спросит, нельзя ли расширить ванную комнату, чтобы воткнуть бассейн, но она переключила свою энергию на летнюю кухню у открытого бассейна — увидела в журнале и решила, что жить без нее не может.

— Как только остальные обходятся без летней кухни?

Джек улыбнулся.

— Ей двадцать шесть лет. Мужу пятьдесят восемь. Он ее обожает и с радостью потакает всем ее бесчисленным капризам.

— Я уверена, что он ее любит, и если может себе позволить, то почему бы не сделать ее счастливой?

Джек пожал плечами:

— Да ради бога, а я не буду испытывать недостатка в пиве и чипсах.

— Циник. — Эмма ткнула в его сторону вилкой, а потом наколола на нее салат. — Ты видишь в ней охотницу за богатым мужем, а в нем — старого дурака.

— Держу пари, его первая жена придерживается того же мнения, но лично я вижу в них клиентов.

— В любви или браке дело не в возрасте, а в самих людях, в их чувствах. Может, рядом с ней он чувствует себя молодым и полным жизни и открывает в себе что-то новое. Если бы дело было только в сексе, то зачем жениться?

— Допускаю, что женщина с ее внешностью обладает колоссальной силой убеждения.

— Вероятно, но мы проводили здесь свадьбы для множества пар со значительной разницей в возрасте.

Джек взмахнул вилкой и воткнул ее в салат так же, как это сделала Эмма несколькими минутами раньше.

— Свадьба еще не брак.

Эмма побарабанила пальцами по столешнице.

— Ладно, ты прав. Однако свадьба — прелюдия, символичное и ритуальное начало брака, поэтому...

— Они поженились в Вегасе, — перебил ее Джек с непроницаемым выражением лица. Эмма еле сдержала смех.

— Многие женятся в Вегасе. Это вовсе не значит, что они не будут жить долго и счастливо.

— Их обвенчал трансвестит, изображающий Элвиса.

— Ты все выдумал. Но даже если это правда, подобный выбор... свидетельствует о чувстве юмора и веселом нраве, которые, между прочим, я считаю важными составляющими успешного брака.

— Да бог с ними. Отличный салат, — похвалил Джек и оглянулся на веранду главного дома, где сейчас сидела Паркер с потенциальными клиентами. — Похоже, бизнес процветает.

— На этой неделе пять торжеств на нашей территории и девичник на выезде.

— Я приглашен на субботний вечер.

— Друг невесты или жениха?

— Жениха. Невеста пугает меня до смерти.

— Боже, не буду спорить. — Эмма со смехом откинулась на спинку стула. — Она принесла фотографию букета своей лучшей подруги, но не для того, чтобы я его повторила, чего она точно не желала, потому что у нее абсолютно другой стиль. Она просто посчитала розы и сказала, что в ее букете должно быть хотя бы на один цветок больше... и предупредила, что пересчитает.

— Не сомневайся. Обязательно пересчитает. И ручаюсь, что, как бы отлично вы ни провели ее свадьбу, она найдет, к чему придраться.

— Да мы и сами поняли, но ничего не поделаешь. Приходится работать и с ведьмами, и с ангелами, и с кем угодно, но сегодня я не хочу о ней думать. Сегодня счастливый день.

Джек понял, что Эмма имеет в виду. Она словно светилась, правда, ему всегда казалось, что она излучает волшебное сияние.

— Потому что ты должна сделать пятьдесят букетов?

— Да, и еще я точно знаю, что моя золотая невеста в них влюбится. Пятьдесят лет вместе. Ты можешь себе представить?

— Я не могу представить любые пятьдесят лет.

— Неправда. Твои здания простоят и пятьдесят лет, и дольше.

— Один — ноль в твою пользу, — согласился Джек. — Но то здания.

— И с браком так же. Он строит жизни. Он требует труда, заботы, защиты. Наша золотая пара доказывает, что это возможно. Ладно, мой перерыв закончен.

— И мой тоже. Я тебе помогу. — Они поднялись. Джек с подносом, на который составил посуду. — Ты сегодня одна? А где твои феи?

Эмма открыла ему кухонную дверь.

— Прилетят завтра. И здесь будет сумасшедший дом, поскольку мы начнем составлять композиции для всех субботних и воскресных торжеств. А сегодня здесь только я, около трех тысяч роз и благословенная тишина.

— Три тысячи? Ты не шутишь? Да у тебя пальцы отвалятся.

— У меня очень сильные пальцы. А если понадобится, вызову кого-нибудь на пару часов обрезать стебли.

Джек поставил поднос на кухонный стол, с удовольствием вдыхая царивший в доме аромат. Ему всегда казалось, что здесь пахнет, как на лугу.

— Желаю удачи. Спасибо за ленч.

— Не стоит благодарности.

Эмма пошла провожать его. У двери Джек остановился.

— Ты подумала насчет машины?

— Угу. Паркер дала мне наводку. Мастерская Каванафа. Я обязательно ему позвоню.

— Он хороший механик. Не тяни со звонком. Увидимся в субботу.

Джек шел к машине, представляя, как Эмма возвращается к своим розам, как сидит часами, окутанная их ароматом, очищая стебли от шипов и... ну, делая все такое, что должна делать флористка, чтобы осчастливить клиенток.

А еще он вспоминал, как выглядела Эмма, когда он нашел ее на патио: лицо обращено к солнцу, глаза закрыты, пухлые губы слегка изогнуты, как будто ей снится что-то очень приятное... и масса заколотых на затылке темных локонов... и серебряные висюльки в ушах... Он с трудом подавил острое желание наклониться и поцеловать ее. А зря. Он вполне мог поцеловать ее, а потом пошутить насчет Спящей красавицы. У Эммы отличное чувство юмора, и она посмеялась бы вместе с ним. Правда, и вспыльчивости ей не занимать, хотя она умеет сдерживаться и взрывается нечасто.

Но все это не имеет никакого значения, ведь он упустил свой шанс. Нечего думать об Эмме. Придется заглушить непозволительное вожделение роем блондинок и рыжеволосых. Друзья должны оставаться друзьями, а любовницы — любовницами. С любовницей еще можно подружиться, но только попробуй начать встречаться с подругой, как тут же ступишь на зыбкую почву...

Джек уже почти подъехал к стройплощадке, когда вспомнил, что так и не забрал куртку.

— Черт, черт, черт.

Теперь он похож на одного из тех идиотов, которые нарочно оставляют что-то у женщины, чтобы запастись предлогом для возвращения. В его случае ничего подобного.

Ничего подобного?

Черт. Кто знает?

# 4

В два пятнадцать в субботу Эмма инструктировала свою команду. После дневной «карибской» свадьбы предстояло преобразить дом к вечернему торжеству в стиле, который Эмма называла «Сверкающий Париж».

— Пожалуйста, разбирайте поаккуратнее. — Эмма привстала на носки удобнейших кроссовок, вообще-то предназначенных для бега. — Новобрачная просила привезти ей оставшиеся корзины, вазы и композиции — все, что не забрали гости. Бич и Тиффани, вы снимаете гирлянды и фестоны, начиная с портика. Когда закончите, дайте мне знать и переходите в дом. Динь, мы с тобой украшаем Большой зал, затем переключаемся на портик. Апартаменты жениха и невесты уже оформлены. Невеста приезжает на прическу, макияж, одевание и фотосессию в своих апартаментах в три тридцать, поэтому вход, вестибюль и лестница должны быть готовы к трем двадцати, Большой зал — к четырем, веранды, беседка и патио — к четырем сорока пяти, Бальный зал — к пяти сорока пяти. Если понадобится помощь, обращайтесь ко мне или Паркер. Полный вперед.

Эмма без оглядки бросилась в Большой зал, зная, что Динь следует за ней по пятам. Динь была абсолютно надежна, когда сама того хотела, что составляло примерно семьдесят пять процентов ее рабочего времени, и, как талантливая флористка, понимала все с полуслова, с полувзгляда. Опять же когда хотела. И еще она была такой сильной, что Эмму это даже немного пугало. Вот и сейчас Динь, крохотная, черноволосая, с ярко-розовыми в честь весны прядями, набросилась на каминные украшения как ураган.

Девушки обдирали, тянули, складывали в коробки, поднимали и перетаскивали оранжевые и белые композиции со свечами, гирлянды из бугенвиллей, кадки с папоротниками и пальмами.

Динь перебросила неизменную жевательную резинку из-за одной щеки за другую и поморщилась, сверкнув серебряным колечком в носу.

— Послушай, Эм, если кому-то так нравятся пальмы, почему просто не отправиться на побережье?

— Если бы они отправились на побережье, кто бы заплатил нам за этот пляж?

— И то верно.

Получив сигнал, Эмма покинула Большой зал и побежала к парадному входу драпировать портик милями белой вуали с сотнями белых роз к торжественной встрече невесты и ее гостей. Разноцветные горшки с гибискусами и орхидеями ус-

тупили место большим белым вазам с величест-
венными лилиями.

На крыльцо вышла Паркер в строгом сером
костюме с «BlackBerry» в руке, с прикрепленной к
карману портативной рацией, с гарнитурой сотового телефона за ухом.

— Все проверено. Новобрачные номер один и
их гости территорию покинули. Боже, Эмма, какая красота.

— Неплохо. Невеста-Чудовище и слышать не
хотела о лилиях, мол, слишком простенький цветок, но я сумела ее убедить. — Эмма отступила,
окинула взглядом портик и одобрительно кивнула: Да. Отлично.

— Она прикатит через двадцать минут.

— Мы успеем.

Эмма поспешила в дом, где Динь и Тиффани
старательно украшали лестницу. И здесь мили
вуали, сплетенной с китайскими фонариками и
белыми розами на длинных стеблях. Идеально.

— Бич, теперь композиции для вестибюля и стола для подарков. И, пожалуй, для Большого зала.

— Пришлю вам Картера, — предложила Паркер. — Я отправила его в Бальный зал, но могу им
поделиться.

— Как здорово, что Мак подцепила крепкого,
безотказного парня.

И снова, только теперь с помощью неловкого
Картера и неутомимой Бич, Эмма перетаскивала
горшки, вазы, корзины, охапки зелени, гирлянды,
фестоны и свечи.

— НЧ подъезжает, — раздался в наушнике го-

ЩИПЫ И ЛЕПЕСТКИ 71

лос Паркер. Эмма фыркнула, услышав сокраще-
ние от Невесты-Чудовища, не спеша нанесла последние штрихи: поправила на каминной полке
белые и серебряные свечи, белые розы и сирене-
вые лизиантусы и только потом побежала на патио. Она втыкала в десятки ваз огромные охапки
лилий, расставляла большие серебряные корзины
с лиловыми и снежно-белыми каллами, подвеши-
вала на стулья в белых чехлах букетики, перевязанные серебряными лентами, и периодически
жадно приникала к бутылке с водой.

— И это все, на что ты способна, Эм?

Растирая затекшую поясницу, Эмма повернулась к Джеку. Он стоял, сунув руки в карманы
роскошного серого пиджака. Она не смогла разо-
брать выражение его глаз за стильными солнцеза-
щитными очками фирмы «Оукли».

— Ну, невеста — поклонница простоты.

Джек рассмеялся, качая головой.

— Шикарно и изысканно. Очень по-французски.

— Как и задумывалось. Постой! — Эмма запаниковала. — Что ты здесь делаешь? Который час?
Неужели мы настолько опаздываем? Паркер меня... — Эмма взглянула на свои часики. — О, слава
богу. Это ты приехал рано.

— Паркер намекнула Делу, что раз уж я приглашен, то мог бы приехать пораньше и подклю-
читься. И вот я к твоим услугам.

— Хорошо. Идем со мной. Динь! Я привезу букеты. Заканчивай — даю тебе десять минут — и
приступай к Бальному залу.

— Есть, босс.

— Паркер, — продолжила Эмма уже в микрофон, прикрепленный к наушнику, — букеты привезу через десять минут. Быстрее двигаться я уже не могу. Да, подсыпь невесте ксанакс в шампанское, и пусть Мак ее попридержит.

Эмма подбежала к своему фургончику и прыгнула за руль.

— И часто вы это делаете? — поинтересовался Джек. — Опаиваете невест транквилизаторами?

— Никогда не делаем, но часто мечтаем. Нет, правда, мы оказали бы всем колоссальную услугу. Невеста требует букет немедленно, чтобы успеть поскандалить, если он ей не понравится. Лорел сообщила, что, по сведениям, полученным от Мак, НЧ довела до слез стилиста и поцапалась с ЛПН.

— Ну, ЛПН я знаю, а НЧ?

— Попробуй угадать, — предложила Эмма, выскакивая из машины и исчезая в своей мастерской.

Джек последовал за Эммой, честно ворочая мозгами.

— Наглое Чудовище? Нет, Невеста-Чудовище!

— Молодец. — Эмма распахнула дверь холодильной камеры. — Берем все, что справа. Один каскадный букет из роз, двенадцать — пересчитай — букетов для подружек невесты. — Она похлопала по одной из коробок. — Угадай, что это?

— Букет. Лиловый. Очень симпатичный. Никогда не видел ничего подобного.

— Это кале.

— Поясни.

— Декоративная листовая капуста кале бывает

лиловая и зеленая. Цвета невесты — лиловый и серебряный. Мы использовали множество серебряных аксессуаров и тона от светло-сиреневого до темно-фиолетового с белыми и зелеными вкраплениями.

— Ну надо же. Букет из капусты. Держу пари, ты ей этого не сказала.

— Скажу после того, как она изойдет слюной от восторга. Проверяем: букеты, букетики для корсажей, бутоньерки, два помандера — у нее две цветочницы, — два венка из белых роз с лавандой и вазы для букетов. Еще раз пересчитаем и загрузим.

— Тебя никогда не тошнит от цветов? — спросил Джек, когда они понесли коробки к машине.

— Ни в коем случае. Чувствуешь, как пахнет лаванда? А розы?

— В данных обстоятельствах не чувствовать невозможно. Послушай, предположим, парень приглашает тебя на первое свидание или в ресторан и приносит тебе цветы. Ты же не будешь восклицать: «Ах, цветы. Ах, какая прелесть!»

— Ну, я подумаю, что парень очень милый. Ох, мне бы сейчас бокал вина и горячую ванну. — Пока Джек закрывал задние дверцы фургона, Эмма потянулась. — Ладно, поехали успокаивать НЧ. Или погоди. Твоя куртка. Она в мастерской.

— Успеется. Так почему НЧ требует на одну розу больше, чем у ее подруги?

Эмма недоуменно захлопала ресницами, потом вспомнила, что рассказывала ему о букетах.

— Я ублажила ее лишним десятком, и она на

коленях будет меня благодарить... Да, Паркер, да, я еду, — сказала она в гарнитуру, продолжая вести машину, и в этот момент запиликала портативная рация. — Господи, что еще? Джек, прочитай, пожалуйста. У меня руки заняты. Рация на поясе юбки под жакетом с твоей стороны.

Джек приподнял полу жакета и, поворачивая рацию экраном к себе, нечаянно коснулся голой кожи над поясом. «Ой-ой!» — подумала Эмма, глядя прямо перед собой.

— Тут написано: «СНЧ! Мак».

— СНЧ? — Костяшки его пальцев все еще обжигали ее кожу, и Эмма с трудом сосредоточилась. — А... Смерть Невесте-Чудовищу.

— Отвечать будем? Может, предложим способ казни?

Эмма с трудом выдавила улыбку.

— Не сейчас. Спасибо.

— Красивый костюм, — похвалил Джек, поправляя ее жакет.

Эмма остановила машину перед домом.

— Поможешь затащить все это наверх? Тогда я не наябедничаю Паркер и сама не устрою тебе взбучку, если ты до церемонии прокрадешься в Большой зал за пивом.

— Договорились.

Они вдвоем затащили коробки в вестибюль. Джек остановился на мгновение, огляделся.

— Очень красиво. Если невеста не будет на коленях благодарить тебя, то она еще глупее, чем я думаю.

— Тсс! — Подавив смешок, Эмма закатила глаза. — На данном этапе поблизости могут оказаться ближайшие родственники или гости.

— НЧ знает, что я ее терпеть не могу. Я ей прямо сказал.

— О, Джек. — На этот раз, взбегая по лестнице, Эмма не сумела сдержать смех. — Пожалуйста, нс делай и не говори ничего, что может расстроить НЧ. Прежде чем раскрыть рот, вспомни ярость Паркер.

Балансируя коробкой, Эмма открыла дверь апартаментов невесты.

— Ну, наконец-то, Эммелин! Где ты пропадала? Я ведь не могу позировать для официальных портретов без букета! У меня нервы на пределе! Ты же знаешь, что я хотела увидеть букет заранее, чтобы ты успела сделать изменения. Ты видела, который час? Отвечай!

— Прости. Я так обалдела, что не слышала ни слова. Уитни, ты ослепительна.

Ну, тут, по крайней мере, не пришлось кривить душой. Бесконечная юбка. Целая галактика жемчужин и стразов, сверкающих на шлейфе, корсаже и в искусно высветленных белокурых волосах, забранных наверх и увенчанных диадемой. Да, Невеста-Чудовище была великолепна.

— Спасибо, но я чуть с ума не сошла из-за букета. Если он не идеален...

— Я думаю, он именно такой, как ты хотела. — Эмма осторожно вынула из коробки огромный каскадный букет из белых роз... и мысленно зааплодировала себе, когда у невесты глаза чуть не выскочили из орбит, но сохранила профессиональный тон. — Я держала его при такой температуре, чтобы бутоны раскрылись лишь частично. Чуточ- ка зелени и серебряные бусины оттеняют белизну цветов. Я помню, что ты говорила о летящих се- ребряных лентах, но думаю, что они отвлекут вни- мание от роз. Однако, если хочешь, я мгновенно добавлю ленты.

— Серебро усилит сияние, но... Возможно, ты права.

НЧ потянулась к букету.

Стоявшая рядом мать невесты молитвенно сложила ладони и поднесла их к губам. Хороший знак.

Уитни повернулась к высокому зеркалу, изучи- ла свое отражение и улыбнулась. Эмма подошла, что-то прошептала ей на ухо. Улыбка стала еще шире.

— Можешь пересчитать розы позже, — пред- ложила Эмма. — Передаю тебя Мак.

За спиной невесты Мак показала Эмме два больших пальца и подняла фотоаппарат.

— Уитни, встань-ка между окнами. Там чудес- но падает свет, — попросила она, а Эмма занялась свитой невесты: распределила букеты и букетики на корсажи, расставила вазы, отдала МЖ, матери жениха, помандеры и поручила ей девочек-цве- точниц, и наконец с облегчением выскочила в ко- ридор, где ее ждал Джек.

— Уф.

— Я слышал. «Возможно, ты права»? Ну, от нее это действительно искренняя благодарность.

— Я польщена. Теперь я справлюсь сама. Можешь идти за своим пивом. Где-то тут бродит Картер. Дай ему взятку.

— Попробую, но он крепкий орешек.

Эмма подхватила очередную коробку.

— Бутоньерки. А потом проверить Бальный зал. — Она посмотрела на свои часики. — Точно по расписанию, так что спасибо. Если бы ты не помог мне загрузиться и разгрузиться, я бы не успела.

— Я могу отнести бутоньерки. Увижу Джастина, отпущу пару грязных шуточек насчет цепей брака и прочего.

— Отличная мысль. — Получив несколько свободных минут, Эмма решила пройти через Большой зал на веранду. Она немного передохнула, заглянула в Бальный зал и засучив рукава принялась помогать своей команде. В наушнике периодически раздавался голос Паркер, сообщавшей свежие данные с фронта и подававшей команды:

*Гости еще подтягиваются... Большинство из них уже в зале... Еще часть прогуливается на веранде... Закончена предварительная фотосессия... Дедушек и бабушек проводят на места через две минуты... Мак, на позицию. Я вывожу вниз парней. Лорел, приготовься принять их.*

— Есть, босс, — сухо откликнулась Лорел. — Эм, торт собран. Можешь в любой момент приступить к украшению.

*Парни переданы Лорел,* объявила Паркер через минуту, как раз в тот момент, когда Эмма заканчивала выставлять гортензии. *МЖ выходит в сопрово-*

*ждении БЖ. БН выводит МН. Выстраиваю подружек невесты. Даю сигнал к изменению мелодии.*

Эмма прошла к входным дверям, закрыла глаза на десять секунд, затем открыла их, глубоко вдохнула и выдохнула.

Сверкающий Париж. Роскошь. Белое, серебряное, лиловое, оттененное редкой зеленью, сияющее и переливающееся под идеальным апрельским небом. Жених и его свита заняли свои места перед беседкой, утопающей в цветах. Паркер начала выпускать по одной подружек, затем подала сигнал НЧ...

— Девочки, мы молодцы. Отправляйтесь на кухню и угощайтесь, — сказала Эмма своим помощницам. Оставшись одна, она, вздыхая, растерла спину, шею, руки и отправилась переобуваться в туфли на высоких каблуках.

Джек всякий раз не мог понять, как им это удается. Его часто призывали на помощь. Он двигал мебель, подменял бармена, даже убирал посуду со столов — в случае необходимости. Поскольку наградой всегда была отличные еда и напитки и хорошая музыка, он не возражал. И все же так и не раскрыл их секрет.

Паркер как будто находилась повсюду одновременно. Никто не замечал, как, отрепетировав с шафером его тост, она вдруг оказывалась рядом с плачущей матерью невесты и подавала ей салфетки, а в следующий момент уже руководила сервировкой торжественного ужина в Большом зале, словно генерал, командующий войсками во время битвы.

Мак почти незаметно скользила по залам, ловко выстраивала гостей для официального снимка или заманивала невесту с женихом позировать для спонтанного портрета.

Лорел маневрировала между гостями, подавала сигналы по рации или с помощью телефонной гарнитуры, или жестами, а может, с помощью телепатии. Джек и это не стал бы исключать.

И Эмма, разумеется. Всегда тут как тут, если кто-то проливал вино на скатерть или когда мальчик, ответственный за обручальные кольца, заскучав, начинал толкать девочку-цветочницу.

Вряд ли кто-либо из присутствующих сознавал, что своим плавным течением торжество обязано этим четырем женщинам, с необыкновенным изяществом и ловкостью жонглирующим всеми деталями и передающим друг дружке невидимую эстафетную палочку.

Гости столь непринужденно переместились из Большого зала в Бальный, что вряд ли кому-либо пришло в голову, сколько сил и профессионализма вложено в координацию и хронометраж этого процесса. Джек задержался рядом с Эммой и ее помощницами, расставляющими букеты в вазах на главном столе.

— Помощь нужна?

— Хм? Нет, спасибо, справляемся. Динь, по шесть букетов с каждой стороны, корзины по краям. Все прочее не трогаем еще два часа, затем разбираем и грузим в машины. Бич, Тифф, снимите нагар со свечей и дайте им догореть до середины.

— Я могу отнести, — предложила Динь, когда Эмма взяла в руки букет.

— Один сломанный цветок, и нам не поздоровится. Пусть уж лучше она перегрызет горло мне, чем тебе. Идемте. Начинается первый танец.

Эмма унесла букет, а Джек неторопливо прошествовал к парадной лестнице и проскользнул в утопающий в цветах Бальный зал. Новобрачные кружились под выбранную ими мелодию «Я всегда буду любить тебя» — по мнению Джека, слишком пафосную и банальную. Гости и родственники, стоявшие вдоль стен или сидевшие за столиками, с благоговением наблюдали за красивой парой.

Распахнутые двери веранды манили на свежий воздух. Джек решил запастись бокалом вина и прогуляться, однако, заметив заглянувшую в зал и тут же исчезнувшую Эмму, подкорректировал свой план: взял два бокала вина и вышел на черную лестницу. Эмма, сидевшая пролетом ниже, резко вскочила, заслышав шаги.

— О, это всего лишь ты, — с облегчением протянула она и снова рухнула на ступеньки.

— Всего лишь я, зато с вином.

Эмма вздохнула, покрутила головой, разминая шею.

— В «Брачных обетах» выпивка на работе не приветствуется, но... я прочитаю себе нотацию завтра. Давай.

Джек сел рядом и протянул бокал.

— Как впечатления?

— Это я должна спросить. Ты гость.

— С точки зрения гостя, потрясающе. Очень красиво, очень вкусно и очень ароматно. Народ веселится и понятия не имеет, что подчиняется графику, который заставил бы кондуктора швейцарского поезда разрыдаться от восхищения и зависти.

— Так и было задумано. — Эмма глотнула вина и закрыла глаза. — О боже, какое счастье.

— Как ведет себя НЧ?

— Не так уж плохо. Сложно стервозничать, когда тебе твердят, как ты прекрасна и как все за тебя счастливы. Она действительно пересчитала розы в своем букете, что тоже подняло ей настроение. Паркер предотвратила парочку потенциальных кризисов, а Мак даже удостоилась одобрительного кивка. Если торт и десерты Лорел выдержат экзамен, то я бы сказала, что мы обошли все острые углы.

— Это Лорел испекла те крохотные крем-брюле?

— О да.

— Ты тоже никого не оставила равнодушным. Только и разговоров что о цветах.

— Правда?

— Я даже слышал несколько судорожных вздохов. В хорошем смысле.

Эмма повела затекшими плечами.

— Значит, я не зря старалась.

— Подожди-ка.

Джек пересел на ступеньку выше, вытянул ноги по обе стороны от Эммы и начал массировать ее плечи.

— Ты вовсе не должен... Не слушай меня. — Она откинулась назад. — Продолжай.

— У тебя плечи совсем как каменные, Эм.

— Не меньше шестидесяти рабочих часов на этой неделе.

— И три тысячи роз.

— Если добавить остальные торжества, то цифру легко можно удвоить.

Эмма застонала под его руками, отчего его тело отреагировало немедленно, и он понял, что ввязался в далеко не безобидную историю.

— Ну... как прошла золотая свадьба?

— Прекрасно и очень трогательно. Были представители четырех поколений. У Мак получилось несколько потрясающих фотографий. А когда юбиляры танцевали первый танец, у всех присутствующих в глазах стояли слезы. Теперь это мое самое любимое торжество из всех, что мы проводили. — Эмма снова вздохнула. — Хватит, не то от вина и твоих волшебных рук я засну прямо здесь, на лестнице.

— Ты еще не освободилась?

— Что ты! Я должна отнести невесте букет, который она будет бросать, и помочь с тортом. Потом волшебные пузырьки — мы надеемся, что не в доме. А через час начнем разбирать оформление Большого зала, паковать цветочные композиции и украшения.

Когда Джек начал разминать ей шею, ее голос зазвучал хрипловато и чуть сонливо.

— Мммм... Потом цветы и подарки надо погрузить в машины. А завтра вечерний прием, придется разбирать и Бальный зал.

Продолжая самоистязание, Джек пробежал ладонями по ее рукам и снова вернулся к плечам.

— Тогда расслабляйся, пока есть возможность.

— А ты должен веселиться наверху.

— Мне и здесь нравится.

— Мне тоже, то есть ты со своим вином и лестничным массажем плохо влияешь на меня. Я должна сменить Лорел. — Эмма потянулась назад, похлопала Джека по руке и встала. — Разрезание торта через тридцать минут.

Джек тоже встал.

— А какой торт?

Эмма обернулась и оказалась лицом к лицу с ним. Ее глаза, бездонные, бархатные глаза, были чуть сонливыми, как и ее голос.

— Лорел называет его «Парижская весна». Светло-сиреневый с белыми розами, лилиями, лентами из молочного шоколада и...

— Вообще-то меня больше интересует то, что внутри.

— О, генуэзский бисквит с безе и сливочным кремом. Смотри не пропусти.

— Кажется, он затмит крем-брюле, — пробормотал Джек, вдыхая ее аромат. Эмма пахла цветами, только Джек не мог определить какими. Загадочный и роскошный букет. И бездонные нежные глаза, и губы... Такие же изысканные на вкус, как торты Лорел?

К черту, к черту, к черту.

— Ладно, может, я перехожу границы, так что заранее прошу прощения.

Джек снова взял ее за плечи и притянул к себе. Темные, нежные, бездонные глаза изумленно распахнулись за мгновение до поцелуя. Эмма не отпрянула, не отделалась шуткой, а застонала почти так же, как когда он массировал ее шею, только чуть глуше. И обхватила его бедра, и чуть приоткрыла губы.

Как и аромат, ее вкус был загадочным и бесконечно женственным. Темным, жарким и чувственным. Когда ее руки скользнули вверх по его спине, он чуть крепче прижался губами к ее губам, слегка повернул голову, и она еле слышно застонала от удовольствия.

У Джека мелькнула мысль подхватить ее на руки, утащить в какое-нибудь укромное место и закончить то, что он так импульсивно начал... но тут запищала ее рация, и они оба вздрогнули. Эмма издала какой-то сдавленный звук и с трудом выдохнула:

— О, ну... — И, резко сорвав с пояса прибор, уставилась на экран. — Паркер. Хм. Мне пора. Я должна... идти, — пробормотала она, развернулась и бросилась вверх по лестнице.

Оставшись один, Джек опустился на ступеньки и двумя долгими глотками опустошил забытый бокал... и решил пропустить окончание приема и проветриться.

Какое счастье, что на посторонние мысли не оставалось ни сил, ни времени. Эмма помогла устранить последствия инцидента с шоколадными эклерами и маленьким мальчиком, ответственным за кольца, вручила невесте букет, переставила цветочные композиции на десертном столе, чтобы было удобнее раздавать гостям торт, затем начала снимать украшения в Большом зале. Она упаковала цветочные композиции и проследила за тем, чтобы их погрузили в машины именно тех гостей, которым они предназначались. Когда было покончено и с волшебными пузырьками, и с танцами, она занялась патио и верандами. И нигде не заметила ни следа Джека.

— Все в порядке? — окликнула Лорел, когда Эмма загружала невостребованные цветы в свой фургон.

— Что? Да, конечно. Отлично. Я просто устала.

— После сегодняшнего кошмара завтрашний прием покажется отдыхом. Ты не видела Джека?

— Что? — Эмма вздрогнула, как воришка при завывании тревожной сигнализации. — А зачем он тебе?

— У меня форс-мажор. Хотела подкупить его пирожными, но не успела. Похоже, он улизнул.

— Похоже. Я не обратила внимания.

«*Лгунья, лгунья*. Почему я лгу подруге? Плохой знак».

— Паркер и Мак выпроваживают задержавшихся гостей, — продолжала щебетать Лорел, — а потом проверят все помещения. Помочь тебе?

— Нет, здесь немного. — Эмма загрузила в фургон последнюю коробку и захлопнула задние дверцы. — Пока. До завтра.

Эмма доехала до своего дома, отнесла цветы и

гирлянды в холодильник. Основная их часть пойдет в местную больницу, из оставшегося она сделает маленькие композиции для себя и друзей... Но как бы решительно ни приказывала она себе сохранять самообладание и ни о чем не думать, в голове вертелась одна-единственная мысль.

Джек меня поцеловал.

И что это значило?

Почему это должно было что-то значить?

Просто поцелуй. Случайный. Импульсивный. Ничего особенного.

Готовясь ко сну, Эмма честно пыталась убедить себя в этом. Но если от поцелуя искры сыплются из глаз, а для объективной оценки не хватает романтической шкалы, отмахнуться или забыть невозможно.

Это был особенный, необыкновенный поцелуй. И что теперь? Прискорбная ситуация, ведь прежде, когда дело касалось мужчин, поцелуев и искр, она точно знала, что делать.

Эмма забралась в постель. Конечно, уснуть не удастся, но можно полежать в темноте, найти какое-нибудь решение... от крайнего изнеможения она отключилась через несколько секунд.

5

Эмма кое-как пережила и воскресное торжество, и консультации понедельника, подкорректировала композиции для ближайших свадеб, уступая переменчивому настроению невест, и отменила два свидания с очень симпатичными парнями, встречаться с которыми потеряла всякое желание. Освободившиеся вечера не пропали даром: она провела инвентаризацию своих запасов, заказала ленты, булавки, контейнеры, флористическую пену и прочие необходимые аксессуары... не переставая задаваться вопросом, следует ли позвонить Джеку и шутливым замечанием развеять неловкость или сделать вид, что ничего не случилось. Ну, не было никакого поцелуя, и все тут.

Эмма металась между этими двумя вариантами и третьим — отправиться к Джеку домой и наброситься на него, но не пришла ни к какому решению, запуталась окончательно и разозлилась на себя, правда, все это не помешало ей вовремя явиться на еженедельное совещание в главный дом.

Когда Эмма ворвалась в кухню Лорел, подруга выставляла на поднос тарелку с печеньем и блюдо с сырами и мелкими фруктами.

— У меня закончилась диетическая кола, — заявила Эмма, распахивая дверцу холодильника. — У меня почти ничего не осталось, потому что я все время забываю, что мой аккумулятор скончался, как и стиль «диско».

— Ты позвонила в мастерскую?

— Вспомнила минут десять назад. Механик устроил мне допрос с пристрастием, и, когда я призналась — под давлением, — что за четыре года ни разу не ездила на техобслуживание, не сообразила, когда в последний раз — если вообще — меняла масло или проходила компьютерную диагностику и что там еще полагается, он сказал, что сам ее заберет. — Надувшись, Эмма сорвала крышку и стала пить прямо из банки. — Он вывернул все так, будто я держу несчастную машину в заложниках, а он — благородный освободитель. Он поставил меня в еще более дурацкое положение, чем Джек. Я хочу печенье.

— Не стесняйся.

Эмма схватила одно печенье.

— Теперь я должна обходиться без машины, пока придира Каванаф не соизволит ее вернуть. Если вообще соизволит, в чем я совершенно не уверена.

— Ты и так больше недели обходишься без машины.

— Да, но у меня оставались иллюзии, поскольку машина стояла перед домом. Наверное, придется воспользоваться фургоном. Я должна купить еды и переделать кучу накопившихся дел. Только страшновато: фургон ведь на год старше моей машины и вполне может взбунтоваться по ее примеру.

— Я сознаю все безумие моего предложения, — заметила Лорел, высыпая на поднос красивые мятные печенья, — но, может, когда тебе вернут машину, ты отправишь в мастерскую фургон?

Эмма задумчиво надкусила печенье.

— Ха-ха. Механик предложил то же самое. Вы должны меня пожалеть. Как насчет ужина и киномарафона?

— А как же твое свидание?

— Я отменила. Я не в настроении.

Лорел сдунула упавшую на глаза прядь волос и

с преувеличенным изумлением уставилась на подругу.

— Ты не в настроении идти на свидание?

— Завтра рано вставать. Шесть букетов для подружек и один ужасно сложный для невесты. Это добрых шесть-семь часов работы. Динь придет на полдня, что наполовину облегчит мне жизнь, но ведь в пятницу еще вечерний присм. А сколько времени уходит на подготовку цветов!

— Раньше тебя это не останавливало. Ты точно не заболела? Что-то ты бледная.

— Нет, нет. Все в порядке. Я прекрасно себя чувствую, просто не... просто мне сейчас не до мужчин.

— Надеюсь, на меня это не распространяется. — Неожиданно появившийся на кухне Делани Браун подхватил Эмму и звонко поцеловал в губы. — Ммм. Сахарное печенье.

— Не поделюсь, и не надейся, — рассмеялась Эмма.

Улыбнувшись Лорел, Дел схватил печенье с подноса.

— Запиши на мой счет.

Лорел привычно достала полиэтиленовый пакет на молнии и начала заполнять его печеньем.

— Ты пришел на совещание?

— Нет. Нужно обсудить кое-что с Паркс, — ответил Дел, непринужденно направляясь прямиком к кофейнику.

У Делани, как и у Паркер, были темно-каштановые волосы и синие глаза, только аристократичные черты лица были более мужественными.

В темно-сером костюме в тонкую полоску, с галстуком от «Гермес» и в итальянских туфлях Дел выглядел тем, кем и был: преуспевающим коннектикутским адвокатом и отпрыском коннектикутских Браунов.

— Лор, я слышал, ты произвела фурор на свадьбе Фолк-Харриган в выходные, — прервал Дел размышления Лорел.

— Ты с ними знаком? — спросила Эмма.

— Ее родители — мои клиенты. Лично я не имел удовольствия — правда, если верить Джеку, невеликое удовольствие быть представленным свежеиспеченной миссис Харриган.

— Познакомишься, когда они подадут на развод, — обнадежила его Лорел, снимая фартук и веша его на крючок.

— Ну, ты у нас оптимистка.

— Уитни просто ужас. Сегодня утром она прислала Паркер целый список критических замечаний. По электронной почте из Парижа. В свой медовый месяц!

— Ты шутишь! — Эмма ошеломленно взглянула на Лорел. — Свадьба прошла идеально. Без единого сбоя.

— Шампанское могло быть более холодным, обслуживание — более быстрым, небо — более синим, а трава — более зеленой.

— Ну и стерва. И это после того, как я сунула ей в букет десять лишних роз. Не одну, а десять! — Эмма недоверчиво покачала головой. — Ладно, неважно. Все, кто там был и кого можно назвать людьми, знают, что все прошло идеально. Уитни не сможет нам навредить.

— Умница! — Дел отсалютовал Эмме чашкой кофе.

— Да, раз уж мы вспомнили о Джеке, — спохватилась Эмма, — ты давно его не видел? То есть я хотела сказать, вы увидитесь в ближайшее время?

— Завтра. Мы собираемся в город на матч «Янкис».

— Может, захватишь его куртку? Он забыл ее здесь. Вернее, я забыла отдать ее ему. То есть он... Короче, у меня его куртка, и она, вероятно, ему нужна. Я принесу. Она у меня в кабинете. Так я сбегаю за ней?

— Я могу забрать ее, когда буду уходить.

— Хорошо. Отлично. Ну, раз уж ты все равно его увидишь.

— Никаких проблем. И, пожалуй, мне пора. — Дел подхватил пакет с печеньем и помахал им перед Лорел. — Спасибо за печенье.

— С тем, что ты съел, чертова дюжина. Вычтем из твоей зарплаты.

Дел ухмыльнулся и неторопливо покинул кухню.

Лорел выждала пару секунд, пока успокоится сердце, и ткнула пальцем в Эмму.

— Джек.

— Что?

— Джек.

— Не-ет. — Эмма прижала ладонь к груди. — Эмма. Я Эм-ма.

— Не смешно. Я вижу тебя насквозь. Ты лепетала, как идиотка.

— Ничего подобного... А если и лепетала, ну и что?

— Так что у тебя с Джеком?

— Ничего. Совершенно ничего. Не будь дурочкой. — Лгать было стыдно, но сдаваться Эмма не собиралась. — И никому не говори.

— Если никому нельзя говорить, то это уже не ничего.

— А я говорю, ничего. Наверное, ничего. Я просто слишком остро реагирую. — Эмма откусила половинку печенья.

— О, ты ешь, как нормальный человек. Совсем на тебя не похоже. Колись.

— Сначала дай клятву, что ничего не расскажешь ни Паркер, ни Мак.

— А что я за это получу? — Но Лорел все же перекрестилась и подняла руку. — Клянусь.

— Он меня поцеловал. Или мы поцеловали друг друга. Но он первый начал, и я не знаю, что бы случилось дальше, если бы Паркер не вызвала меня по рации. Мне пришлось уйти, а потом он уехал. Вот и все.

— Погоди. Я оглохла, как только ты сказала, что Джек тебя поцеловал.

— Не издевайся. Это серьезно. — Эмма закусила губу. — Или нет. Или да?

— Эм, на тебя это не похоже. Ты божественно разруливаешь романтические и прочие ситуации. У тебя никогда не было проблем с мужчинами.

— Я знаю. Но ведь это Джек. Так не должно было... — Эмма замахала руками, пытаясь подобрать слова. — Эта ситуация не должна была возникнуть. Боже, я высасываю проблему из пальца. Это был просто порыв, просто так сложились обстоятельства. Ну, случилось и случилось. И ничего страшного.

— Эмма, обычно ты романтизируешь мужчин и потенциальные отношения, но никогда из-за них не переживаешь. А сейчас ты волнуешься.

— Потому что это Джск! Вот представь, если бы ты была на кухне, занималась своими делами, а Джек вошел бы и поцеловал тебя. Или Дел. Ты бы тоже разволновалась.

— Они забегают на мою кухню только для того, чтобы стащить что-нибудь вкусненькое. Как Дел только что и продемонстрировал. Когда это с вами случилось? Когда заглохла твоя машина?

— Нет. Тогда почти случилось. Что-то такое промелькнуло... Я думаю, именно то мгновение и привело к поцелую. Во время субботнего приема.

— Верно, верно, ты же сказала, что Паркер тебя вызвала по рации. Ну и как это было? Сколько баллов по запатентованной романтической шкале Эммелин Грант?

Эмма со вздохом подняла большой палец и провела рукой воображаемую линию высоко над головой.

— Зашкалило.

Лорел поджала губы и кивнула.

— Я всегда чувствовала в Джеке большой потенциал. Он излучает опасные вибрации. И что ты собираешься предпринять?

— Не знаю пока. Я совершенно сбита с толку. Вот приду в себя и решу, что делать. Или не делать.

— Хорошо, только дай мне знать, когда снимешь запрет на передачу информации.

— Договорились, а пока никому ни слова. — Эмма подхватила блюдо с сыром и фруктами. — Превращаемся в деловых женщин.

Конференц-зал «Брачных обетов» размещался в бывшей библиотеке с уходящими ввысь рядами полок с книгами, кое-где уступающими место фотографиям и сувенирам. Помещение, хотя и использовалось теперь для бизнеса, сохранило атмосферу элегантности и уюта. Паркер сидела за инкрустированным столом с вечно включенным ноутбуком и «BlackBerry» под рукой. Поскольку все запланированные на сегодня встречи с клиентами и экскурсии были проведены, она позволила себе повесить жакет на спинку стула. Мак — в джинсах и свитере — удобно устроилась напротив.

Когда Эмма поставила блюдо на стол, Мак приподнялась, схватила гроздь винограда.

— Девчонки, вы опоздали.

— Дел нас задержал, — объяснила Эмма. — И, пока мы не начали совещаться, кто голосует за ужин и киномарафон?

— Я, я! — вскинула руку Мак. — У Картера какое-то школьное мероприятие, и я с удовольствием увильну от работы до его возвращения. С меня на сегодня хватит.

— Как ни странно, я тоже сегодня свободна, — сказала Лорел, ставя на стол тарелку с печеньем.

Паркер подняла трубку домашнего телефона и нажала кнопку.

— Миссис Грейди, вы могли бы что-нибудь

приготовить на ужин для всех четверых? Отлично. Спасибо. — Паркер положила трубку на место. — Будут цыплята и все такое.

— Меня устраивает, — одобрила Мак, впиваясь зубами в виноградину.

— Тогда к делу. Первый пункт повестки — Уитни Фолк-Харриган, известная также под кличкой НЧ. Лорел уже знает, что я получила от нее электронное письмо с перечислением нескольких ключевых моментов, на которые мы, по ее мнению, должны обратить особое внимание.

— Стерва, — припечатала новобрачную Мак, размазывая козий сыр по розмариновому крекеру. — Мы из кожи вон лезли на ее свадьбе.

— И напрасно, — заметила Лорел.

— Уитни полагает — не в порядке приоритетности, — что... — Паркер открыла папку и начала читать распечатанное письмо, — ...шампанское было недостаточно охлажденным, обслуживание во время ужина — слишком медленным, садам не хватало яркости, фотограф потратила слишком много времени на гостей, не уделив должного внимания невесте, и десертный стол был не таким разнообразным, как она надеялась. Уитни также считает, что свадебный организатор слишком торопила или, наоборот, игнорировала ее в отдельные моменты торжества. Она надеется, что мы воспримем ее критические замечания с такой же доброжелательностью, с какой они высказываются.

— На что я отвечаю... — Мак резко подняла средний палец.

Паркер одобрительно кивнула:

— Коротко и ясно. Однако я поблагодарила ее и пожелала ей и Джастину насладиться Парижем.

— Дипломатка ты наша.

— А то! Конечно, я могла бы ответить: «Дорогая Уитни, ты — мешок с дерьмом» (что, собственного говоря, и было моей первой реакцией). Но я сдержалась, правда, повысила ее статус до Невесты — Чудовищной Стервы.

— Думаю, Уитни очень несчастный человек. Я не шучу, — добавила Эмма, заметив недоумевающие взгляды подруг. — Только глубоко несчастный человек может раскритиковать такое потрясающее торжество. Если бы она меня так сильно не разозлила, я смогла бы ее пожалеть. И пожалею, когда перестану злиться.

— Ну, какие бы чувства мы ни испытывали к гребаной Уитни — злость или жалость, — суть в том, что благодаря ее свадьбе мы получили заказ на четыре экскурсии. И думаю, это только начало.

— Паркс произнесла «гребаная». — Мак ухмыльнулась, расправляясь с очередной виноградиной. — Паркс здорово разозлилась.

— Я справлюсь, особенно если четыре экскурсии выльются в четыре торжества, и тогда наш тяжкий труд точно окупится. А пока я приговариваю Уитни к созданному мной Гардеробу Позора: тускло-коричневым тряпкам в горох, которые сделают ее похожей на жирную свинью.

— О, Паркс, ты страшна в гневе. С тобой лучше не связываться. Отлично придумано, — похвалила Лорел.

— Следующий вопрос, — продолжила Паркер. — Мы с Делом обсудили некоторые юридические и финансовые стороны нашего бизнеса. Истекает срок партнерского соглашения, и требуется пересмотреть некоторые пункты, включая проценты прибыли от ваших индивидуальных фирм, возвращаемые в бизнес. Если кто-то хочет обсудить изменения в соглашении, прошу высказаться.

— Но ведь соглашение работает, не так ли? — спросила Эмма, обводя взглядом подруг. — Вряд ли, затевая «Брачные обеты», мы представляли подобный успех. И не только в финансовом плане, что, безусловно, больше, чем я, например, могла бы заработать, открыв собственный магазин. Если отбросить Невесту — Чудовищную Стерву, у нас великолепная репутация, как у всех вместе, так и по отдельности. Распределение прибыли справедливо, а Дел вообще берет за свою долю поместья гораздо меньше, чем мог бы запросить. Мы делаем то, что любим, с людьми, которых любим. И при этом обеспечиваем себе неплохой уровень жизни.

— Я всецело поддерживаю Эм, — объявила Мак, бросая в рот еще одну виноградину.

— И я тоже, — поддержала Лорел. — Паркер, ты действительно думаешь, что надо что-то менять?

— С моей точки зрения, нет, но Дел, как юрист, посоветовал каждой из вас — перед тем как подписать новое соглашение — перечитать старое и озвучить любые сомнения и предложения.

— Пусть Дел составит бумаги, мы их подпишем, а потом откроем бутылку «Дом Периньон», — предложила Эмма.

— Молодец, Эм, поддерживаю, — откликнулась Мак.

— Большинство «за», — подвела итог Лорел.

— Я сообщу Делу и переговорю с нашим бухгалтером.

— Лучше ты, чем я, — вздохнула Лорел.

— Гораздо лучше. — Паркер улыбнулась и глотнула воды. — Первый квартал оказался очень удачным, и, вероятно, мы увеличим прибыли на двенадцать процентов по сравнению с прошлым годом. Поскольку мы намереваемся вернуть часть доходов в бизнес, подумайте, чем хотите себя побаловать. Если есть предложения о покупке дополнительного оборудования или идеи, как улучшить работу фирмы, мы прикинули бы, на что и сколько можно потратить.

Эмма первая успела вскинуть руку.

— Я уже прикидывала, особенно после того, как просмотрела свои гроссбухи за последний квартал. Самое грандиозное торжество в нашей истории — свадьба Симан — намечено на следующую весну. Цветы, не говоря уж о композициях, не влезут в мой холодильник, и придется на несколько дней арендовать дополнительную холодильную камеру. Я могла бы за те же деньги купить подержанную, что в долговременной перспективе гораздо практичнее аренды.

— Хорошо. — Паркер записала предложение. — Разведай цены.

Однако оказалось, что у Эммы гораздо более величественные планы.

— Возможно, учитывая свадьбу Симан и наши

ШИПЫ И ЛЕПЕСТКИ 99

прибыли, пора купить кое-что из того, что мы обычно арендуем. Например, дополнительные кресла для приемов на свежем воздухе. Тогда мы сами могли бы предоставлять их клиентам и класть денежки в свой, а не в чужой карман. И...

— Ты действительно пошевелила мозгами, Эм, — заметила Мак.

— Пошевелила, не сомневайся. И поскольку Мак уже планирует достроить второй этаж, чтобы создать приют для истинной любви, то почему бы одновременно не расширить и студию внизу? Необходимо больше места для реквизита, полноценная гардеробная, ведь пока клиентам приходится переодеваться в крохотной туалетной комнате. И раз уж я начала сорить деньгами, то поговорим о прихожей перед кухней Лорел. Она совершенно не используется, потому что мы ходим через главную кухню. Небольшая перестройка, и Лорел смогла бы разместить еще одну плиту, холодильник, шкафчики для хранения продуктов.

— О, Эм, не останавливайся, — попросила Лорел.

— А тебе, Паркер, необходима компьютеризированная система безопасности, чтобы контролировать все помещения, открытые для публики.

— Мне кажется, ты потратила нашу прибыль не один раз, — заметила Паркер после небольшой паузы.

— Тратить деньги еще веселее, чем их зарабатывать, а чтобы не промотать все, у нас есть ты, Паркс. Что скажешь?

— Ну, я думаю, что тебе, Эм, дополнительная

холодильная камера действительно необходима. Посмотрим, что сможем найти. И поскольку придется обсудить с Джеком, можно ли встроить дополнительный холодильник в твою мастерскую, заодно попросим его подумать о расширении студии Мак и перестройке прихожей Лорел. — Перечисляя реновации, Паркер не забывала делать пометки. — О покупке мебели я тоже подумывала и уже изучала цены. Я еще раз проверю, сколько денег мы можем выделить, тогда и решим, с чего лучше начать.

Паркер открыла чистую страницу блокнота.

— Теперь поговорим о предстоящих приемах, которые помогут оплатить наши надежды и мечты. Церемония обмена клятвами, вечер пятницы. Сегодня клиентки прислали мне окончательный сценарий. Все проблемы разрешились подбрасыванием монетки. Аллисон, отныне Невеста Один, приезжает в три тридцать, Марлин, отныне Невеста Два, — в четыре. Невеста Один занимает Апартаменты невесты, Невеста Два — Апартаменты жениха. Поскольку у них одна лучшая подруга на двоих, ей придется метаться между Апартаментами. Шаферу, брату Невесты Один, и обоим отцам предоставляем семейную гостиную на втором этаже. Во время церемонии шафер встанет рядом с Невестой Один, а ЛПН — рядом с Невестой Два.

— Подожди-ка, — попросила Мак, занося информацию в ноутбук. — Продолжай.

— Обе дамы точно знают, чего хотят, и не склонны отступать, поэтому мне было очень легко с ними общаться. Мать Невесты Один и ближайшие родственники Невесты Два не в восторге от официального признания этой связи, однако — хоть и неохотно — сотрудничают. Мак, тебе придется потрудиться, чтобы вовлечь их в фотосессию. Клиентки на тебя надеются.

— Будет сделано.

— Хорошо. Эмма, как насчет цветов?

— Дамы хотели нечто нетрадиционное, но женственное. Мы остановились на диадеме с большим цветком для Аллисон, гребнях с цветами для Марлин и венке для ЛПН. Никаких букетов. ЛПН выйдет с четырьмя белыми розами, каждая из невест — с единственной белой розой. Во время церемонии, сразу после зажигания свечи, символизирующей их союз, невесты обменяются розами и подарят по розе своим матерям. Для мужчин выбраны бутоньерки из белых роз. Будет очень мило. — Эмма прошла к композициям, на ходу отхлебывая колу из банки. — Для оформления выбран воздушный луговой стиль: множество кустовых мелких роз, пестрых и белых маргариток, герберы, ветки цветущей вишни, кустики земляники и так далее. Минимум вуали, а гирлянды я плету, как цепи, из маргариток. И для роз — обычные цветочные вазы. Множество китайских фонариков и свечей. Большой и Бальный залы продолжают луговую тему. Просто и, по-моему, очень мило. Если кто-нибудь из вас поможет мне перевезти цветы, то с оформлением я справлюсь одна.

— Я помогу, — вызвалась Лорел. — Они заказали торт из ванильного бисквита с малиновым муссом, украшенный итальянскими меренгами и простыми цветами в стиле цветов Эммы, и еще пирожные ассорти и мятные конфеты. Последние штрихи на торт я должна нанести около пяти часов, следовательно, вполне успею помочь Эмме.

— Итак, в пятницу обычный прием, за исключением букетов и бросания подвязки. Репетиция днем в четверг, тогда и проработаем возможные накладки. Переходим к субботе...

Эмма всю жизнь мечтала о любви, такой же красивой, как любовь ее родителей. История их встречи и любви до сих пор казалась ей волшебной сказкой. Давным-давно юная девушка из Гвадалахары пересекла континент, добралась до огромного города Нью-Йорка и начала работать в фирме своего дяди, предоставляющей услуги по уборке домов и уходу за детьми. Усердно убирая чужие дома и нянчась с чужими детьми, Лючия мечтала о собственном — пусть маленьком — уютном доме вместо шумной дядиной квартиры и деревьях и цветах вместо пыльной мостовой. А еще она мечтала о магазинчике, где смогла бы продавать красивые вещицы.

Однажды дядя рассказал Лючии о мужчине, живущем в десятках миль от Нью-Йорка в месте под названием Коннектикут. У мужчины умерла жена, и его маленький сын остался без матери. Вдовец покинул город в надежде найти покой и, возможно, как думала Лючия, желая избавиться от слишком болезненных напоминаний о потерянном счастье. Он нуждался в тишине, поскольку был писателем, а из-за частых путешествий — в человеке, которому мог бы доверить своего сынишку. Та женщина, что ухаживала за ребенком все три года после смерти матери, решила вернуться в Нью-Йорк.

Так жизнь Лючии сделала крутой поворот. Девушка переехала из большого города в величественный особняк Филипа Гранта и его сына Эрона. Мужчина оказался красивым, словно сказочный принц, и, как сразу поняла Лючия, очень любил своего сына, однако в глазах его светилась скорбь.

Пока Филип Грант создавал свою книгу, Лючия готовила еду, убирала дом, нянчила Эрона. Она полюбила мальчика, а тот, переживший за свои четыре года множество перемен, поначалу сторонился новой няни, но вскоре тоже полюбил ее, хотя не всегда ее слушался. В общем-то, его шаловливость радовала Лючию. Абсолютное послушание огорчило бы ее, ибо она не считала это естественным для маленького ребенка. Вечерами Лючия и Филип часто разговаривали об Эроне, книгах или самых обычных вещах, а когда Филип уезжал по делам, Лючия скучала по этим разговорам... она скучала по нему.

Иногда, глядя из окна, как Филип играет с Эроном, Лючия всем сердцем тянулась к нему и не знала, как часто он испытывает те же чувства. Филип боялся, что, если признается, Лючия их покинет, а Лючия боялась, что, если откроется ему, он отошлет ее прочь.

Но однажды весной под цветущими ветвями вишневого дерева рядом с качающимся на качелях маленьким мальчиком, которого они оба любили, Филип взял ее за руку и поцеловал. А когда деревья взорвались буйными осенними красками, Филип и Лючия уже были женаты. И с тех пор жили счастливо.

«Разве удивительно, — думала Эмма воскресным вечером, направляя фургон на заставленную машинами подъездную дорожку родительского дома, — что я родилась романтиком? Разве можно вырасти в семье с такой историей и не желать такого же счастья для себя?»

Ее родители любили друг друга тридцать пять лет. В большом викторианском доме они вырастили четверых детей, построили прекрасную жизнь, и Эмма не собиралась довольствоваться меньшим.

Она заранее предупредила, что опоздает на семейный ужин, но, достав из фургона цветы, все равно поспешила к парадному входу. Обнимая одной рукой вазу, она распахнула парадную дверь и направилась на разноголосый шум, такой же безудержный, как обожаемая ее мамой яркость.

В столовой за большим столом сидели ее родители, двое братьев с женами, сестра с мужем, племянницы и племянники, а сам стол ломился от еды, которой хватило бы для прокорма маленькой армии, которая, собственно, здесь и собралась.

— Привет, мамочка! — Эмма подошла к Лючии, поцеловала ее в щеку и только потом поставила цветы на буфет и, обойдя стол, поцеловала Филипа. — Здравствуй, папуля.

— Ну, теперь это действительно семейный ужин. — В голосе Лючии до сих пор слышались знойные мексиканские напевы. — Садись скорее, пока прожорливые поросята не съели всю еду.

Самый старший племянник Эммы с готовностью захрюкал и ухмыльнулся. Эмма села рядом с ним. Эрон передал ей тарелку.

— Спасибо, я умираю с голоду. — Эмма кивнула брату Мэтью, поднявшему бутылку с вином. — Не молчите. Я хочу поскорее войти в курс дела.

— Сначала главные новости. — Сидевшая напротив сестра Селия взяла мужа за руку, но, прежде чем она успела вымолвить еще хоть слово, Лючия радостно воскликнула:

— Ты беременна!

Селия рассмеялась.

— Вот вам и сюрприз. В ноябре мы с Робом ожидаем третье — теперь уж точно последнее — прибавление.

Все наперебой стали выкрикивать поздравления, а самая младшая представительница семейства с энтузиазмом забарабанила ложкой по перекладине высокого стульчика. Лючия бросилась обнимать дочь и зятя.

— О, нет на свете новостей счастливее, чем известие о будущем ребенке. Филип, у нас будет еще один малыш.

— Осторожнее, любимая. В последний раз, когда ты мне это сказала, появилась Эммелин.

Лючия, смеясь, подошла к мужу, обняла, прижавшись щекой к его щеке.

— Теперь всю тяжелую работу выполняют дети, а нам остаются веселые игры.

— Эм до сих пор отлынивает, — упрекнул Мэтью, ткнув рукой в сторону Эммы и грозно сведя брови.

— Она ждет мужчину такого же красивого, как ее отец, и не такого надоедливого, как ее брат. — Лючия лукаво взглянула на сына. — А такие мужчины не растут на деревьях.

— Я в поиске. — Эмма самодовольно улыбнулась брату и отрезала первый ломтик жареной свинины.

После ужина, когда все уехали, Эмма задержалась, чтобы прогуляться с отцом по саду. Любить цветы и растения она научилась у него.

— Как продвигается книга, пап?

— У меня творческий кризис.

Эмма рассмеялась:

— Ты всегда так говоришь.

— Потому что на данной стадии это всегда правда. — Филип обнял дочь за талию. — Семейные ужины и копание в земле отвлекают, и когда я возвращаюсь за письменный стол, все оказывается не таким страшным, как я думал. А как твои дела, красотка?

— Хорошо. Правда хорошо. Мы все время заняты. На этой неделе выяснилось, что прибыли выросли, и я теперь только и думаю, как же нам — мне — повезло. У меня есть любимое дело и лучшие на свете подруги. Наш бизнес процветает, мы счастливы. Я счастлива.

Отец с дочерью увидели Лючию, пересекавшую лужайку с курткой в руках.

— Филип, уже прохладно. Хочешь простудиться и изводить меня жалобами?

— Ты меня разоблачила.

— Да, вчера я видела Пэм, — вспомнила Лючия о матери Картера, закутывая покорного мужа в куртку. — Она просто светится от счастья. Я тоже рада, что двое моих любимых ребят полюбили друг друга. Пэм всегда была мне добрым другом и поддерживала нас, когда многих шокировало намерение твоего отца жениться на прислуге.

— Дурачье, они не поняли, что я просто заставил тебя работать бесплатно.

— Практичный янки. — Лючия прижалась к мужу. — И такой ловкий надсмотрщик.

Эмма с удовольствием наблюдала за родителями.

— На днях Джек сказал мне, что ты самая прекрасная женщина на свете и он ждет не дождется, когда ты согласишься сбежать с ним.

— Напомни, чтобы я избил его, когда увижу, — сказал Филип.

— Он такой обаятельный. Может, тебе и придется драться с ним из-за меня, — пошутила Лючия.

— А если я вместо этого помассирую тебе ножки?

— Договорились. Эммелин, если встретишь мужчину, который отлично массирует ноги, присмотрись к нему. Этот талант компенсирует многие недостатки.

— Я запомню. А сейчас мне пора. — Эмма раскинула руки и обняла родителей. — Я люблю вас.

Уже направляясь к фургону, Эмма оглянулась и замерла, увидев, как под вишневым деревом отец взял маму за руку и поцеловал.

«Да, неудивительно, что я романтик. Неудивительно, что мечтаю хотя бы о частичке того, что есть у них».

Эмма вспомнила поцелуй на черной лестнице. Может, это был флирт, или мимолетная вспышка страсти, или просто взыграло любопытство, но будь она проклята, если притворится, что ничего не случилось... Или позволит притвориться Джеку.

Пора разобраться с этой проблемой.

# 6

Джек сидел за компьютером в кабинете на втором этаже своего дома. Здание было старым, но Джек перестроил его так, чтобы удобно было и жить, и работать. Проектом модернизации студии Мак он занимался в свободные от работы часы, и, поскольку ни Мак, ни Картер особо не спешили, у него была возможность поиграть и с общими планами, и с мелкими деталями. Теперь, когда Паркер попросила подумать и над первым этажом, пришлось пересмотреть всю концепцию. Действительно, разумнее сделать все сразу.

Он играл с линиями, пространством, светом. Перестройка первого этажа позволит вдвое увеличить площадь кладовки для реквизита, добавить гардеробную, а в санузел поставить душевую кабину, что Мак и Картер очень скоро оценят... Кабинет Картера на втором этаже...

Джек откинулся на спинку стула, отхлебнул воды и попытался представить себя преподавателем английской литературы. Чего бы хотелось профессору? Что ему необходимо? Пожалуй, никаких изысков, ничего супермодного. Практичность и традиции. Это точно в духе Картера. Книжные полки вдоль стены. Нет, вдоль двух стен.

Открытые книжные полки, решил Джек, передвигаясь к другому концу подковообразного рабочего стола и принимаясь за карандашный набросок. А внизу закрытые. Для канцелярских принадлежностей и ученических работ.

Темное дерево, английская классика. Но огромные окна, как и во всем доме. Высокая крыша, чтобы разбить монотонность. Пара световых люков. Скруглить стену так, чтобы получился альков для дивана. Это добавит кабинету изюминку, и парню будет куда сбежать, когда жена на него разозлится или если захочется вздремнуть после обеда... балкон, где можно посидеть со стаканчиком бренди и сигарой. И обязательно широкие стеклянные двери.

Не переставая обдумывать проект обустройства кабинета Картера, Джек повернулся к тихо бормочущему плоскому телевизору. На его глазах «Филлиз», выяснявшие отношения с «Ред Сокс», выбили в аут. Обидно. Он вернулся к наброску. И вдруг его словно пронзило: Эмма.

Чертыхнувшись, Джек пригладил пятерней волосы. Он так здорово потрудился, чтобы вытеснить любые мысли о ней, с привычной ловкостью раскидал все по полочкам. Работа, бейсбол, повседневные дела. Эмма была отправлена в самый дальний уголок памяти и надежно там заперта. Он не желал о ней думать. Ни к чему хорошему это привести не могло. Без сомнения, он совершил ошибку, но не самую страшную. Он поцеловал девушку, только и всего.

Потрясающий поцелуй, думал он теперь. Ну, случается. Еще несколько дней, и громовые раскаты утихнут и все вернется на круги своя. Эмма не из тех женщин, кто станет раздувать случившееся, обвинять... И кроме того, она сама не без греха. Джек нахмурился, с жадностью глотнул воды. Да, черт побери, она активно в этом участвовала. Так какие к нему претензии?

Они взрослые люди; они поцеловались. Конец истории.

Если Эмма ждет извинений, то не дождется. Ей просто придется смириться с этим... и с ним. Они все друзья, и Дел, и Квартет, а учитывая переделки, задуманные Паркер, в следующие несколько месяцев ему придется проводить в поместье кучу времени. Джек снова провел пятерней по волосам. Ладно, раз уж ничего не изменишь, будем справляться.

— Черт. — Джек энергично растер лицо, приказал себе вернуться к работе. Нахмурившись, уставился на набросок. Прищурился. — Ну-ка, ну-ка.

Если этот угол срезать, а здесь, наоборот, повернуть стену и сделать консольную арку, то образуется уютный, частично крытый внутренний дворик. Мак с Картером получат личное пространство на свежем воздухе, может, в будущем посадят сад или живую изгородь. Ну, об этом позаботится

Эмма. Патио украсит дом, расширит жилое пространство без лишних затрат на строительство.

— О, Кук, ты гений, — похвалил себя Джек, но не успел перейти к разработке нового замысла, так как раздался стук в заднюю дверь. Еще полностью сосредоточенный на чертеже и уверенный, что явился Дел или кто-то из приятелей, и, дай бог, с собственным пивом, Джек пересек гостиную и кухню, распахнул дверь и в мерцающем свете уличного фонаря увидел Эмму, вдохнул аромат ночных лугов.

— Эммелин.

— Нам нужно поговорить. — Эмма проскользнула мимо него, откинула волосы с лица, развернулась. — Ты один?

— А... да.

— Хорошо. Что на тебя нашло, черт побери?

— Если можно, пожалуйста, в контексте.

— Не пытайся шутить. Мне не до шуток. Ты флиртуешь со мной, заводишь мою машину, массируешь мне плечи, ешь мой салат, одалживаешь мне куртку, а затем...

— Наверное, надо было небрежно помахать и проехать мимо, оставив тебя дрожать и синеть от холода на заснеженной обочине. И я был голоден.

— Это не все! — Отчаянно жестикулируя, Эмма пронеслась через кухню в широкий коридор. — Ты предусмотрительно упустил массаж и «а затем».

Джеку оставалось лишь последовать за ней.

— Ты выглядела усталой и напряженной. И тогда у тебя не было никаких претензий.

Эмма обернулась, прищурилась.

— А затем?

— Ладно, «а затем». Не отрицаю. Ты там была, я там был. Я на тебя не набрасывался, ты от меня не отбивалась. Мы просто... — Слово «поцеловались» показалось ему слишком многозначительным. — Ну, зацепились губами. На минутку.

— Зацепились губами? Тебе двенадцать? Ты меня поцеловал!

— Мы поцеловались.

— Ты это начал.

Джек улыбнулся.

— Тебе двенадцать?

Эмма тихо зашипела, отчего его шея покрылась мурашками.

— Джек, там, на лестнице, ты со мной заигрывал. Это ты принес мне вино, это ты стал подлизываться ко мне и массировать плечи. И это ты меня поцеловал.

— Виновен. По всем пунктам обвинения. Но ты ответила на поцелуй. А потом сбежала, будто я тебя укусил.

— Паркер вызвала меня по рации. Я работала. Ты прохлаждался. Сбежал ты. И до сих пор бегаешь.

— Сбежал? Я спокойно ушел. Ты бежала со всех ног, будто за тобой черти гнались, а Уитни разозлила меня до смерти. Вот я и ушел. И, может, ты удивишься, но я работаю так же, как и ты. И ни от кого не бегаю. Господи, поверить не могу, что я это сказал. — Джек судорожно вздохнул. — Послушай, давай присядем.

— Я не хочу садиться. Я слишком зла, чтобы

садиться. Ты просто не имел права уйти без объяснений.

Поскольку Эмма обвиняюще ткнула в него пальцем, он сделал то же самое.

— Ушла ты.

— Ты прекрасно понимаешь, о чем я: рация, Паркер, работа. — Эмма снова вскинула руки. — Я никуда не уходила. Я просто вышла, потому что невеста решила проинспектировать букет перед тем, как соблаговолит его бросить, и потребовала моего присутствия. Она любого способна разозлить до смерти, но я не уходила. — Эмма легко толкнула его в грудь ладонью. — Ушел ты. Это было грубо.

— Господи. И ты решила спустить с меня шкуру? Постой, ты уже это делаешь. Я тебя поцеловал. Признаю. У тебя такие губы, что я хотел... ну, понятно, чего я хотел. — В его глазах засверкали молнии, заметались грозовые тучи. — Ты не звала на помощь, я и воспользовался. Можешь меня линчевать.

— Дело не в поцелуе. То есть в поцелуе, конечно, но не только. Вопрос, почему, и что дальше, и что.

Джек вытаращил глаза.

— Что?

— Да! Я имею право на разумный ответ.

— Где? Как насчет где? Где разумный вопрос? Сформулируй, и я попробую найти разумный ответ.

Эмма словно разгоралась медленным огнем. Джек и не представлял, что так бывает. Чертовски сексуально.

— Если ты не хочешь обсудить это, как взрослый человек, тогда... — Что она собиралась сказать, осталось неизвестным.

— К черту.

Если ему предстоит гореть на адском костре за один поцелуй, то с тем же успехом можно пострадать и за два. Джек схватил Эмму и притянул к себе. Она издала тихий звук, который, вероятно, был началом «что» или «почему», но он не дал ей закончить, прижавшись губами к ее рту, и слегка укусил, отчего ее губы изумленно раскрылись в ответ. Когда их языки сплелись, когда он почувствовал ее вкус, от которого забурлила кровь, ему уже было не до выяснения. Он погрузил руки в ее дивные волосы и приподнял ее лицо.

Стоп. Она честно хотела это сказать. Она собиралась его остановить. Но ее будто окатило влажным, летним зноем, и все разумные мысли мгновенно вылетели из головы, а злость растаяла, уступив место лихорадочному желанию.

Когда Джек оторвался от нее и выдохнул ее имя, она только затрясла головой и снова прижалась к нему. Его руки блуждали по всему ее телу, разжигая, возбуждая.

— Позволь мне... — Он затеребил пуговицы ее блузки.

— Хорошо. — В этот момент она готова была позволить ему что угодно, а когда он накрыл ладонью ее бешено бьющееся сердце, потянула парня на пол.

Гладкая кожа, тренированное тело, жадные, изголодавшиеся губы. Эмма изогнулась, сдернула с него футболку и царапнула зубами его грудь. Джек целовал ее губы и шею с отчаянием, не уступающим ее страсти. Он перекатился так, что она оказалась под ним, и уже готов был сорвать с нее одежду... Ее локоть ударился об пол с треском, похожим на выстрел. Эмме показалось, что искры брызнули из глаз.

— Ой! Боже!

— Что? Эмма. Черт. Дьявол. Прости. Дай посмотрю.

— Нет. Погоди. — Все вокруг было как в тумане. Ошеломленная, потирая ушибленный локоть, она села. — Забавно. Ха-ха. Боже мой.

— Прости. Мне жаль. Дай-ка. — Джек начал растирать ее руку, одновременно пытаясь отдышаться.

Руку покалывало, а его хриплое дыхание показалось Эмме подозрительным.

— Смеешься?

— Нет. Нет. Изнемогаю от вожделения.

— Смеешься. — Эмма ткнула его в грудь указательным пальцем непострадавшей руки.

— Нет, мужественно борюсь со смехом. — Что, как он понял, впервые происходит с ним во время неуправляемого сексуального возбуждения. — Ну, как? Уже легче? — Джек заглянул в ее глаза и тут же понял, что совершил ошибку. Смех, искрящийся золотом в темном бархате ее глаз, оказался таким заразительным, что Джек прекратил борьбу и покатился со смеху. — Мне очень жаль.

— Почему? Ты проявил такую поразительную ловкость.

— Да, мне все так говорят. А ты шлепнулась на пол, когда в десяти футах отсюда стоит отличный диван и чуть выше по лестнице прекрасная кровать. Но нет, ты не в силах сдержаться и пару секунд. Я бы дотащил тебя до мягкой поверхности.

— Только нытику нужна для секса мягкая поверхность.

Джек сел, соблазнительно улыбаясь.

— Я не нытик, детка. Предлагаю вторую попытку.

— Подожди. — Эмма прижала ладонь к его груди. — Ммм, между прочим, отличные мышцы. — Она медленно подняла еще болезненную руку, откинула волосы. — Джек, что мы делаем?

— Если я должен объяснять, значит, я делаю это неправильно.

— Нет, правда, я хочу сказать... — Эмма опустила взгляд на свою расстегнутую блузку и дерзко белеющий кружевной бюстгальтер. — Только посмотри на нас. Посмотри на меня.

— Поверь, я смотрел. Еще как смотрел. И мог бы смотреть бесконечно. Твое тело сводит меня с ума. Я хочу...

— Да, да. Я поняла. Но, Джек, мы же не можем... Мы где-то сбились с пути.

— Ну да, сбились... по дороге домой, насколько я помню. Дай мне пять минут, чтобы согласовать наши впечатления. Одну. Дай мне одну минуту.

— Возможно, хватило бы и тридцати секунд, но ты их не получишь, — добавила Эмма, заметив его ухмылку. — Правда. Мы не можем сделать это просто так. Или вообще не можем. Наверное. —

Интересно, кого она уговаривает — его или себя? — Я не уверена. Мы должны подумать, хорошенько подумать, взвесить все «за» и «против». Джек, мы же друзья.

— Я просто умираю от дружелюбия.

Эмма протянула руку, коснулась его щеки.

— Мы друзья.

— Друзья, — покорно повторил он.

— Более того, наши друзья тоже дружат. Мы все так тесно связаны. Поэтому, как бы я ни хотела сказать, какого черта, давай испытаем тот диван, потом кровать и, может, проведем третий раунд на полу...

— Эммелин, — не выдержал Джек, — ты меня убиваешь.

— Секс — не поцелуй на черной лестнице, даже такой потрясающий поцелуй на черной лестнице. Поэтому, как я уже сказала, мы должны подумать и так далее, прежде чем примем решение. Джек, я не могу рисковать нашей дружбой только потому, что в данный момент хочу заполучить тебя голым. Ты слишком много значишь для меня.

Джек испустил тяжкий вздох.

— Лучше бы ты этого не говорила. Ты тоже много для меня значишь. И всегда значила.

— Тогда давай возьмем тайм-аут и все обдумаем.

Эмма отстранилась и начала застегивать блузку.

— Ты и не представляешь, как мне тяжело смотреть на это, — пожаловался Джек.

— Представляю. Очень хорошо представляю. Не вставай. — Эмма вскочила на ноги, подобрала с пола сумочку. — Если тебя это утешит, я проведу скверную ночь, размышляя о том, что могло бы случиться, если бы мы не включили мозги.

— Не утешила. Мне предстоит то же самое.

Эмма, уже направившаяся к двери, оглянулась.

— Поделом тебе. Ты это начал.


Утром, после предсказуемо бессонной ночи, Эмма решила утешиться в компании подруг и оладий миссис Грейди. Поддержка и сочувствие подруг всегда предоставлялись безоговорочно, а вот по второму пункту пришлось заключить с собой сделку: оладьи только после ненавистной разминки в домашнем спортзале. Эмма с тоской натянула спортивный костюм и поплелась к главному дому. Организм, не получивший привычной дозы кофеина, отказывался повиноваться, однако Эмма — не найдя ни одной причины, почему бы Макензи не помучиться вместе с ней, — сделала крюк к студии.

Она по привычке не стала стучаться и прошла прямо в кухню. Мак в легкомысленной пижамке стояла, прислонившись спиной к кухонному шкафчику, с кружкой кофе в руке и с широкой улыбкой на довольной физиономии. Напротив подруги стоял Картер точно в такой же позе, с такой же улыбкой во весь рот, только в твидовом пиджаке.

Надо было постучаться, запоздало упрекнула себя Эмма. Теперь, когда здесь живет Картер, надо обязательно стучаться.

Мак взглянула на нее и отсалютовала кофейной кружкой.

— Привет, Эм!

— Прошу прощения.

— У тебя опять кончился кофе?

— Нет, я...

— Угощайся, — радушно предложил Картер. — Я сварил полный кофейник.

Эмма печально взглянула на него.

— Не понимаю, почему ты хочешь жениться на ней, а не на мне.

Кончики ушей Картера порозовели, но он непринужденно пожал плечами.

— Ну, может, если у нас не сложится...

— Парень считает себя остроумным, — холодно сказала Мак. — И, черт побери, он прав. — Она подошла к жениху и дернула его за галстук.

Поцелуй был мимолетным и нежным, каким, по мнению Эммы, и должен быть утренний поцелуй любовников, уверенных, что у них есть время, много-много времени для более долгих и жарких поцелуев, и она жутко позавидовала этой легкости и нежности.

— Отправляйся в школу, профессор. Просвещай юные умы, — напутствовала Мак.

— Так и было задумано. — Картер подхватил портфель, взлохматил свободной рукой огненные волосы невесты. — До вечера, детка. Пока, Эмма.

— Пока.

Открывая дверь, Картер оглянулся и ударился локтем о дверной косяк.

— Черт, — пробормотал он и аккуратно закрыл за собой дверь.

— Он делает это через два раза на третий... Что с тобой, Эм? Ты покраснела!

— Ничего. — Но она поймала себя на том, что потирает локоть и вспоминает. — Ничего. Я просто решила заглянуть к тебе по дороге в камеру пыток, а после страданий планирую выпросить у миссис Грейди оладьи.

— Подожди пару минут. Я переоденусь.

Мак бросилась в спальню, а Эмма — не в силах устоять на месте — заметалась по кухне, лихорадочно пытаясь придумать, как бы непринужденнее и проще объяснить Мак ситуацию с Джеком и попросить отпущение грехов за нарушение правила «не спать с бывшими парнями подруг».

Мак и Джек теперь друзья. Вот на что надо напирать. А еще важнее, гораздо важнее то, что Мак по уши, безумно влюблена в Картера. Боже милостивый, Мак собирается замуж! Разве настоящая подруга станет упрекать в нарушении правила «никаких бывших», если сама выходит замуж за Мистера Восхитительного? Это было бы эгоистично, глупо и подло.

В кухню легкой рысцой ворвалась Мак в спортивном бюстгальтере и велосипедных шортах.

— Бежим, пока я не передумала. Я уже чувствую, как наливаются силой бицепсы и трицепсы. О, мои классные руки!

— Ну почему ты так себя ведешь? — вопросила Эмма.

— Так? Как?

— Мы дружим с младенчества! Я не понимаю,

почему ты так за него цепляешься, если он тебе совсем не нужен.

— Кто? Картер? Он мне очень даже нужен. Ты не успела выпить кофе?

— Если бы я выпила кофе, то уж точно нашла бы причину ответеться от тренировки. И дело совсем не в этом.

— Ладно. Почему ты на меня злишься?

— Я не злюсь. Это ты на меня злишься.

— Хорошо. Попроси у меня прощения, и все забыто. — Мак распахнула дверь и гордо выплыла из дома.

— Почему я должна просить прощения? Я прекратила. — Эмма проследовала за подругой и захлопнула дверь.

— Что ты прекратила?

— Прекратила... — Эмма застонала, на мгновение закрыла глаза и сжала веки пальцами. — У меня кофеиновая недостаточность. И туман в голове. Я начала с середины. Или с конца.

— Чтобы распалить свою злобу, хотелось бы сначала узнать, почему я на тебя злюсь. Ведьма.

Эмма сделала глубокий вдох, задержала дыхание.

— Я поцеловала Джека. Или он поцеловал меня. Он это начал. А потом сбежал. Мне пришлось поехать к нему, чтобы вправить ему мозги, а он снова это сделал. А потом я снова это сделала. А потом мы катались по полу и срывали друг с друга одежду, пока я не ударилась локтем. Очень сильно. И это привело меня в чувство. Поэтому я все прекратила, и у тебя нет никаких причин на меня злиться.

Мак, изумленно раскрывшая рот и глаза еще в начале тирады, не сразу пришла в себя.

— Что? Что? — Она постучала ладонью по уху и покачала головой, словно вытряхивая воду. — Что-о?

— Не повторю, и не надейся. Я прекратила и попросила прощения.

— У Джека?

— Нет... ну да... нет, у тебя. Я тебе говорю, мне жаль.

— Почему?

— Очнись, Мак! Правило!

— Ладно. — Мак остановилась, подбоченилась и уставилась куда-то вдаль. — Нет, я все-таки не понимаю. Давай попробуем еще раз. — Она замахала обеими руками, будто стирая мел со школьной доски. — Итак, чистая доска. Ты и Джек — обалдеть! — беру минуту, чтобы осознать это... Готово. Вы с Джеком обслюнявили друг друга.

— Ничего подобного. Он классно целуется, как ты сама прекрасно знаешь.

— Я?

— И о том поцелуе я точно не сожалею, потому что все случилось совершенно неожиданно. Ладно, не совершенно неожиданно, поскольку у меня мурашки побежали еще под капотом.

— Под капотом? А, когда заглохла твоя машина. Господи, надо знать тебя всю жизнь, чтобы понять хотя бы половину того, что ты говоришь.

— Но, когда я присела отдохнуть на черной лестнице, я же не ждала, что он притащит вино.

Я просто хотела перевести дух, я никого не трогала, сидела себе спокойненько.

— Вино, черная лестница, — забормотала Мак. — Ага, свадьба НЧС.

— Потом он стал массировать мне плечи, и я уже тогда должна была понять, но я собиралась вернуться на свадьбу, и мы встали. И он меня поцеловал. Потом Паркер вызвала меня по рации, и мне пришлось уйти, и я поняла, что наделала. Но это не предательство, совсем не предательство. У тебя есть Картер.

— И что я должна со всем этим делать?

— Но я с ним не спала, и это положительный момент. — Мимо, отчаянно крича, пронеслась какая-то птица. Эмма даже не взглянула на нее и с размаху уткнула кулаки в бедра. И нахмурилась. — Поцелуй был неожиданным. Оба раза. И по полу мы катались сгоряча. Я все прекратила, поэтому я — технически — не нарушала правило, но я все равно прошу прощения.

— Я с радостью приму твои извинения, если ты просто скажешь, что мне с ними делать.

— Правило «никаких бывших».

— Правило... ах, это правило. И какое отношение ко мне... Постой-ка. Ты думаешь, что я и Джек были... Ты думаешь, что у нас с Джеком был секс? С Джеком Куком?

— Ну да, с Джеком Куком.

— У нас с Джеком никогда не было секса.

— Не ври, был. — Эмма подкрепила свои слова тычком.

Мак ткнула ее в ответ.

— Нет, не был, и мне лучше знать, с кем я занималась сексом, а с кем — нет. У нас с Джеком никогда не было секса. У нас никогда и в мыслях не было ничего подобного. И уж тем более я не каталась с Джеком по полу и не срывала с него одежду.

— Но... — Озадаченная и растерявшая весь пыл Эмма бессильно опустила руки. — Но когда он только начал приезжать сюда с Делом... на каникулы и в праздники... еще в колледже... вы двое...

— Флиртовали. Точка. Начало и конец. Мы никогда не катались ни по простыням, ни по полу, ни по стенам, ни по каким другим поверхностям, и тем более — голышом. Ясно?

— Я всегда думала...

Мак поморщилась.

— Могла бы спросить.

— Нет. Потому что... Черт побери, я сама хотела флиртовать с ним, а ты меня опередила, поэтому я не могла и думала то, что думала. А потом, когда стало ясно, что вы снова просто друзья, заработало правило. Как я думала.

— И все это время ты была неравнодушна к Джеку?

— Местами и временами. Я перенаправляла свои чувства или подавляла их. Но недавно все осложнилось, я имею в виду перенаправление и подавление. Господи. — Эмма обхватила щеки ладонями. — Я идиотка.

— Ты шлюха. — Мак сурово насупилась и скрестила руки на груди. — Ты чуть не трахнулась с парнем, с которым я никогда не трахалась. Ну и какая ты подруга после этого?

Эмма опустила повинную голову, однако ее губы уже изгибались в улыбке.

— Я же попросила прощения.

— Может, я и прощу тебя, но только после того, как ты расскажешь мне все по порядку и в мельчайших подробностях. — Схватив Эмму за руку, Мак бегом потащила ее к дому. — То есть после кофе и тренировки.

— Мы могли бы пропустить тренировку и сразу перейти к кофе.

— Нет, я должна качать мышцы. — Мак влетела в боковую дверь и метнулась к лестнице, все еще волоча за собой Эмму. Когда парочка добралась до спортзала, оттуда как раз выходили Лорел и Паркер. — Эмма целовалась с Джеком и чуть с ним не трахнулась! — выпалила Мак.

— Что? — хором воскликнули Лорел и Паркер.

— Только не сейчас. Я еще не пила кофе. Никаких расспросов до кофе и оладий, — забормотала Эмма и, морщась от отвращения, поплелась к эллиптическому тренажеру.

— Понятно. Оладьи. Я скажу миссис Грейди, — сказала Лорел, бросаясь прочь.

— Джек? Джек Кук? — попыталась уточнить Паркер.

— Именно это и я сказала, — заявила Мак, нацеливаясь на «Бауфлекс».


Когда четыре подруги устроились в кухне за обеденным столом и Эмма вцепилась в первую чашку кофе, Мак подняла руку, как на уроке.

— Позвольте мне обрисовать ситуацию, поскольку так будет быстрее и к концу доклада вы еще сохраните способность соображать. Итак, Эмма давно втрескалась в Джека, но думала, что между мной и Джеком что-то есть, включая секс, в далеком прошлом, конечно, но она продолжала цепляться за правило «никаких бывших» и молча страдала.

— Я не страдала.

— Не влезай. Эту часть рассказываю я. Во время свадьбы НЧС Джек завел «о, ты такая напряженная, позволь помассировать тебе плечи», а потом набросился на нее с поцелуями. А потом Паркер вызвала ее по рации.

— Так вот почему ты была сама не своя. Спасибо, миссис Грейди. — Паркер улыбнулась миссис Грейди и взяла оладью с блюда, которое экономка поставила в центр стола.

— Вчера вечером, выждав неделю, Эм отправилась к Джеку домой, чтобы призвать его к ответу. Слово за слово, и они начали кататься по полу голыми.

— Полуголыми. Даже меньше. Может, на четверть голыми, — подсчитала Эмма. — По большей части.

— Сегодня утром наша грешница принесла мне извинения за то, что чуть не трахнулась с моим воображаемым бывшим.

— И правильно сделала, — высказала свое мнение миссис Грейди. — Нельзя красть парня у подруги, даже если та выбросила его на обочину.

— Ну, так получилось. — Эмма поежилась под пристальным взглядом миссис Грейди. — Я извинилась и прекратила еще до того, как мы...

— Потому что ты хорошая девочка и честная. Поешь фруктов. Это полезно. На сытый желудок и секс лучше.

— Слушаюсь, мэм. — Эмма наколола на вилку крохотный кусочек ананаса.

— Я не понимаю, как тебе вообще пришло в голову, что Мак спала с Джеком, — изумилась Лорел, заливая свои оладьи сиропом. — Если бы она с ним переспала, то обязательно хвасталась бы, пока не надоела нам до смерти.

— Ничего подобного, — возмутилась Мак.

— В далеком прошлом обязательно расхвасталась бы.

— Ну, верно, — согласилась Мак после недолгой паузы. — В далеком прошлом расхвасталась бы. Я повзрослела.

— И насколько все серьезно? — поинтересовалась Паркер.

— В высшей степени. Он вызвал у нее мурашки еще до черной лестницы. А на черной лестнице установил рекорд.

Не переставая жевать, Паркер одобрительно закивала.

— Он потрясающе целуется.

— Да, правда, он... Откуда ты знаешь? — спохватилась Эмма. Паркер только улыбнулась, и у Эммы отвисла челюсть. — Ты? Ты и Джек? Когда? Как?

— Какая гадость, — пробормотала Мак. — Еще одна лучшая подруга покушалась на моего воображаемого бывшего.

— Два поцелуя на первом курсе в Йеле. Мы случайно столкнулись на вечеринке, и он проводил меня до общежития. Было приятно. Очень приятно. Но как бы здорово он ни целовался, это было все равно что целоваться с братом. И как бы здорово ни целовалась я, по-моему, ему показалось, что он целуется с сестрой. На этом мы и остановились. Но, как я понимаю, Эм, у тебя с Джеком такого ощущения не возникло.

— Ни в малейшей степени. Никаких братских или сестринских чувств. Почему ты никогда не рассказывала нам, что целовалась с Джеком?

— Я не знала, что мы должны докладывать о каждом мужчине, с которым целуемся, но, если настаиваете, могу составить список.

Эмма рассмеялась.

— Держу пари, можешь. Лорел, а ты не хочешь доложить ни о каких приключениях с Джеком?

— К сожалению. Я чувствую себя обделенной, хоть он и воображаемый бывший. В конце концов, мог бы хоть разочек подкатиться ко мне. Ублюдок. А как насчет вас, миссис Грейди?

— Несколько лет назад в Рождество он поцеловал меня под омелой, но поскольку я не отличаюсь постоянством, то отказала ему очень осторожно, чтобы не разбить парню сердце.

— Думаю, Эм не собирается с ним церемониться, и, держу пари, против ее колдовских чар у него нет ни шанса.

— Ну, не знаю. Я должна подумать. Все так сложно. Он друг. Наш друг. И лучший друг Дела. Дел — твой брат, Паркс, и почти что брат всем нам. И мы все подруги и деловые партнеры. Дел — наш адвокат, а Джек никогда не отказывает нам в помощи. И он же проектирует все наши перестройки. Нас столько всего связывает, все так переплетено.

— И ничто так не запутывает отношения, как секс, — подала голос Мак.

— Вот именно. Что, если мы займемся сексом, а потом решим расстаться? Тогда нам будет очень неловко друг с другом, а остальным будет неловко с нами. Сейчас у нас равновесие, верно? Секс не стоит того, чтобы разрушать идеальное равновесие.

— Если ты так думаешь, то неправильно занималась сексом, — заметила миссис Грейди, качая головой. — Молодые слишком много рассуждают. Все, я начинаю мыть посуду.

Эмма надулась, пристально глядя в свою тарелку с нетронутыми оладьями.

— Миссис Грейди считает меня идиоткой, но я просто не хочу никого обидеть.

— Тогда определите основные принципы. Чего вы ждете друг от друга. И как будете справляться с проблемами.

— Какие основные принципы, Паркс?

Паркер пожала плечами:

— Это тебе решать, Эм.

## 7

Под тихую, умиротворяющую музыку «нью эйдж» Эмма начала собирать цветочные композиции для девичника в доме невесты. Поскольку невеста просила что-нибудь забавное и женственное, Эмма остановилась на разноцветных герберах. Мысленно уже представляя, как все будет выглядеть, она обрезала кончики стеблей под струей воды, перенесла цветы в раствор с подкормкой и консервантами, а вскоре уже первая композиция отправилась в холодильник восполнять потерю влаги. Эмма принялась за следующую.

— Эй, есть кто дома? — Паркер вошла в мастерскую, окинула взглядом цветы, зелень, инструменты. — Девичник Макники?

— Да. Посмотри, какие чудесные герберы. От пастельных до самых ярких. Свежо и мило.

— Что это будет?

— Украшение в центр стола и трио фигурно подстриженных кустов в горшках. Горшки я замаскирую листьями лимона и лентами, добавлю акацию. Еще парочка более изысканных композиций для стола в холле, одна со свечами для камина и что-нибудь изящное и ароматное для туалетной комнаты. Я должна все закончить до приезда поставщика и одиннадцатичасовой консультации. Пока вроде успеваю.

— Очень празднично и женственно, — похвалила Паркер. — Эм, я знаю, как ты занята, но нельзя ли втиснуть еще один прием на выезде?

— Когда?

— В следующий четверг. Я все понимаю, не сердись. Позвонили по основному номеру. Я не стала тебя отвлекать и переводить звонок. Гостья со свадьбы Фолк-Харриган. Она уверяет, что не может забыть твои цветы, а это еще один щелчок по носу НЧС.

— Думаешь, я клюну на лесть?

— Надеюсь. Дама планировала купить срезанные цветы, но ты стала ее наваждением.

— Перестань.

— Она твердит, как все было роскошно, оригинально, идеально.

— Черт тебя подери, Паркс.

— Увидев, что ты вытворяешь с цветами, она не может ни спать, ни есть, ни жить, как прежде.

— Я тебя ненавижу. Какое торжество и что она хочет?

Паркер умудрилась улыбнуться самодовольно и в то же время сочувственно. Высший пилотаж.

— Вечеринка, посвященная будущему ребенку. Оформление вроде этого, кроме композиции для камина. Очень по-девичьи — должна родиться девочка, — поэтому побольше розового. Клиентка сказала, что полностью доверяет твоему вкусу.

— Это упрощает задачу, но времени слишком мало. Посмотрю, что скажет мой поставщик. И я должна взглянуть на график следующей недели.

— Я уже взглянула. Понедельник у тебя забит до упора, но во вторник днем есть просвет. В среду ты готовишься к пятнице, в четверг — к субботе. В эти два дня тебе помогает Динь, и мне кажется, что вдвоем вы справитесь и с новым заданием. Речь идет о невестке клиентки и ее первой внучке.

Эмма вздохнула.

— Ты знала, что я не смогу ей отказать.

— Разумеется. — Не испытывая ни капли раскаяния, Паркер похлопала Эмму по плечу. — Если нужно, вызови Тиффани или Бич.

— Мы с Динь справимся. — Эмма отнесла готовую композицию в холодильник и вернулась. — Я позвоню клиентке, как только закончу. Уточню, правильно ли я поняла, что она хочет, а потом выясню, смогу ли это найти.

— Я оставила ее имя и номер телефона на твоем письменном столе.

— Кто бы сомневался. Только тебе это дорого обойдется.

— И сколько же ты запросишь?

— Звонили из мастерской. Машина готова, но сегодня я ее забрать не смогу. И завтра тоже.

— Я о ней позабочусь.

— Спасибо, я на тебя рассчитывала. — Глядя на заваленный цветами стол, Эмма потерла затекшую шею. — Тот час, что ты мне сэкономила, уделю счастливой будущей бабуле.

— Я успокою ее, передам, что ты с ней свяжешься. И, говоря о связи, ты поговорила с Джеком?

— Нет. Я еще размышляю. Если бы я с ним поговорила, то начала бы думать, как сильно хочу наброситься на него или чтобы он набросился на меня. О чем, между прочим, я все равно думаю прямо сейчас.

— Оставить тебя наедине с твоими мыслями?

— Очень смешно. Я сказала ему, что мы должны притормозить и подумать, вот я и думаю. — Эмма нахмурилась и чопорно заявила: — Секс — это не все.

— Поскольку у тебя опыта — и предложений — больше, чем у меня, я преклоняюсь перед твоими обширными познаниями.

— Просто парни меня не боятся. — Эмма покосилась на подругу. — Я не хотела тебя обидеть.

— Пусть боятся. Меня это не волнует, зато экономит время. — Паркер взглянула на часы. — Кстати, о времени. Меня в городе ждет невеста, а Мак везет фотографии клиентам и подкинет меня до гаража. К четырем я должна вернуться. Не забудь, что в шесть тридцать общая консультация.

— У меня отмечено.

— Тогда до вечера. Спасибо, Эм. Правда, я очень тебе благодарна, — добавила Паркер уже от двери.

Оставшись одна, Эмма прибрала рабочий стол и потянулась за неоспорином. Гель, заменявший зеленку и йод, был ей так же привычен, как другим женщинам — крем для рук. Обработав свежие порезы и царапины, она отправилась в свою гостиную-приемную, приготовила фотоальбомы, журналы, проверила выбранные композиции и позвонила по телефону, оставленному Паркер.

По ходу разговора Эмма делала заметки, рассчитывала необходимое количество цветов. Кустовые розы, белокрыльник... Белокрыльника побольше, прикинула Эмма, мысленно рисуя композицию. Лиловые каллы, розы Бьянка... Мило, женственно, изящно, если она правильно поняла желания клиентки. Эмма подчеркнула время и место доставки, пообещала клиентке чуть позже прислать электронной почтой контракт и детализированный счет. Поскольку время еще оставалось, она быстренько позвонила поставщику и побежала наверх переодеться в деловой костюм.

Освежая макияж, Эмма задавалась вопросом, думает ли о ней Джек, взвешивает ли так же мучительно все «за» и «против». И вдруг, охваченная внезапным порывом, она бросилась к компьютеру, напечатала: *«Я еще думаю. А ты?»* — и, решительно — чтобы вдруг не передумать — нажала на клавишу, отправляя письмо.


Джек проверил изменения, внесенные помощником, и, сделав пару незначительных поправок, мысленно похвалил Чипа. Этот новый проект постоянно переделывался, поскольку клиенты никак не могли прийти к окончательному решению. Они хотели величественность, и они ее получили. Они хотели шесть каминов... пока не решили, что каминов им нужно девять. И лифт. И крытый бассейн, соединенный с домом стеклянной галереей. Джек изучил последний вариант, чертежи, представленные инженером-строителем, и решил, что получилось хорошо. Даже очень хорошо. Просто отлично. Бассейн не нарушит величественный облик особняка в колониальном георгианском стиле, а клиенты смогут спокойно плавать хоть в январе.

И все будут счастливы.

Отправляя эскизы клиенту, Джек заметил послание Эммы. Он открыл его и прочитал единственную строчку.

Эмма что, издевается?

Любая мысль, не связанная с ней — особенно обнаженной, — пробивалась в его голову лишь в результате тяжелой борьбы. Все сегодняшние дела занимали в два раза больше времени именно потому, что он думал о ней, хотя ей это знать необязательно. Так как же ответить? Джек с улыбкой застучал по клавишам.

*«Я думаю, ты должна заглянуть ко мне сегодня вечером в одном плаще и налокотниках».*

Отправив письмо, Джек распрямился и представил — очень отчетливо — Эмму в плаще... на голое тело... в туфлях на высоких каблуках. В красных. А когда бы он развязал пояс плаща...

— Решил заглянуть по дороге.

Еще мысленно распахивая тот короткий черный плащик, Джек уставился на Дела.

Дел помахал рукой перед его глазами.

— Эй, Джек, ты где, черт побери?

— А? Что? Я работаю. Вот эскизы. — Черт, черт, черт. Джек непринужденно, как он понадеялся, вызвал на экран заставку. — А ты бездельничаешь?

— Еду в суд, и молись, чтобы я нашел кофе. — Дел прошел к кофеварке, налил себе полную кружку. — Готов к потерям?

— Потерям чего?

— Сегодня Покерный Вечер, приятель, и я предчувствую удачу.

— Покерный Вечер, — механически повторил Джек.

Приподняв брови, Дел пристально посмотрел на друга.

— Интересно, над чем ты работаешь? Похоже, ты заблудился в другом измерении.

— Яркое доказательство моей сверхъестественной способности полностью концентрироваться. Что я и продемонстрирую сегодня за покером. Если хочешь выиграть, тебе понадобится гораздо больше, чем предчувствие удачи.

— Дополнительная ставка. Сто баксов.

— Принимаю.

Дел отсалютовал кружкой, отхлебнул кофе.

— Как продвигаются переделки для Квартета?

— Кое-что для Мак и Картера мне уже нравится. Осталось немного отшлифовать.

— Хорошо. Над Эммой работаешь?

— Что? Что я делаю?

— Эмма. Второй холодильник.

— А, пока нет. Но там не должно возникнуть никаких сложностей. — Тогда почему он чувствует себя так, будто лжет лучшему другу?

— Простота всегда срабатывает. Ну, мне пора поиграть в адвоката. — Дел отставил кружку и направился к двери. — До вечера. Да, и не вздумай рыдать, когда отдашь мне ту сотню. Не смущай меня.

Джек выставил средний палец, и Дел удалился, посмеиваясь. Джек выждал добрых десять секунд, настороженно прислушиваясь, не возвращается ли приятель, и только тогда снова открыл электронную почту.

Эмма пока не ответила.

Как это он забыл о Покерном Вечере? Никогда раньше не забывал. Пицца, пиво, сигары, карты. Чисто мужская компания. Традиция. Ритуал, который они с Джеком создали еще в колледже. Покерный Вечер священен.

А вдруг Эмма ответит, что придет? Что постучится в его дверь сегодня вечером? Перед его мысленным взором снова возникла Эмма в черном тренче и красных шпильках. Перевесит ли эта перспектива компанию друзей, холодное пиво и колоду карт? Какие тут сомнения? Если Эмма надумает навестить его, он найдет отговорку для Дела: просто скажет, что свалился в приступе желудочного гриппа. И ни один мужчина, живой или мертвый, не станет его винить.

Сворачивая на шоссе к Гринвичу, Мак покосилась на Паркер.

— Теперь, когда мы одни, можешь сказать, что ты на самом деле думаешь об Эмме и Джеке?

— Они оба взрослые, одинокие, здоровые.

— Угу. Но что ты об этом думаешь?

Паркер вздохнула, принужденно рассмеялась.

— Что не замечала никаких признаков, а я считаю себя асом в подобных ситуациях. И если мне это кажется странным, представляю, каково им.

— Кошмарно?

— Нет. Нет. Просто странно. Нас, девчонок, четверо, парней двое — Джек и Дел. Всего шестеро. Ну, с Картером семеро, только все началось задолго до Картера. Годами наши жизни были связаны. Целую вечность мы с Делом и — сколько? — двенадцать лет с Джеком неразлучны. Когда считаешь мужчину братом, не сразу привыкаешь к тому, что одна из лучших подруг чувствует иначе. Это почти так же странно, как если бы кто-то из нас не любил его.

— Именно это и мучает Эмму.

— Я поняла.

— Пока они влюблены, все хорошо, но страсти имеют обыкновение утихать. Что, если один из них остынет раньше другого? Опасная ситуация. — Мак взглянула в зеркало заднего вида и перестроилась на соседнюю полосу. — Тот, кто еще любит, может обидеться или почувствовать себя преданным.

— Не понимаю, как можно винить кого-то за свои чувства.

— Людям свойственно винить других. А Эмма, она такая чуткая, такая добрая. Она волшебно расправляется с мужчинами — я просто преклоняюсь перед ней, — но она очень бережно относится к их чувствам, даже если сама не влюблена. Ты понимаешь, о чем я.

— Да, конечно. — Поскольку они подъезжали к гаражу, Паркер сунула ноги в туфли, которые сбросила, как только села в машину. — И, чтобы не обидеть парня, встречается с ним и во второй, и в третий, и в четвертый раз, даже если с первого свидания понимает, что не заинтересована в продолжении.

— Она ходит на свидания чаще, чем мы трое, вместе взятые. Я говорю о себе до Картера. И почти всегда умудряется избавиться от парня, не оскорбив его самолюбие. Поразительно.

— Беда в том, что Джек ей близок. Она его любит.

— Ты думаешь...

— Мы все его любим, — закончила Паркер свою мысль.

— А, в этом смысле. Верно.

— Тяжело разрывать отношения с человеком, который тебе небезразличен. И, хорошо зная Эмму, я понимаю, что она уже сейчас думает об этом. Она и мысли не допускает о том, чтобы причинить ему боль.

Мак смотрела на светофор, дожидаясь зеленого света и обдумывая слова подруги.

— Иногда мне хочется быть такой же чуткой, как Эмма. Правда, не очень часто. Слишком много хлопот.

— У тебя есть свои плюсы, Мак. А я? Я внушаю страх.

— О да, Паркс, ты пугаешь меня до чертиков. — Мак фыркнула и плавно тронула машину с места. — Но ты наводишь настоящий ужас, когда закутываешься в мантию Паркер Браун из коннектикутских Браунов. Многие вокруг просто падают замертво.

— Не замертво. Я бы назвала это временным оцепенением.

— Линду ты уложила наповал, — вспомнила Мак свою мать.

— Ты сама с ней справилась. Проявила характер.

Мак отрицательно покачала головой.

— Я и раньше пыталась. Может, не так настойчиво, как в последний раз, но это ты окончательно поставила ее на место. Ты и Картер. Господи, при всей его доброте, он совершенно не восприимчив к ее фокусам. И спасибо богатому жениху из Нью-Йорка, который потакает каждому ее капризу. Моя жизнь действительно стала гораздо спокойнее.

— Она связывалась с тобой после того случая?

— Забавно, что ты спросила. Да, как раз сегодня утром. И разговаривала так, будто и не было той безобразной сцены. Она и Ари решили тайно сбежать. Ну, вроде того. Они, как влюбленные юнцы, улетят на озеро Комо и поженятся там на вилле одного из ближайших друзей Ари. Линда все спланировала. Видимо, так она понимает тайное бегство.

— О господи, если там будет Джордж Клуни, я согласна.

— Вряд ли нас пригласят. Она позвонила только похвастаться, что ее свадьба будет гораздо шикарнее той, что смогли бы провести «Брачные обеты».

— И что ты ей сказала?

— *Buona fortuna*.

— Ты пожелала ей удачи?

— Да. Совершенно искренне. Если она будет счастлива с этим Ари, то оставит меня в покое. — Мак повертела головой и свернула на парковку перед автомастерской Каванафа. — Все прекрасно. Хочешь, подожду тебя на всякий случай?

— Нет, спасибо. Поезжай. Увидимся на вечерней консультации.

Паркер вышла из машины, поудобнее перехватила большую сумку с многочисленными папками, посмотрела на часы — убедилась, что не опоздала, — и перевела взгляд на длинное офисное здание, стоявшее впритык к большому гаражу.

Приблизившись, она услышала шипение какого-то агрегата, возможно компрессора, и увидела через распахнутые двери ноги, бедра и часть торса механика, работающего под висевшей на подъемнике машиной. Вдоль стен тянулись полки с запасными деталями, инструментами, шлангами, канистрами. Пахло маслом и здоровым, мужским потом. Все эти ароматы продуктивного труда не оскорбили обоняние Паркер, тем более что она увидела на стоянке непривычно чистую машину Эммы.

Охваченная любопытством, Паркер свернула к машине, сверкающей на солнце хромированными деталями, и, заглянув в салон, заметила и там идеальную чистоту. Если эта машина бегает так же хорошо, как выглядит, подумала Паркер, на следующее техобслуживание можно привезти сюда и свою.

Паркер направилась к офису, чтобы расплатиться и забрать ключи. Женщина с шевелюрой скорее оранжевой, чем рыжей, сидела за короткой частью угловой стойки и стучала двумя пальцами по клавиатуре компьютера. Сосредоточенно сведенные брови и напряженно изогнутые губы намекали на не самые дружественные отношения их обладательницы с современной техникой. Перестав печатать, женщина сдвинула на кончик носа очки в ярко-зеленой оправе и окинула Паркер равнодушным взглядом.

— Чем я могу вам помочь?

— Я приехала за машиной Эммелин Грант.

— Паркер Браун?

— Да.

— Она звонила, сказала, что вы приедете.

Поскольку женщина не пошевелилась и продолжала таращиться поверх очков, Паркер вежливо улыбнулась.

— Показать вам водительские права?

— Нет. Когда я спросила, она сказала, как вы выглядите, и вы выглядите так, как она сказала.

— Ну, тогда можно увидеть счет?

— Я над ним работаю. — Женщина поерзала на табурете и принялась снова терзать клавиатуру. — Посидите вон там. Это не займет много времени. Я гораздо быстрее выписала бы счет вручную, но Мэл настаивает на компьютере.

— Ничего, я подожду.

— Если хотите пить, за той дверью есть торговый автомат.

Паркер подумала о своей клиентке и расстоянии до свадебного салона.

— Вы сказали, что это не займет много времени.

— Ну да, просто... Ну что этот демон от меня хочет? — Женщина вонзила в оранжевые кудри длинные огненно-красные ногти. — Почему он просто не выплюнет чертов счет?

— Вы позволите... — Паркер перегнулась через стойку и взглянула на экран. — Кажется, я вижу проблему. Просто подведите курсор вот сюда... — она постучала по экрану, — ...и щелкните мышкой. Хорошо. Видите клавишу «печать»? Нажмите на нее. Вот так. А теперь нажмите «ввод». — Принтер ожил, и Паркер с облегчением выпрямилась. — Отлично.

— Нажмите это, нажмите то. Никак не могу запомнить порядок, — проворчала женщина, но, взглянув на Паркер, впервые улыбнулась. Ее глаза оказались такими же ярко-зелеными, как оправа очков. — Спасибо.

— Рада была помочь. — Паркер вздохнула, просматривая длинный перечень произведенных работ. Новый аккумулятор, наладка карбюратора, регулирование момента зажигания, замена масла, вентиляторных ремней и тормозных колодок, балансировка колес. — Сюда не включена стоимость чистки салона.

— Бесплатно. Подарок фирмы новому клиенту.

— Очень мило. — Паркер оплатила счет, сунула копию в кармашек сумки и взяла ключи. — Благодарю вас.

— Всегда рады помочь. Обращайтесь.

— Спасибо, обязательно.

Паркер направилась к машине Эммы, щелкнула пультом, открывая замки.

— Эй, эй, подождите.

Паркер обернулась. Она узнала ноги, бедра и

торс, которые видела под брюхом машины в гараже. Теперь картину дополняли широкие плечи и грудь. Легкий весенний ветер теребил темные волосы, то ли разлохматившиеся во время работы, то ли просто давно не стриженные, но гармонирующие с резкими, мужественными чертами лица и темной двух-трехдневной щетиной.

Паркер оценила все это мгновенно, как и упрямо сжатые губы, и яркую зелень пылающих гневом глаз, и посмотрела бы на парня свысока, если бы не пришлось задирать голову, когда он остановился перед ней.

— Я вас слушаю, — произнесла она своим самым ледяным тоном, спокойно глядя ему в глаза.

— Думаете, достаточно ключей и водительских прав?

— Простите?

— На клеммах коррозия, масло — грязная жижа, шины спущены, тормозные колодки изношены. Держу пари, сами-то каждый день пользуетесь дорогущим кремом.

— Простите?

— Но о машине позаботиться вам и в голову не приходит. Дамочка, ваша машина — позор. Наверняка на эти туфли вы потратили больше, чем на нее.

«Мои туфли? При чем тут мои туфли? Мои туфли — не его собачье дело».

— Я ценю столь ревностное отношение к работе. — Паркер замаскировала свой гнев вежливым, оскорбительно вежливым тоном. — Однако вряд ли ваш босс одобрит подобную манеру общения с клиентами.

— Я и есть босс, и меня устраивают мои манеры.

— Понимаю. Ну что ж, мистер Каванаф, у вас очень интересный подход к бизнесу. А теперь простите, мне пора.

— Такому небрежному обращению с машиной нет оправдания. Я привел ее в порядок, мисс Грант, но...

— Браун, — прервала его Паркер. — Мисс Браун.

Парень прищурился, внимательно изучая ее лицо.

— Сестра Дела. Странно, что я сразу не признал. А кто такая Эммелин Грант?

— Мой деловой партнер.

— Прекрасно. Передайте ей мои слова. Это хорошая машина, и она заслуживает лучшего отношения.

— Не сомневайтесь, передам.

Паркер подошла к машине, но парень опередил ее и распахнул дверцу. Паркер села за руль, поставила сумку на пассажирское сиденье, защелкнула ремень безопасности и заморозила воздух вокруг безразличным «благодарю вас».

— То есть идите к черту. — Его улыбка промелькнула, как молния. — Счастливого пути, — добавил он, закрывая дверцу.

Паркер повернула ключ зажигания и почувствовала легкое разочарование, когда мотор замурлыкал, как довольный котенок. Отъезжая, она взглянула в зеркало заднего вида. Он стоял, подбоченившись, и смотрел ей вслед.

«Грубиян, — подумала она. — Жуткий грубиян. Правда, дело свое знает».

Припарковавшись рядом со свадебным салоном, где была назначена встреча с невестой, Паркер достала «BlackBerry» и отбила электронное письмо Эмме: *«Эм, автомобиль в порядке. Выглядит и бегает лучше, чем в момент покупки. И ты должна мне больше, чем указано в счете. Обсудим вечером. П.».*

Эмма воспользовалась просветом между консультациями, чтобы детализировать контракт. Ей понравился выбор последней посетительницы, декабрьской невесты. Яркие, дерзкие цвета, с которыми зимой работать — одно удовольствие. Эмма отослала контракт клиентке, копию — Паркер в архив «Брачных обетов» и тут заметила письмо Джека.

— Тренч и налокотники. Отлично. — Эмма рассмеялась и взялась за ответ.

*«Тебе придется выбирать между красными кружевами и черным бархатом. Или могу устроить сюрприз. Я примерю налокотники с тренчами из моей коллекции. У меня есть один любимый — черный и блестящий, поэтому всегда как будто... мокрый. К несчастью, сегодня не получится. Зато у нас обоих будет больше времени, чтобы подумать».*

— Вот тебе пища для размышлений, — пробормотала она, отсылая письмо.

# 8

В шесть часов вечера Эмма и Паркер одновременно вошли в кухню главного дома, только Эмма — из маленькой прихожей, а Паркер — из коридора.

— О, я вовремя, — обрадовалась Эмма. — Добрый вечер, миссис Грейди.

— Салат «Цезарь» с курицей гриль, — объявила экономка. — Ужинаем на кухне. Я не собираюсь накрывать в столовой, когда вы клюете на ходу.

— Как скажете, мэм, — откликнулась Эмма. — Я пропустила обед и умираю с голоду.

— Выпейте вина. — Экономка кивнула в сторону Паркер. — Она хандрит.

— Ничего подобного, — возразила Паркер, но послушно взяла протянутый экономкой бокал. — Эм, держи свой счет.

Эмма взглянула на итоговую цифру и поморщилась.

— Уф. Полагаю, я это заслужила.

— Возможно. Но я не заслужила суровый выговор от владельца мастерской, который принял меня за тебя.

— Ой-ой. В какую больницу его отвезли? Я должна послать цветы.

— Он выжил и даже не получил ни одной царапины. Отчасти потому, что я очень спешила. Да, и твою машину вычистили изнутри и снаружи абсолютно бесплатно — подарок новым клиентам, что свидетельствует в пользу грубияна. Косвенно. —

Паркер глотнула вина. — Миссис Грейди, вы всех знаете.

— Да, хочу я того или нет. Садитесь, девочки. Ешьте. — Миссис Грейди, налив вина и себе, опустилась на один из табуретов у рабочего стола. — Итак, ты хочешь разузнать о юном Малкоме Каванафе. Ну, тихоней парня не назовешь. Отец, военный, умер за морями, когда мальчишке было лет десять-двенадцать. Может, потому парень и вырос сорвиголовой. Матери трудновато было держать его в узде. Она работала официанткой у Арти, в ресторане на бульваре. Он ее брат, этот Арти. Потому она и переехала сюда, когда потеряла мужа.

Миссис Грейди отпила вина и устроилась поудобнее.

— Как вы, вероятно, слышали, Арти Фрэнк — полный придурок, а его жена — ханжа и сноб. Кажется, Арти пытался приструнить мальчишку, но получил по рукам. И поделом придурку, — с некоторым злорадством добавила миссис Грейди. — А парень сбежал из дома, гонял на машинах и мотоциклах и все такое. И, если не ошибаюсь, был каскадером в кино. Неплохо зарабатывал, как мне говорили. И матери помогал.

— Еще одно очко в его пользу, — признала Паркер.

— Года три назад он разбился на съемках, правда, получил страховку. На нее он и купил автомастерскую на Первом шоссе. И матери маленький домик купил. Похоже, построил хороший бизнес, но паинькой не стал.

— Думаю, он построил свой бизнес благодаря профессионализму и вопреки манере общения с клиентами.

— Паркс, ты еще злишься, — заметила Эмма.

— Я не буду злиться, пока он хорошо делает свое дело. — Паркер взглянула на появившуюся в кухне Лорел. — Мы уже закругляемся.

— Кофе и печенье готовы. Не у всех нас есть время жевать и сплетничать перед консультацией. — Лорел запустила пятерню в волосы, нахмурилась. — И пить вино.

— Паркер хотелось, потому что...

— Я знаю почему. — Лорел плеснула себе вина. — Но меня интересуют новости. Как обстоят дела с Джеком?

— Похоже, у нас виртуальный секс. Мы пока на ранней стадии эротического стимулирования, и я не знаю, к чему это приведет.

— Я никогда не занималась виртуальным сексом. Мне никто никогда не нравился настолько, чтобы заниматься виртуальным сексом. — Лорел задумалась на пару секунд. — Как-то странно звучит. Парень нравится настолько, чтобы заниматься реальным сексом, но не настолько, чтобы заниматься виртуальным?

— Потому что виртуальный секс — игра. — Эмма встала и сунула Лорел свою тарелку с остатками — доброй половиной — салата. — Мужчина может нравиться настолько, чтобы лечь с ним в постель, но недостаточно, чтобы захотелось с ним поиграть.

— Странно как-то. — Лорел ткнула вилкой в

салат. — У тебя такой интересный подход к мужчинам.

— С Джеком она явно хочет поиграть, — добавила Паркер.

— У Джека отличное чувство юмора, что мне всегда в нем нравилось. Ну, конечно, меня привлекало не только это. Посмотрим, насколько велика наша любовь к играм.

В гостиной собралась большая компания: четыре хозяйки «Брачных обетов», жених с невестой и их матери. Желающим предлагалось кофе с печеньем, Лорел прихватила с собой салат.

— Как я уже объясняла Мэнди и Сету, мы любой пакет услуг подгоним по вашему вкусу, — начала консультацию Паркер. — Изменения могут быть максимальными или минимальными. Все зависит от вас. Наша цель, как общая, так и каждого партнера в отдельности, — организовать идеальную свадьбу. Именно вашу идеальную свадьбу. Итак, когда мы разговаривали в последний раз, вы еще не выбрали дату, но определились насчет вечернего приема на свежем воздухе.

Разгорелось обсуждение даты. Эмма слушала вполуха, поскольку ее волновал лишь один вопрос: прочитал ли Джек ее второе письмо? Затем невеста сказала, что хочет романтическую свадьбу. Ничего необычного, все невесты мечтают о романтике... а вот это уже интересно: бабушкино свадебное платье? Эмма прислушалась к словам невесты.

— У меня есть фотография, только Сет не должен ее видеть. Поэтому...

— Сет, не хотите ли выпить пива?

Сет взглянул на Лорел и ухмыльнулся:

— С удовольствием.

— Идемте со мной. Уверяю, не успеете вы допить пиво, как мы примем вас обратно в нашу компанию.

Лорел увела Сета, Мэнди раскрыла большую папку.

— Я понимаю, это может покажется глупым...

— Вовсе нет. — Паркер взяла снимок, и вежливое выражение ее лица сменилось восхищенной улыбкой. — Ах. Оно великолепно. Ослепительно. Конец тридцатых — начало сороковых?

— Какая точность. Вы молодец, — похвалила мать невесты. — Мои родители поженились в 1941-м. Маме как раз исполнилось восемнадцать.

— Я еще малышкой лепетала, что выйду замуж только в бабулином платье! — воскликнула невеста. — Его, конечно, надо подогнать по моей фигуре и немножко подремонтировать, но бабушка очень бережно его хранила.

— У вас уже есть на примете портниха?

— Мы разговаривали с Эстер Брайтман.

Не отрывая взгляда от фотографии, Паркер одобрительно кивнула:

— Она гений, и именно ее я хотела порекомендовать. Мэнди, вы будете выглядеть изумительно. И свадьбу, если хотите, можно построить вокруг этого платья. Винтажный гламур, стильная романтика. Фраки вместо традиционных смокингов для жениха и шаферов.

— Ой, как чудесно! А Сет согласится? — обратилась невеста к будущей свекрови.

— Детка, он согласится на любое твое предложение. Лично я восхищена этой идеей. Мы бы тоже нашли винтажные платья, и девичник можно устроить в винтажном стиле.

Эмма разглядывала добравшуюся до нее фотографию. Плавный, текучий силуэт в стиле ар-деко, сияние шелка... Эмма перевела взгляд на Мэнди. И новая невеста будет в этом платье так же прекрасна, как ее бабушка.

— Я могу воссоздать этот букет, — тихо произнесла она.

Мэнди оборвала фразу на середине и повернулась к Эмме.

— Что вы сказали?

— Букет... если хотите... я могу повторить его. Посмотрите, как идеально каллы подчеркивают линии платья. Фата у вас сохранилась?

— Да.

— Насколько я вижу, она украшена ландышами. Если вам нравится, я могу сделать так же. Просто хотела упомянуть об этом до возвращения Сета, а вы подумайте.

— Какая прелесть! Мамочка?

— Моя мама будет тронута до слез. Как и я. Мне тоже очень нравится.

— Более детально поговорим на индивидуальной консультации, а когда выберете платья подружек невесты, пожалуйста, пришлите мне фотографии. Я скопирую. Или отсканируйте сами и пришлите электронной почтой. И начнем подбирать цветы. — Эмма вернула фотографию Мэнди. — Лучше уберите ее подальше.

— Мак, ты могла бы дать Мэнди общее представление о фотографиях, — предложила Паркер.

— Мы обязательно повторим позу с официального бабушкиного портрета, классическую и очень красивую. Но сегодня необходимо обсудить предсвадебную фотосессию.

Шаг за шагом, этап за этапом они двигались в ритме, отработанном годами. По ходу обсуждения фотографий, тортов, меню ужина Эмма записывала ключевые слова, которые впоследствии помогут ей вспомнить невесту, жениха и их пожелания. А если мыслями она периодически возвращалась к Джеку, ну что ж... она прекрасно умеет решать одновременно несколько задач. И все же к тому времени, когда подруги наконец выпроводили клиентов, Эмма уже сгорала от нетерпения; ей хотелось поскорее заглянуть в свою электронную почту.

— Мы молодцы. Хорошо поработали, — затарахтела она. — Я убегаю. Хочу все записать подробно, пока не забыла. Я...

— Это еще не все, — прервала ее Паркер. — Сегодня в салоне я нашла платье Мак.

— Что? — Мак изумленно заморгала. — *Мое* платье?

— Я знаю тебя и знаю, что ты хочешь. Оно висело там и кричало: я сшито для Мак. Ну, я воспользовалась нашими связями и привезла его домой. Может, я ошиблась, но, думаю, ты захочешь его примерить.

— Ты привезла мое свадебное платье? — Мак прищурилась и ткнула пальцем в подругу. — Разве не ты твердишь невестам, что иногда приходится перемерить сотню платьев, чтобы найти одно-единственное?

— Не спорю, но ты устроена по-другому. Ты сразу понимаешь, что правильно, а что — нет. Если не подойдет, ничего страшного. Давайте поднимемся и посмотрим. Платье в Апартаментах невесты.

— Обязательно посмотрим. — Дрожа от радостного предвкушения, Эмма дернула Мак за руку. — И выпьем шампанского, о котором Паркер наверняка позаботилась.

— Думаю, миссис Грейди уже принесла его.

— Шампанское и потенциальное свадебное платье? — задумчиво спросила Мак. — Так чего же мы ждем? Только без обид, если мне не понравится, — добавила она, направляясь с подругами к лестнице.

— Никаких обид. Если тебе не понравится, ты только докажешь, насколько мой вкус лучше твоего. — Даже не пытаясь скрыть самодовольную улыбку, Паркер открыла дверь в Апартаменты невесты, где миссис Грейди разливала шампанское по высоким бокалам.

— Услышала, что вы идете. — Миссис Грейди подмигнула Паркер, когда Мак замерла и вытаращила глаза на висевшее на плечиках платье.

— Оно прекрасно, — прошептала Мак. — Оно...

— Без бретелей, как ты и хотела, — заговорила Паркер. — И слегка расклешенное — то, что надо для твоей фигуры. Я знаю, что ты не хочешь никаких украшений, но, думаю, ты ошибаешься. Органза на шелковом чехле романтична и смягчает силуэт. Ты угловата. А как тебе спина?

Паркер сняла платье с вешалки и развернула.

— О боже! — Эмма бросилась вперед. — Шлейф из гофрированной органзы! Красиво и кокетливо. И он задрапирует твою задницу...

— То есть создаст впечатление, что у тебя есть задница, — уточнила Лорел. — Примерь немедленно, или это сделаю я.

— Подождите секундочку. Я хочу запомнить этот момент. Хорошо, я готова.

Мак расстегнула и сбросила брюки.

— Отвернись от зеркала. Не смотри, пока не наденешь. А потом повернешься — и ах! — посоветовала Эмма.

— Никогда не складываешь вещи, — пожурила миссис Грейди, подбирая с пола одежду Мак. — Девочки, помогите ей, — приказала она с улыбкой и отступила.

— Я сейчас разревусь. — Эмма хлюпнула носом.

— Твоего размера не было, — предупредила Паркер, застегивая на Мак платье, — поэтому немного великовато.

— А я на что? — Миссис Грейди взяла подушечку с булавками. — Чуть-чуть подколем, чтобы лучше смотрелось на нашей худышке.

— Оскорбляйте сколько угодно, только булавками не тыкайте.

Миссис Грейди поколдовала над лифом, пригладила рыжие волосы Мак.

— Ну, пока сойдет. М-да, придется работать с тем, что есть.

— Мак. Я считаю до трех, потом ты поворачиваешься и смотришь. — Эмма прижала ладони к губам. — Просто смотришь.

— Хорошо. — Мак глубоко вдохнула, выдохнула и повернулась к большому зеркалу. И ахнула. Сколько раз она видела, как невесты разглядывают свое отражение в этом зеркале, но сейчас...

— Можешь больше ничего не говорить. — Лорел сморгнула подступившие слезы. — Это... Оно... Ты просто красавица.

— Оно... я... Боже милостивый. Я невеста. — Мак прижала к груди дрожащие пальцы, выгнулась, чтобы увидеть себя со спины. — Ой, как красиво и женственно... и у меня действительно есть задница. — В зеркале Мак встретилась взглядом с Паркер. — О, Паркс.

— Ну, я молодец?

— Ты лучшая. Это и вправду мое свадебное платье. Ах, миссис Грейди.

Миссис Грейди промокнула глаза.

— Слезы счастья. Благодарю бога, что не останусь с четырьмя старыми девами на руках.

— В волосы цветы. Диадема из цветов вместо фаты, — предложила Эмма.

— Ты так думаешь? — Поджав губы, Мак всмотрелась в свое отражение, представила, как это будет выглядеть. — Возможно. Пожалуй.

— Я покажу тебе несколько вариантов. И знаешь, с этим силуэтом я вижу длинный ниспадающий букет. Можно держать как обычно или на согнутой руке, слегка прижимая к себе. Или каскадный букет с эффектом водопада. Глубокие, теплые осенние цвета и... О, меня занесло.

— Нет, нет. Боже, мы планируем мою свадьбу. Я должна выпить.

Лорел протянула Мак бокал шампанского.

— Это платье смотрится на тебе лучше, чем любой из твоих детских нарядов для Дня Свадьбы.

— И к тому же не колется.

— Я испеку тебе потрясающий торт.

— Боже, я сейчас опять разревусь.

— Ну ка, все повернитесь сюда, — приказала миссис Грейди, вынимая из кармана фотоаппарат. — Не только наш Рыжик умеет фотографировать. Поднимите бокалы. Умницы, — прошептала она, ловя мгновение.

В то время как дамы пили шампанское и обсуждали свадебные цветы, Джек открывал банку с пивом и готовился обчистить друзей в Техасский Холдем. А еще он пытался не думать об Эмме и ее последнем электронном послании.

— Поскольку для Картера это первый официальный Покерный Вечер, постараемся не унижать его. — Дел дружески похлопал Картера по плечу. — Забрать его деньги — одно дело, унизить — совсем другое.

— Я буду нежен, — пообещал Джек.

— Может, я просто понаблюдаю? — предложил Картер.

— А как же наше веселье и выгода? — удивился Дел.

— Ха, — выдавил Картер.

Нижний уровень дома Дела, по мнению Джека, был осуществившейся мечтой любого парня. Старинная барная стойка, видавшая бессчетные пинты пива в далеком ирландском Голуэе, шикарный бильярдный стол, плоский телевизор — подспорье щеголю с еще большим экраном в другом конце дома. К услугам гостей здесь также были древний музыкальный автомат, видеоигры, два классических бильярда-автомата и кожаные кресла с диваном, удобные и крепкие. И покерный стол, как в настоящем казино в Лас-Вегасе.

Неудивительно, что мы с Делом друзья, мысленно подвел итог Джек.

— Знаешь, Дел, если б ты был девчонкой, я бы на тебе женился, — сообщил он другу.

— Вряд ли. Ты бы просто затащил меня в койку, а потом исчез в неизвестном направлении.

— Может, ты и прав.

Поскольку вытряхивание денег из друзей всегда разжигало его аппетит, Джек ухватил большой ломоть пиццы и, неторопливо работая челюстями, обвел взглядом собравшихся. Два юриста, профессор, архитектор, хирург, ландшафтный дизайнер и явившийся последним автомеханик. Любопытная компания. Иногда появлялся новый участник, как Картер сегодня, или кто-то отсутствовал по уважительной причине. Традиция Покерного Вечера началась со знакомства Джека с Делом в колледже, и с тех пор лица, естественно, менялись, но правила оставались неизменны. Еда, выпивка, бахвальство и разговоры о спорте. И попытки выиграть деньги у приятелей.

— Все в сборе. Мэл, хочешь пива? — предложил Дел.

— Естественно, я еще не умер. Как дела, Джек?

— Нормально. Свежая кровь — Картер Магуайр. Картер, познакомься, Малком Каванаф.

Мэл кивнул:

— Привет.

— Приятно познакомиться. Каванаф? Автомеханик?

— Виновен.

— Вы как-то отбуксировали машину моей будущей тещи.

— Неужели? По ее просьбе?

— Нет. Машина Линды Баррингтон.

Мэл прищурился.

— А, помню. «БМВ» кабриолет128i.

— Хм. Возможно.

— Красивая машинка. Интересная женщина. — Мэл хмыкнул, возвращаясь к своему пиву. — Желаю удачи.

— Дочь совсем не похожа на мамашу, — прояснил ситуацию Дел.

— Вам повезло, — порадовался Мэл за Картера. — Я видел ее... дочку. Макензи, верно? Красотка. У нее свадебный бизнес и «Шевроле Кобальт», который я реанимировал.

— Эмма, — уточнил Дел.

— Точно. Арестовать бы ее за жестокое обращение с автомобилем. Между прочим, Дел, я познакомился с твоей сестрой. Она забирала эту машину, — ухмыльнулся Мэл. — Тоже красотка. Даже когда обливает тебя презрением.

— Значит... Не Эмма забрала свою машину?

Мэл оглянулся на Джека.

— Нет, другая. *Мисс Браун*. — Мэл отхлебнул пива. — Та, что говорит «благодарю вас», а слышится «пошел к черту».

— Моя Паркер, — подтвердил Дел.

— Истязательница машин так же хороша, как те две?

— Они все красотки, — пробормотал Джек.

— Жаль, что я ее не видел.

— Прежде чем я отколочу Мэла за похотливые мысли о моих сестрах — биологической и названых, — сказал Дел, — сыграем в карты.

— Идите, я догоню.

Мужчины неторопливо направились к покерному столу, а Джек выудил из кармана мобильник, чтобы проверить электронную почту.

Была уже почти полночь, когда Эмма вернулась домой. За обсуждением свадьбы Мак время пронеслось незаметно. И, несмотря на поздний час и легкое головокружение от выпитого шампанского, усталость совершенно не чувствовалась.

Господи! Макензи выходит замуж! Эмма словно воочию видела, как прекрасна будет Мак в своем роскошном платье с цветочным каскадом в руках. И рядом они, три ее лучшие подруги: Паркер в платье цвета осеннего золота, Лорел — в оранжевом, Эмма — в красновато-коричневом. И цветы. Море цветов, переливающееся всем многообразием осенних красок.

«Эта свадьба станет для нас серьезным испытанием, — думала Эмма, поднимаясь наверх. — Паркер права, действительно давно пора начать планирование. Нелегко провести свадьбу, будучи ее главными действующими лицами. И непривычно. Понадобится гораздо больше помощников, но мы не просто справимся, мы устроим незабываемое торжество. Это будет наша лучшая свадьба».

Эмма на одном дыхании совершила свой ежевечерний ритуал и, разглаживая шелковистые простыни, мысленно похвалила себя: «Ах, какая зрелость, какая поразительная выдержка. Вечер с подругами — бизнес и удовольствие — и никакого пренебрежения к столь важному делу, как регулярный уход за собой. Да, я очень разумная, взрослая женщина. Наверное».

Скрестив пальцы, Эмма метнулась из спальни в кабинет, включила компьютер и щелкнула по клавиатуре, открывая последнее письмо Джека.

— Вот! Так я и знала!

*«Ты пользуешься запрещенными приемами. Но за сюрпризы спасибо. Я их люблю, особенно разворачивать, а потому предвкушаю, как буду снимать с тебя тот плащик. Не спеша — сюрпризы не любят спешки — я буду снимать его, медленно, очень медленно, дюйм за дюймом».*

— О боже!

*«Освободив тебя от плаща, я буду смотреть долго-долго. А потом медленно-медленно, дюйм за дюймом, едва касаясь кончиками пальцев, буду изучать твое тело.*

*Когда, Эмма?»*

— Почему бы не сейчас?

Она закрыла глаза и представила, как Джек освобождает ее от скользящей черной ткани плаща, который, кстати, существовал лишь в ее воображении. В комнате, освещенной мерцающими свечами. Играет музыка, тихая и чувственная... отзывающаяся в крови барабанной дробью. Взгляд Джека адским пламенем обжигает ее кожу. Его ладони, сильные, уверенные, медленно следуют за этой огненной дорожкой, и бархат скользит вниз по ее рукам, пока...

— Глупость какая. — Эмма распрямилась, откинулась на спинку стула.

Хм, может, и глупость, но она умудрилась возбудиться... Или позволила Джеку возбудить себя. Придется отплатить ему той же монетой.

*«Я не прочь поиграть и не возражаю против запрещенных приемов. Сюрпризы развлекают, и, пожалуй, еще веселее самой выступить в роли сюрприза. Меня разворачивают медленно. Пальцы терпеливо развязывают бант, ладони осторожно, очень осторожно разводят полы плаща, чтобы увидеть то, что ждет внутри.*

*А иногда мне хочется, чтобы эти пальцы просто*

*срывали преграды. Быстро, и алчно, и, может, немного грубо.*

*Скоро, Джек».*

И больше никаких «если». Просто «когда».

Динь усердно трудилась над очередным заказом, когда Эмма закончила фигурную стрижку трех кустов и переключилась на свои заметки и эскизы.

— К пятнице шесть букетов, включая тот, что будет бросать невеста. Шесть композиций на пьедесталах, восемнадцать центральных композиций на столы, шар из белых роз, гирлянды и фестоны для перголы, — бормотала она, просматривая список. — Динь, ты мне понадобишься в четверг часа на три, скорее даже на четыре.

Динь звонко щелкнула жвачкой.

— Сегодня у меня свидание, и, надеюсь, удачное. Пожалуй, часам к двенадцати я сюда доберусь.

— Если сегодня задержишься до четырех, отлично. Еще четыре часа в четверг. Пять, если хочешь. На четверг я вызвала и Тиффани, а Бич обещала мне всю пятницу. Если бы и ты пришла в пятницу с утра на сколько сможешь, я была бы тебе очень благодарна. Начнем оформление вечернего приема в три часа. В субботу два торжества. К первому придется приступить в восемь. Естественно, утра, Динь.

Динь закатила глаза, но ни на секунду не прекратила ловко обрезать шипы.

— К разборке оформления первого торжества

приступим в три тридцать, а второе должно быть полностью готово к пяти тридцати, — продолжала Эмма. — В воскресенье у нас очень пышный прием, единственный, начало в четыре часа. Оформлять начнем в десять — десять тридцать.

— Я постараюсь втиснуть в этот жуткий график жалкие остатки моей личной жизни, — подвела печальный итог Динь.

— Ты справишься. Давай я отнесу то, что ты закончила, в холодильник и соберу цветы для композиций. — Эмма подхватила первый контейнер, обернулась. — Ой, Джек... Привет.

— И тебе привет. Как дела, Динь?

— Эмма рабов не жалеет.

— Да, Динь — жертва жестокого обращения, — согласилась Эмма. — Можешь утешить ее, а я пока оттащу это в холодильник.

Эмма с трудом подавила вздох. Господи, как же аппетитно Джек выглядит в рабочей одежде: в тяжелых ботинках, застиранных джинсах, в рубашке с закатанными до локтей рукавами. Так бы и укусила.

— Давай помогу.

Джек подхватил второй контейнер и зашагал к холодильнику.

— Мы страшно заняты. Прием на выезде в середине недели и четыре торжества в конце. Воскресная свадьба чудовищна... в смысле грандиозна. — Эмма поставила контейнер, жестом разрешив Джеку избавиться от своего. — Теперь я должна...

Одним быстрым движением Джек сгреб ее,

развернул к себе и оторвал от пола. Эмма обхватила его за шею, то ли в поисках поддержки, то ли не в силах больше сдерживаться, и трудно сказать, чьи губы оказались более алчными.

Желание и удовольствие, жадность и нетерпение пропитывали все ее тело, точно как густой аромат цветов пропитывал окружающий воздух. Одного укуса точно мало, успела подумать она, но торопиться ей не хотелось. Ей хотелось дегустировать не спеша.

— Эта дверь изнутри запирается? — прохрипел Джек.

Эмма погрузила пальцы в его шевелюру.

— Какая дверь?

— Эмма, ты меня убиваешь. Давай просто...

— Ах, эта дверь. Нет. Подожди. Черт. Еще разочек. — Эмма обхватила его лицо ладонями и опять жадно впилась губами в его губы, впитывая его вкус и запах, затем медленно отстранилась. — Сейчас нельзя. Динь и... — Не скрывая сожаления, она вздохнула и огляделась по сторонам. Да и места здесь нет.

— А когда она уйдет? Я вернусь.

— Я точно не знаю, но... подожди.

Теперь Джек обхватил ее лицо и заглянул в ее глаза.

— Почему?

— Я... мне не приходит в голову веская причина. Кажется, в последние секунды я потеряла тысячи мозговых клеток. Я не помню, занята ли я вечером. Мне начисто стерло память.

— Я вернусь в семь. Привезу еду. Если ты не позвонишь и не отменишь. В семь. Здесь.

— Ладно. Хорошо. Я проверю ежедневник, когда снова смогу соображать. Но...

— В семь, — повторил Джек и опять поцеловал ее. — Если захочешь поговорить, мы поговорим.

— Только короткими предложениями и одно-двусложными словами.

— Думаю, мы справимся. — Промелькнувшая на его лице улыбка словно подбросила дров в тлевший в ней костер. — Тебе отсюда что-нибудь нужно?

— Да, но я не могу вспомнить, что именно. Дай мне секундочку. — Эмма провела руками по волосам, закрыла глаза. — Так, вспомнила. Это и это. Донесешь, и уходи. Я не смогу работать, если буду думать о тебе... О сексе. О чем угодно.

— Расскажешь мне. В семь, — повторил Джек, помогая ей вынести цветы.

— Я, да, с этого и начнем, — сказала она, когда он поставил цветы у ее рабочего стола. — Когда я буду не так... занята.

— Отлично. — Джек смотрел ей в глаза еще пару секунд, затем повернулся к ее помощнице: — До встречи, Динь.

— Не сомневайся. — Динь обрезала еще несколько стеблей, поставила их в контейнер. За это время Джек успел ретироваться.

— И давно вы этим занимаетесь?

— Чем занимаемся? Не выдумывай. — Качая головой, Эмма повернулась к полкам, выбрала подходящую вазу для каминной композиции. — Ничего подобного.

— Если станешь отрицать, что он обслюнявил тебя у холодильника, я назову тебя лгуньей.

— Не понимаю, почему ты... — «Глупо», — оборвала себя Эмма, доставая флористический оазис. — Как ты догадалась?

— Ты вернулась с совершенно пьяными глазами, а он был похож на парня, которому удалось поклевать, хотя он мечтал откусить большой кусок.

— Откусить. Ха-ха.

— И чего ты тянешь? Он высший класс.

— Я... мы... Знаешь, секс меня не смущает. То есть разговоры о сексе, потому что, если сам секс не смущает хотя бы немного, ты что-то теряешь. Но сейчас я в замешательстве.

Хотя в этом потоке слов трудно было уловить какой-то смысл, Динь кивнула с мудрым видом.

— Связи с друзьями имеют одно преимущество: ты хорошо знаешь, с кем падаешь в койку.

— Вот именно. Но может возникнуть неловкость, верно? После.

— Только если кто-то из вас наделает глупостей. Поэтому мой тебе совет — не будь дурой.

— Как ни странно, очень разумный совет. — Эмма положила оазис в раствор, чтобы он как следует пропитался. — Я должна свериться с ежедневником.

— Валяй. На твоем месте я вписала бы туда свидание! — крикнула Динь ей вслед. — И тогда завтра ты будешь не просто цветочницей, а счастливой цветочницей.

Еще один плюс.

Ежедневник подсказал, что вечер свободен. Строчки после пяти часов зачеркнуты одним большим крестом — напоминание не поддаваться на самые настойчивые приглашения. К тому же свидания требуют столько подготовительной работы... Но ведь сегодня не настоящее свидание. Джек приедет, привезет еду, а там... а там будет видно. И не нужно переодеваться, не нужно думать, что надеть, и...

Боже, кого она обманывает? Конечно, и думать она будет, и психовать. И что бы ни произошло между ней и Джеком, она не должна оставаться в рабочей одежде и с позеленевшими от стеблей и листвы ногтями.

Да! Обязательно освежить цветы и свечи в спальне... и, пожалуй, принять ароматную, пенистую ванну, чтобы хоть немного расслабиться. Разумеется, красивый наряд — очень важный момент столь многообещающего вечера... даже не столько сам наряд, сколько то, что он скрывает.

Эмма закрыла ежедневник и, продумав детали, пришла к выводу, что ненастоящее свидание требует гораздо больше трудов, чем настоящее. Она поспешила обратно к своим цветам. Свидание свиданием, однако нельзя разочаровывать клиентов. Клиентам — только лучшее. А до семи останется полно времени. Она успеет подготовиться идеально, но так, что Джеку и в голову не придет, как она старалась поразить его.

# 9

Эмма остановилась на воздушном платье с набивным рисунком и коротком кардигане. Получилось просто и мило, а то, что она надела под платье, убивало наповал.

Довольная результатом, Эмма в последний раз покрутилась перед зеркалом и обвела взглядом спальню. Свечи, розы, лилии. Романтическое освещение, романтические ароматы. В плеере компакт-диск с романтическими мелодиями. Подушки взбиты, шторы опущены. Очень женственно, очень соблазнительно. Есть чем гордиться. Не хватает только того самого, единственного мужчины.

Эмма спустилась вниз, убедилась, что и здесь полный порядок. Винные бокалы, свечи, цветы. И снова музыка, тоже тихая, но более ритмичная, чем дремлющий в спальне микс. Эмма включила плеер, уменьшила громкость, обошла комнату, зажигая свечи.

Они выпьют вина, поговорят. Потом поужинают и еще поговорят. Им всегда было легко разговаривать, и вряд ли сегодня возникнут какие-то проблемы, хотя и Джек и она прекрасно понимают, к чему все идет. Итак, они поговорят, расслабятся, просто насладятся компанией друг друга, прежде чем...

Эмма повернулась к распахнувшейся двери, пытаясь подавить нервозность...

— Лорел?

— Привет, Эм. Ты не могла бы собрать мне парочку... — Лорел резко остановилась, выгнула брови, обвела взглядом комнату. — У тебя свидание. У тебя свидание с сексом.

— Что на тебя нашло? С чего ты взяла?

— Послушай, подруга, сколько мы знакомы? По-моему, вечность. Ты поставила новые свечи. Включила чувственную музыку.

— Я все время ставлю новые свечи, и я обожаю этот микс.

— Дай-ка взглянуть на твое бельишко.

Эмма выдавила смешок.

— Ни в коем случае. И за парочкой чего ты пришла?

— Это подождет. Ставлю двадцать баксов, на тебе сексуальное белье. — Лорел подошла, потянула вырез платья Эммы, но получила по руке.

— Отстань.

Лорел потянула носом.

— Ты приняла ароматическую ванну. Я чувствую.

— Ну и что? Свидания для меня не редкость. И иногда они заканчиваются сексом. Я взрослая женщина. И я не виновата, что у тебя полгода не было секса.

— Пять месяцев, две недели и три дня. Но кто считает? — Лорел снова замерла, театрально вдохнула ароматный воздух и ткнула пальцем в Эмму. — У тебя интимное свидание с Джеком.

— Хватит! Ты прекратишь, наконец? Ты меня бесишь!

— Когда он придет? Каков план?

— Придет скоро, а над планом я еще работаю. Твое присутствие в мой план точно не входит, поэтому выметайся немедленно.

Наплевав на приказ, Лорел сложила руки на груди.

— Не уйду, пока не выясню, это белое белье «я хорошая девочка, но могу и пошалить» или черное «я надела его только для того, чтобы большому мальчику было что срывать».

Эмма закатила глаза.

— Красное с черными розочками.

— Боюсь, придется вызывать «Скорую помощь». Если завтра ты еще сможешь функционировать, сделай три мини-композиции. У меня консультация, и весенние цветы поднимут настроение клиентке.

Обещаю. Иди домой.

— Ухожу, ухожу.

— Ты точно завернешь к Мак, чтобы почесать язык, а потом все выложишь Паркер, — обвинила Эмма подругу.

Лорел задержалась у двери, заправила за ухо упавшую на щеку прядь.

— Естественно. А еще попрошу миссис Грейди приготовить на завтрак фриттату. Мы хорошенько подкрепимся и выслушаем все подробности.

— У меня завтра ни одной свободной минутки.

— У меня тоже. Итак, в семь утра. Завтрак и краткий секс-отчет. Желаю удачного свидания.

Эмма смиренно вздохнула и решила выпить бокал вина, не дожидаясь Джека. «Беда с друзьями в том, что они очень хорошо тебя знают, — размышляла она, направляясь на кухню. — Свидание с перспективой секса, чувственная музыка, сексуальное белье. Никаких тайн между друзьями...»

Эмма застыла с бутылкой в руке. Джек — друг. Джек ее очень хорошо знает. А что, если...

— О, черт!

Она щедро плеснула вина в большой бокал, но не успела сделать и первый глоток, как услышала стук в дверь.

— Слишком поздно. Слишком поздно что-либо менять. Придется пустить все на самотек и справляться с последствиями, — как молитву прошептала она, отставила вино и направилась к двери.

Джек тоже переоделся. Слаксы вместо джинсов, накрахмаленная сорочка вместо рабочей рубахи. Большая коробка с едой из ее любимого китайского ресторана и бутылка ее любимого каберне. Мило, очень мило. И, вероятно, еще одно преимущество давней дружбы.

— Ты не шутил, когда обещал еду. Спасибо, — сказала она, забирая коробку.

— Ты любишь всего понемножку — обычно очень понемножку, — поэтому я взял ассорти. — Джек обхватил ее за шею и наклонился, чтобы поцеловать. — И снова здравствуй.

— Привет. Я только что налила себе вина. Могу и тебе налить.

— Не откажусь. Как работа? — спросил он, следуя за Эммой на кухню. — Днем ты была по уши в цветах.

— Сделали все, что планировали. Теперь несколько дней даже передохнуть будет некогда, но и это мы переживем. — Эмма плеснула вина во второй бокал и протянула Джеку. — Как поживает летняя кухня?

— Потрясающе. Сомневаюсь, что клиенты будут ею пользоваться, но хвастаться точно будут. Нам надо поговорить о твоей переделке. Я оставил Паркер законченный проект для Мак и предварительные наброски для тебя. Побывав в твоем холодильнике, я понял, почему тебе необходима вторая холодильная камера. Кстати, мне нравится твое платье.

— Спасибо. — Пристально глядя на Джека, Эмма отпила вина. — Думаю, нам не только об этом надо поговорить.

— С чего ты хочешь начать?

— Я думала, что нам надо поговорить о многом, но поняла, что все сводится к двум пунктам, и у обоих один корень. Мы друзья. Джек, мы друзья, не так ли?

— Мы друзья, Эмма.

— Итак, первое, я думаю, что друзья должны говорить друг другу правду. Быть честными. Если после сегодняшнего вечера мы поймем, что это не то, чего мы ждали, — или любой из нас почувствует, что, ну, было очень мило, только с меня хватит, — мы должны честно так и сказать. И никаких обид.

Разумно, откровенно, прямолинейно. Идеально.

— Я согласен.

— Второе — мы остаемся друзьями. — В ее голосе послышалось волнение. — Это самое главное. Что бы ни случилось, как бы ни повернулось, мы должны пообещать, что останемся друзьями.

Не только друг с другом, но и со всеми, с кем связаны. Джек, мы можем назвать это просто сексом, но секс — это вовсе не просто. Во всяком случае, не должно быть просто. Мы нравимся друг другу. У нас прекрасные отношения. Я не хочу, чтобы все это изменилось.

Он провел ладонью по ее волосам.

— Дадим клятву верности или поклянемся на крови? — спросил Джек, рассмешив ее. — Это я могу обещать. Потому что ты права. Друзья. — Он поцеловал ее в одну щеку, потом в другую, легко потерся губами о ее губы.

— Друзья. — Она повторила его ритуал, и теперь они стояли, глядя друг другу в глаза, почти соприкасаясь губами. — Джек? Как мы сдерживались все эти годы?

— Если бы я знал, черт побери. — Он снова легко провел губами по ее губам и, взяв за руку, повел к лестнице. — Мы были на побережье.

— Что?

— Мы ездили на побережье на неделю. Все мы. Кто-то из друзей Дела пустил нас в свой дом — или то был дом его родителей? — в Хэмптонсе. Летом, перед тем, как вы начали свой бизнес.

— Да, я помню. Мы отлично провели время.

— Однажды утром я проснулся очень рано, не смог снова заснуть и вышел на пляж. И увидел тебя. Казалось, вечность, а на самом деле секунду или две я не понимал, что это ты. Ты была в таком длинном шарфе, повязанном на талии, очень ярком, многоцветном, и он развевался вокруг твоих ног. А под шарфом был красный купальник.

— Ты... — У нее перехватило дыхание. — Ты помнишь, в чем я была?

— Да, помню. И помню, что твои волосы были длиннее, чем сейчас. До середины спины. Сумасшедшие развевающиеся кудри. Босые ноги. Золотистая кожа, яркие цвета. У меня просто сердце остановилось. Я подумал: это самая прекрасная женщина, какую я когда-либо видел. И я хотел ту женщину так, как никого никогда не хотел раньше. — Джек умолк, чуть повернул голову и увидел ее широко раскрытые глаза. — А потом я понял, что это ты. Ты шла по кромке воды. Волны пенились вокруг твоих босых ступней, лодыжек, а я хотел тебя. Мне казалось, что я свихнулся.

Эмма поняла, что в какой-то момент перестала дышать. Перестала соображать. Она и не хотела соображать.

— Если бы ты подошел ко мне и посмотрел на меня так, как смотришь сейчас, я не смогла бы тебе отказать.

— Я ждал не зря. — Он поцеловал ее долгим, глубоким поцелуем, вошел с ней в спальню, заметил и цветы, и свечи. — Красиво.

— Думаю, даже ради друга не мешает иногда постараться. — И чтобы успокоиться и создать настроение, Эмма взяла зажигалку, обошла спальню, зажигая свечи.

— Еще лучше, — улыбнулся Джек, когда она включила музыку.

Эмма повернулась к нему. Теперь их разделяла вся комната.

— Джек, я должна быть честной с тобой... как

обещала. Романтика — моя слабость, как и разные ритуалы, и даже некоторая театральность. А другая моя слабость — страсть, пламенная, безумная. Я могу быть и романтичной, и страстной. Сегодня и ты можешь быть таким, каким захочешь.

Джек слушал ее, смотрел на нее, и она влекла его еще сильнее, чем в то утро на пляже. Он подошел к ней, погрузил пальцы в ее волосы, провел, словно гребнем, открывая ее лицо, очень медленно наклонился и поклялся себе сделать все, что в его власти, чтобы удовлетворить все ее слабости.

Эмма словно качалась на теплых волнах предвкушения, тело плавилось от одного его поцелуя. Глаза подернулись туманной дымкой, когда Джек подхватил ее, отнес на кровать.

— Я хочу касаться тебя бесконечно. Мне снилось, как я касаюсь тебя. — Его ладонь медленно скользнула под ее платье и поднялась по бедру. — Везде.

Джек снова поцеловал ее, теперь более жадно, более властно, а его пальцы заметались по ее коже и кружевным лоскуткам на ее теле. Эмма выгнулась ему навстречу. Джек провел губами по ее шее, по освобожденным от кардигана рукам и вдруг неожиданно перевернул ее, царапнул плечо зубами и занялся молнией на спине. Эмма оглянулась и успела заметить его загадочную улыбку.

— Эй, парень, помощь не нужна?

— Думаю, я и сам справлюсь.

— Надеюсь. Расселся тут. Я не могу ни платье расстегнуть, ни стянуть с тебя рубашку. — Под ее внимательным взглядом Джек расстегнул и снял свою рубашку. — Летом мне всегда нравилось смотреть на тебя без рубашки. А сейчас еще лучше. — Эмма перекатилась на спину. — Раздень меня, Джек. И не отпускай.

Пока он стягивал с нее платье, она, помогая, извивалась лениво, соблазнительно, и его блуждающий по ее телу взгляд искрился удовольствием.

— Ты бесподобна. — Джек провел пальцем по кружевным краям, по черным лепесткам. — Это может занять какое-то время.

— Я никуда не спешу.

Когда Джек снова опустил голову и продолжил свои исследования губами, Эмма просто погрузилась в потоки ощущений. Медленно, дюйм за дюймом, предупреждал он и сдержал свое слово. Он касался, он пробовал, он медлил, пока ее легкий трепет не превращался в соблазнительную дрожь.

Роскошное тело, отливающее золотом в свете свечей, разметавшиеся черные шелковистые кудри. Он всегда считал ее красавицей, но сегодня вечером вся эта красота была брошена к его ногам, и он мог, не таясь, наслаждаться ею. Каждый раз, как его губы возвращались к ее сочным, сладким губам, он получал чуть больше, хотя казалось, что это невозможно, и вел ее за собой медленно-медленно, все выше и выше, на самую вершину, с которой не страшно и сорваться.

— Моя очередь. — Эмма рванулась к нему, обвила руками его шею, прижалась губами к его губам, чуть повернула голову, поддразнивая, исследуя сильные плечи, широкую грудь, плоский живот... добралась до молнии...

— Я сам...

— Я справлюсь.

Она справилась, толкнула его на спину, достала из тумбочки презерватив и превратила предохранительный ритуал в изысканное соблазнение. Джек дрожал от каждого прикосновения ее пальцев, ее губ и в конце концов нетерпеливо схватил ее за волосы и притянул к себе.

— Сейчас.

— Сейчас.

Эмма откинулась, изогнулась и приняла его в себя. И начала двигаться. Медленно, не сводя глаз с его лица, впитывая и запоминая каждую капельку яркого, острого, почти болезненного наслаждения, постепенно захватившего ее целиком.

Джек обхватил ее бедра, поддерживая этот мучительный ритм, задыхаясь от сияющей красоты ее разгоряченного тела, от ее сверкающих в полумраке бархатных глаз. Его сердце бешено билось, но он сдерживался, пока она не содрогнулась в оргазме, и только тогда приподнялся, стянул ее с себя, перекатил на спину.

— Теперь моя очередь. — И он мощно, резко вонзился в нее. Она вскрикнула от неожиданности. Лениво догорающее наслаждение вспыхнуло с новой силой. Изумленная, потрясенная, она встретила этот бешеный штурм на равных. Новый оргазм пронзил ее, заполонил и лишил последних сил. Беспомощная, дрожащая, она цеплялась за Джека, пока он, содрогаясь, не рухнул на нее.

Джек закрыл глаза. У него не было сил дышать. И, казалось, он потерял разум, опьяненный ее ароматом, близостью ее теперь совершенно расслабленного тела.

— Ну, поскольку мы поклялись быть честными, — наконец произнес он, — я должен признаться, что ничего особенного не почувствовал.

Эмма рассмеялась и ущипнула его за ягодицу.

— Ах, как жаль. Наверное, просто искра не проскочила.

Джек ухмыльнулся, приподнял голову.

— Никаких искр. Но взрыв устроили.

— Ха, взрыв. Мы все вокруг сровняли с землей. — Эмма с долгим вздохом провела ладонями по его спине... и ниже. — Боже, классная задница, если тебя интересует мое мнение.

— Интересует, детка, твоя тоже.

Эмма улыбнулась.

— Мы говорим друг другу комплименты.

Джек чмокнул ее в губы, затем еще, чуть нежнее.

— Ты есть не хочешь? Я умираю с голоду. Как насчет холодных китайских закусок?

— С удовольствием.

Они ужинали за ее кухонным столом, вылавливая из картонок лапшу, кисло-сладкую свинину, цыплят кунг-пао.

— Почему ты так ешь? — спросил Джек.

— Как так?

— Микроскопическими кусочками.

Пока Джек подливал ей вино, Эмма выловила одну-единственную лапшинку.

— Началось с поддразнивания братьев и вошло в привычку. Когда мы получали сладости — мороженое или конфеты, неважно, — они моментально все съедали и злились, если у меня что-то оставалось. Поэтому я начала есть еще медленнее, и чем больше у меня оставалось, тем больше они бесились. Ну, как бы то ни было, теперь я меньше ем и получаю больше удовольствия.

— Не сомневаюсь. — Джек демонстративно накрутил на вилку и отправил в рот горку лапши. — Знаешь, твоя семья усиливает твою привлекательность.

— Неужели?

— Ну, может, я не так выразился. Я хотел сказать, что они все... замечательные. — Джек остановился на этом слове, не найдя более подходящего. — Замечательные.

— Мне повезло. Из нас четверых, даже шестерых, включая тебя и Дела, только у меня полный комплект. Брауны были потрясающие. Ты не очень хорошо их знал, но я выросла здесь, я проводила здесь почти столько же времени, сколько дома. Они были удивительные. Когда они погибли, мы все были раздавлены горем.

— Я видел, как страдал Дел. Мне Брауны очень нравились. Они были веселыми, интересными, радушными. Так неожиданно потерять родителей, сразу обоих, страшнее и быть не может. Дети тяжело переживают развод, но это...

— Я знаю. Я видела, как переживала развод родителей Мак, когда мы были маленькими, а потом это случилось снова. И снова. А для Лорел развод родителей вообще был как гром среди ясного неба. Теперь она практически не видится с ними. И тебе, думаю, было нелегко.

— Да, но могло быть гораздо хуже. — Джек пожал плечами, не переставая поглощать еду. Он не любил вспоминать. Зачем ворошить столь болезненные воспоминания, если ничего нельзя изменить? — И мать, и отец изо всех сил старались не рвать меня на части и умудрились расстаться цивилизованно, даже сохранили дружеские отношения.

— Твои родители хорошие люди и оба любят тебя. Это очень важно.

Мы ладим. — Он научился довольствоваться этим. — И лучше всего мы ладим на расстоянии. У матери вторая семья, у отца тоже. — Джек безразлично пожал плечами, хотя до сих пор не смирился с тем, что родители так легко пошли каждый своей дорогой и построили себе новую жизнь. — Все сильно упростилось, когда я уехал в колледж, и стало еще лучше, когда я решил перебраться сюда. — Он отхлебнул вина. — А твоя семья как единое целое. Вас не разорвать... Ты расскажешь им о нас?

Эмма моргнула от неожиданности.

— Я... я не знаю. Если спросят. Но не представляю, почему кто-то из них вдруг начнет спрашивать.

— Может получиться неловко.

— Джек, ты им нравишься. И они знают, что я занимаюсь сексом. Может, они удивятся. Я сама удивляюсь. Но вряд ли возникнут проблемы.

— Хорошо. Хорошо.

— Девчонки точно не возражают.

— Девчонки? — Дымчато-серые глаза чуть не выскочили из орбит. — Ты им сообщила, что собираешься спать со мной?

— Ну, мы же девчонки, Джек, — холодно сказала Эмма.

— Верно.

— И я думала — раньше думала, — что ты и Мак были вместе.

— Что?

— Ну, я так думала. И пришлось сказать ей из-за Правила. А к тому времени, как мы прояснили ситуацию, все уже знали, что я думаю о тебе и сексе в одном предложении.

— Я никогда не спал с Мак.

— Теперь я это знаю. А тогда не знала. И еще я знаю, что ты целовался с Паркер.

— Давным-давно. И не по-настоящему... Ладно, целовался, но не сработало.

Джек выловил из картонки кусок свинины.

— И еще ты целовал миссис Грейди. Ты потаскушка... потаскун.

— А вот с миссис Грейди могло сработать. Жаль, мы не уделили этому достаточно времени.

Эмма ухмыльнулась, поковырялась в цыплятах.

— А что думает Дел?

— Обо мне и миссис Грейди?

— Нет. О тебе и обо мне. В этом смысле.

— Не знаю. Я не девчонка.

Эмма замерла, не донеся бокал до рта.

— Ты с ним не говорил? Он же твой лучший друг.

— Мой лучший друг надрал бы мне задницу за одни только мысли о тебе, не говоря уж о том, что мы только что проделали наверху.

— Он тоже знает, что я занимаюсь сексом.

— Не уверен. Он переносит это в другое измерение. Эмма из другого измерения занимается сексом. — Джек покачал головой. — Ты нет.

— Если мы будем спать друг с другом, я не собираюсь скрывать это. Дел узнает. Лучше поговори с ним до того, как он узнает. Потому что если ты ему не скажешь, а он узнает, то он точно надерет тебе задницу.

— Я что-нибудь придумаю. И раз уж мы затронули эту тему, я хочу уточнить еще кое-что. Поскольку мы теперь вместе в этом смысле, я хотел бы знать, что мы не вместе с кем-то еще в этом смысле. Проблема?

Эмма отпила вина. Интересно, почему он счел нужным это уточнять?

— Дадим клятву верности или поклянемся на крови? — Джек рассмеялся, но Эмма даже не улыбнулась и сделала еще один глоток. — Если я сплю с мужчиной, то не сплю больше ни с кем. Это не только нечестно и противоречит моим принципам, но еще и слишком хлопотно.

— Хорошо. Значит, ты и я.

— Ты и я, — повторила она.

— У меня завтра встреча с клиентом на площадке в семь утра. — «Вот оно, — подумала Эмма, — завтра рано вставать, детка, все было великолепно, я тебе позвоню...» — Придется вставать в пять. Не возражаешь, если я останусь?

Эмма улыбнулась:

— Не возражаю.

Когда глаза наконец начали слипаться, Джек обнаружил, что Эмма любит прижиматься и обвиваться. Он же предпочитал пространство. Пространство оберегает мужчину от привязанностей — в прямом и переносном смысле. Однако на этот раз он понял, что не возражает.

Эмма провалилась в сон, как камень, брошенный в пруд. Только что бодрствовала, а в следующее мгновение уже спала мертвым сном. Сам же Джек засыпал медленно, пока тело расслаблялось, прокручивал в голове события прошедшего дня, продумывал день следующий.

Итак, он лежал в полудреме, а спящая Эмма обвивала одной рукой его талию, просунув одну ногу между его ногами и устроив голову у него под мышкой.

Часов через шесть Джек проснулся почти в той же позе от писка будильника своего сотового телефона. И от аромата ее волос. А потому первая его разумная мысль была о ней.

Он попытался высвободиться, не разбудив ее, но она только прижалась к нему теснее. И хотя его тело бодро отреагировало, он повторил попытку.

— Мммммм? — промычала Эмма.

— Прости, мне пора.

— Который час?

— Пять с минутами.

Эмма вздохнула, потянулась к нему и прошептала:

— У меня еще час. Жаль, что у тебя его нет.

Несмотря на высказанные сожаления, Эмма лениво гладила его задницу.

— В данной ситуации я нахожу два преимущества, — глубокомысленно заявил он.

— И какие же?

— Первое — поскольку ты босс, тебя не уволят за опоздание. И второе — моя привычка возить в багажнике сменную одежду. Если я поеду прямо отсюда, то у меня есть почти час.

— Очень удобно. Хочешь кофе?

— И кофе тоже, — согласился он, перекатываясь на нее.

# 10

Пока Тиффани готовила к доставке очередной заказ, Эмма заканчивала третий сборный букет. Ей нравилось сочетание бахромчатых тюльпанов с лютиками и гортензией. И хотя проволока, скрепляющая крошечные кристаллы между бутонами, больно царапалась, Эмма не жалела, что предложила их. Не ошиблась она и с кружевными лентами, и с жемчужными булавками. Это была очень тонкая работа, и, несмотря на большой опыт, создание каждого букета занимало почти час. Какое счастье, что каждая минута доставляет ей наслаждение! Начиная кропотливую сборку следующего букета, поглядывая на прилежно работающую за другим концом стола Тиффани, вдыхая цветочные ароматы и слушая тихую музыку, Эмма считала себя самой счастливой женщиной на планете. Она повертела уже собранные цветы, добавила разновысокие тюльпаны и лютики для придания букету необходимой формы и блестящие бусины для красоты. За любимой работой время текло незаметно...

— Хочешь, я начну композиции?

Вопрос Тиффани вернул Эмму к действительности.

— Что? Ах, извини, я задумалась. Что ты сказала?

— Очень красивый букет. Все эти переливы. — Тиффани глотнула воды из бутылки. — У тебя еще один такой же. Я бы его начала, но вряд ли справлюсь, поэтому могу заняться композициями. У меня есть список и эскиз.

— Начинай. — Эмма скрепила стебли цветной пластмассовой полоской и отщипнула лишнее специальными ножницами. — Динь должна прийти в... Ну, она уже опаздывает. — Эмма сменила ножницы на кусачки и стала подравнивать стебли. — Если ты берешься за настольные композиции, я займусь пьедесталами.

Эмма обернула стебли кружевами, скрепила кружева жемчужными корсажными булавками. Отправив букет в холодильник, она вымыла руки — в который раз, — втерла неоспорин — опять же в который раз — и приступила к последнему букету.

Когда в мастерскую вошла Динь, на ходу потягивая «Маунтин Дью», Эмма приподняла брови.

— Я опоздала, — опередила ее Динь, — бла, бла, бла. Если нужно, я задержусь. — Она зевнула. — Я добралась до постели — ну, в смысле заснула — только в четвертом часу. Этот парень! Джейк! Железный Дровосек во всех смыслах. А утром... — Динь умолкла, сдула с глаз розовую прядь и склонила голову к плечу. — Не только мне повезло этой ночью. Джек, верно? Ух, Джейк и Джек. Клево.

— Да, но это не помешало мне собрать четыре букета. Если не хочешь испытывать недостатка в «Маунтин Дью», поскорее начинай работать.

— Без проблем. Он так же хорош, как выглядит?

— Кажется, я не жалуюсь.

— Какой Джск? — полюбопытствовала Тиффани.

— Ты его знаешь. Джек — классная задница и дымчатые глаза. — Динь отправилась к раковине мыть руки.

— Этот Джек? — Изумленно вытаращив глаза, Тиффани замерла с гортензий в руке. — Обалдеть. Где я была? Почему не знаю?

— Последние новости. Ты выслушала экстренное сообщение. Собираешься продолжать, Эм?

— Работа, — пробормотала Эмма. — Мы здесь работаем.

— Собираешься, — сделала вывод Динь. — Красивый букет. Тюльпаны словно с другой планеты, но очень романтичные. Что мне делать?

— Композиции для веранд. Тебе нужны...

— Гортензии, тюльпаны, лютики... — Динь без запинки перечислила все цветы и зелень, напомнив Эмме, почему она терпит выкрутасы помощницы.

В пять часов Эмма отпустила Тиффани, оставила Динь творить чудеса с цветами, а сама решила дать отдых рукам и прочистить мозги. Она вышла в парк и увидела на крыльце фотостудии Мак с репортерской сумкой на плече и с банкой диетической колы в руке.

— Репетиция в половине шестого! — крикнула Эмма.

— Я как раз туда. — Мак свернула к Эмме.

— Можешь сказать невесте, что ее цветы изумительны, и это не хвастовство. — Девушки встретились на полпути. Эмма остановилась, потянулась. — Длинный день, а завтрашний еще длиннее.

— Ходят слухи, что миссис Грейди готовит лазанью. Огромные противни лазаньи. Мы с Картером планируем поживиться.

— Я тоже. Обожаю лазанью. Динь работает. Я помогу тебе и Паркер на репетиции, развеюсь и вечером забегу помочь на час-два.

— Так и задумывалось.

Эмма вспомнила, что не переоделась.

— Я очень плохо выгляжу?

Присосавшись к банке, Мак смерила подругу пристальным взглядом.

— Сразу видно, что ты работала не покладая рук. Невеста будет в восторге.

— Наверное, ты права. Неохота отмываться, а потом снова переодеваться. — Эмма подхватила Мак под руку, и подруги вместе направились к большому дому. — Знаешь, о чем я сегодня думала? Я самая счастливая женщина на свете.

— Джек был так хорош?

Хохотнув, Эмма подтолкнула Мак бедром.

— Да, но не только поэтому. Я устала, руки болят, но я весь день делала то, что люблю. А потом мне позвонила будущая мамочка и залепетала, как прекрасны мои цветы. Она просто захлебывалась от счастья. У многих ли есть то, что у нас, Мак? — Эмма вздохнула, подставила лицо солнцу. — Мы так счастливы в своей работе.

— В целом я согласна, но знаешь, что я люблю в тебе больше всего? Ты искренне забываешь или игнорируешь всех Чудовищных Невест, Чокнутых Мамаш, Пьяных Шаферов, Стервозных Подружек и помнишь только хорошее.

— Но в основном же все хорошо.

— Да, конечно. Несмотря на кошмар сегодняшней предсвадебной съемки. Счастливая парочка чуть не подралась еще до того, как я успела сделать первый снимок. У меня до сих пор в ушах звенит.

— Ненавижу такие истории.

— Ты? Это я выслушивала крики, слезы, истерики. Обвинения, угрозы, ультиматумы. И снова слезы, извинения. Черные потеки туши на щеках, краска стыда, неловкость. Мой день испорчен бесповоротно. И не только этот. Из-за распухших, покрасневших глаз нам пришлось перенести съемку.

— Драмы вносят разнообразие в нашу жизнь. И вот это. — Эмма кивнула на дорожку, ведущую к главному входу, где завтрашний жених подхватил и закружил завтрашнюю невесту.

— Черт. Они слишком рано. О, только не останавливайтесь. — Мак сунула банку Эмме и выдернула из сумки фотоаппарат.

— Они и не собираются, — прошептала Эмма. — Они так счастливы.

— И очаровательны. — Мак щелкнула затвором, сохраняя прекрасное мгновение.

Но тут жизнь преподнесла еще один сюрприз: перед портиком остановился автомобиль Джека. Эмма ойкнула и инстинктивно пригладила волосы.

— Он видел тебя и более страшненькой.

— Спасибо, успокоила. Мы оба сегодня очень заняты, и я не ожидала...

Джек выглядел сногсшибательно. Судя по одежде — слаксам и накрахмаленной рубашке в тонкую светлую полоску, — он приехал не со стройплощадки. Легкая походка, блестящие на солнце волосы, неожиданно вспыхивающая, потрясающая улыбка... устоять невозможно.

— У меня в этих штанах толстая задница, — прошипела Эмма в ухо Мак. — Неважно, что они рабочие, но...

— Нет, совсем не толстая. Я бы тебе честно сказала, если бы толстая. Красные треники с обрезанными штанинами? Вот в них у тебя точно толстая задница.

— Напомни мне сжечь их. — Эмма вернула банку Мак и с улыбкой повернулась к приближающемуся Джеку.

— Добрый вечер, дамы.

— Привет, — откликнулась Мак. — У меня полно работы. После поболтаем. — И она умчалась.

— Репетиция, — объяснила Эмма.

— Ты тоже участвуешь?

— Я в резерве. Ты на сегодня закончил?

— Да. Заезжал к клиенту тут неподалеку... Я не вовремя?

— Нет, нет. — От волнения Эмма снова поправила волосы. — Я просто решила передохнуть и узнать, не нужно ли помочь на репетиции.

Джек сунул руки в карманы.

— Мы оба смущаемся и нервничаем.

— Боже. Да. Нервничаем. Давай прекратим. Вот. — Эмма привстала на цыпочки и крепко его поцеловала. — Я рада, что ты заехал. Я работала с восьми утра, и перерыв был просто необходим. Миссис Грейди готовит лазанью. Хочешь перекусить?

— О да.

— Тогда иди очаруй ее, выпей пива, а я загляну, когда освобожусь.

— Договорились. — Джек ухватил ее за подбородок, наклонился и поцеловал. — Ты пахнешь цветами. Очень мило. Увидимся на кухне.

Отвернувшись, Эмма не смогла сдержать счастливую улыбку.

Аппетитные ароматы и веселый смех миссис Грейди улучшили и без того чудесное настроение Эммы. Когда она вошла на кухню, Джек, похоже, заканчивал очередную историю из своих трудовых будней.

— И когда я уже все объяснил, она вдруг говорит: «Хорошо, а не могли бы вы передвинуть дверь?»

— Не может быть.

— Я вас когда-нибудь обманывал?

— Каждый день и дважды по воскресеньям. Ты будешь передвигать ту дверь?

— Мы будем передвигать ту дверь, что обойдется ей в два раза дороже гардероба, в который она влюбилась. Но клиент — король.

Джек отхлебнул пива и перевел взгляд на вошедшую Эмму.

— Как прошла репетиция?

— Легко и весело, а это хороший признак. Жених с невестой верят в удачу и прогноз погоды. Дождь ожидается только к ночи, и мы обойдемся без шатров. В общем, осталось скрестить пальцы. — Чувствуя себя как в собственном доме, Эмма достала бокал. — Они уехали на репетицию ужина, но я думаю, что нам повезло гораздо больше. — Она втянула носом воздух. — Как аппетитно пахнет, миссис Грейди.

— Стол накрыт, — сказала экономка, перемешивая салат. — Ужинайте в столовой, как цивилизованные люди.

— Паркер и Мак сейчас придут, а Лорел я не видела. Где она?

— Возится в своей кухне, и пусть только попробует опоздать на ужин, — ответила миссис Грейди.

— Я потороплю ее.

— Хорошо. А ты, Джек, помоги мне, все равно бездельничаешь. Отнеси салат на стол.

— Есть, мэм. Привет, Картер.

— Привет. Они уже идут, миссис Грейди.

Экономка строго взглянула на Картера.

— Ты сегодня научил детей чему-нибудь полезному?

— Надеюсь, мэм.

— Ты вымыл руки? — не унималась экономка.

— Да, мэм.

— Тогда бери ту бутылку вина и садись за стол. И не смейте хватать куски, пока все не соберутся.

Миссис Грейди накрыла стол по-семейному, без парадной посуды, но в большой столовой с высоким сводчатым потолком и огромными окнами. Подчиняясь Правилу Грейди, все выключили сотовые телефоны, а Паркер оставила свой «Black-Berry» на кухне.

— Тетя воскресной невесты всю ночь дошивала хупу и только что привезла ее, — сообщила Паркер. — Настоящее произведение искусства. Я отнесла ее наверх. Эмма, можешь взглянуть, если решишь внести изменения в композиции. Картер, ты знаком с этой семьей, учишь старшего сына сестры тетушкиного мужа. Дэвид Коэн.

— Дэвид? Способный парнишка. В данный момент увлекается фиглярством. На прошлой неделе, читая доклад по книге «О мышах и людях», изображал эстрадного комика.

— И как получилось? — спросила Мак.

— Не знаю, что сказал бы Стейнбек, но я поставил ему «отлично».

— Такая грустная история. Ну, зачем в школе заставляют читать столько печальных книг? — удивилась Эмма.

— С новичками мы сейчас читаем «Принцессу-невесту».

— Почему у меня не было таких учителей, как ты? Я люблю истории со счастливым концом. И ты в награду нашел свою принцессу.

Мак закатила глаза.

— Ну да. Это я. Принцесса Лютик. А сказочной будет завтрашняя свадьба. С фонариками, свечами и белоснежными цветами.

— Динь уже жалуется на снежную слепоту, но цветы прекрасны. Думаю, через пару часов все будет готово, а самая трудоемкая часть закончена. Столько проволоки и бусин. — Эмма продемонстрировала исцарапанную, изрезанную руку. — Уф.

— Никогда не думал, что флористика — опасная профессия. — Джек внимательно осмотрел руку Эммы и поцеловал суставы пальцев. — Настоящие боевые шрамы.

Все примолкли, обмениваясь задумчивыми взглядами.

— Стоп, — хмыкнув, приказал Джек.

— Этого следовало ожидать. — Не сводя глаз с Эммы и Джека, Лорел ткнула вилкой в свой салат. — Нам всем придется перестраиваться. Немедленно поцелуй ее. Получив визуальное подтверждение, мы быстрее привыкнем.

— Подожди, подожди, — замахала руками Мак. — Я принесу фотоаппарат.

— Лучше передай мне лазанью, — предложил Джек.

Откинувшись на спинку стула, Паркер спокойно потягивала вино.

— Кто знает, может, они просто подшучивают над нами. Притворяются. А когда мы попадемся на удочку, посмеются.

— Уф, тебя не проведешь, Паркс, — пробормотала Мак.

— Разумеется, — согласилась Паркер. — Застенчивостью они не страдают. Вполне способны на публичное проявление чувств, тем более среди своих. — Она пожала плечами, ее губы начали изгибаться в улыбке. — Поэтому я склоняюсь к розыгрышу.

— Поцелуй девочку, Джек, — предложила миссис Грейди, — иначе эта банда от тебя не отвяжется.

— И не получишь лазанью. — Лорел захлопала в ладоши. — Целуй. Целуй!

Мак тоже начала скандировать и подтолкнула локтем Картера, но он рассмеялся и отрицательно покачал головой. Капитулировав, Джек повернулся к смеющейся Эмме, притянул ее к себе и поцеловал под дружные «ура» и аплодисменты.

— Похоже, меня забыли пригласить на вечеринку. — Все мгновенно умолкли и повернулись к двери и Делу, который пристально смотрел на Джека. Паркер начала приподниматься, но Дел поднял руку, останавливая ее. — Что здесь происходит, черт побери?

— Мы ужинаем, — холодно сообщила Лорел. — Если хочешь присоединиться, возьми тарелку.

— Нет, спасибо, — сказал Дел так же холодно. — Паркер, я должен обсудить с тобой кое-какие документы, но, поскольку ты занята тем, что, похоже, меня не касается, я заеду позже.

— Дел...

— Ты и я, — прервал он сестру, не сводя глаз с Джека. — С тобой мы тоже разберемся позже.

Когда он вышел, Паркер протяжно вздохнула:

— Ты ему не сказал.

— Я все прикидывал, как бы... Нет. Нет, не сказал. Я должен это уладить.

— Я пойду с тобой. Я могу...

— Нет, Эм, лучше не надо. Это может занять какое-то время, поэтому... Я позвоню тебе завтра. — Джек решительно оттолкнулся от стола. — Прошу меня извинить.

После его ухода Эмма выдержала почти десять секунд и тоже вскочила.

— Я хотя бы попытаюсь, — выпалила она, бросаясь вслед за Джеком.

— Дел здорово раскипятился, — прокомментировала Мак.

— Естественно, раскипятился. Ведь нарушен его идеальный баланс. — В ответ на укоризненный взгляд Паркер Лорел пожала плечами. — Гораздо хуже то, что Джек ему не сказал. Дел имеет право злиться.

— Я могу вмешаться, — предложил Картер. — Как переговорщик. — Он подмигнул Мак. — Мне не впервой.

— Не надо. Пусть сами разбираются. — Паркер снова вздохнула. — Как и положено друзьям.

Встревоженная Эмма задержала Джека на добрых десять минут, поэтому он не успел поймать Дела в поместье, но он знал, куда тот помчался. Домой, где можно без помех рвать и метать и вынашивать планы мести.

Джек постучался, не сомневаясь, что Дел откроет. Во-первых, Дел сам дал Джеку ключ, и они оба знают, что, если нужно, Джек им воспользуется. Во-вторых, Дел Браун предпочитает открытые столкновения.

Дверь распахнулась.

— Треснешь меня, я тресну в ответ, — заявил Джек, глядя на друга в упор. — Мы изобьем друг друга до крови, но ничего не решим.

— Катись к черту.

— Да ради бога, или ты покатишься, но что это изменит? Просто идиотизм так реагиро...

Джек не успел уклониться от летящего в лицо кулака, но успел дать сдачи. И теперь они стояли в дверях напротив друг друга с кровоточащими губами.

Джек вытер рот тыльной стороной ладони.

— Хочешь, чтобы мы избили друг друга до полусмерти?

— Я хочу знать, какого черта ты волочишься за Эммой.

— В общих чертах или в деталях?

Дел развернулся и затопал в свое шикарное убежище за пивом.

— Как давно ты пристаешь к ней? — бросил он через плечо.

— Я к ней не приставал. Если уж на то пошло,

мы приставали друг к другу. Очнись, Дел, она взрослая женщина, она сама делает свой выбор. Я не соблазнял ее и не лишал девственности.

— Следи за своим языком, — предупредил Дел, и если бы взгляды могли убивать, бездыханный Джек уже валялся бы на полу. — Ты спал с ней?

— Давай успокоимся. — «Плохое начало, Кук, — упрекнул себя Джек. — Очень плохое». — Притормозим.

— Да или нет, черт побери?

— Да, черт побери. Я спал с ней. Она спала со мной. Мы спали друг с другом.

Глаза Дела вспыхнули дикой яростью.

— Еще не поздно избить тебя до полусмерти.

— Попробуй. Нас обоих отвезут в больницу. А когда я оттуда выйду, то все равно буду с ней спать. — В глазах Джека вспыхнула столь же безудержная ярость. — И не твое собачье дело.

— Черта с два.

Джек медленно кивнул. Все же он чувствовал себя виноватым.

— Ладно, учитывая обстоятельства, это твое дело. Но ты не имеешь права диктовать нам, с кем спать.

— И давно это продолжается?

— Только началось. Просто накатило на меня, на нас, ну, в последнюю пару недель.

— Пара недель, — зло повторил Делани. — И ты ни словом не обмолвился.

— Ну да, не хотел получить кулаком по физиономии. — Джек рванул на себя дверцу холодильника, выдернул бутылку пива. — Я знал, что тебе не понравится, но не знал, как объяснить.

— Похоже, ты и остальным не потрудился объяснить.

— Однако никто из них не стал тыкать мне в лицо кулаками из-за того, что я сплю с красивой, интересной женщиной, которая тоже хочет со мной спать.

— Она не просто женщина. Она Эмма.

— Я понимаю. — Под напором раскаяния гнев Джека начал утихать. — Я знаю, кто она, и я знаю, как ты к ней относишься. К ним ко всем. Именно поэтому я не прикасался к ней до... последнего времени. — Джек прижал холодную бутылку к пульсирующей челюсти. — Она всегда мне нравилась, но я сдерживался. «Запретная зона, Джек», — говорил я себе, потому что знал, что ты не одобришь. Дел, ты мой самый близкий друг.

— У тебя было много женщин.

— Да, верно.

— Эмма не из тех, с кем можно спать, пока не захочется чего-то новенького. Она из тех, кому даешь обещания, с кем строишь планы.

— Бога ради, Дел. Я только начинаю привыкать к... — Джек никогда ни с кем ничего не планировал, никогда никому ничего не обещал. Планы меняются, обещания нарушаются. Если не даешь обещаний, нечего и нарушать. Так гораздо честнее. — Мы были вместе одну ночь. Мы еще пытаемся разобраться в том, что происходит. Не требуй от меня слишком многого слишком быстро. И сколько бы женщин у меня ни было, я никогда никому не лгал и ко всем относился с превеликим уважением.

— Эйприл Уэстфорд.

— Господи, Дел, это же было еще в университете, на последнем курсе, и она была чокнутая. Она преследовала меня. Она вламывалась в нашу комнату. Она исцарапала мою машину. Она исцарапала твою машину.

Дел помолчал, глотнул пива.

— Ладно, это обвинение снимается. С Эммой все по-другому.

— Ты меня не слышишь, Дел? Я понимаю. Думаешь, она мне безразлична? Думаешь, это просто секс? — Джек заметался по комнате. Его чувства, не имевшие даже самого отдаленного сходства с безразличием, пугали его до смерти и без нотаций лучшего друга. — Она всегда была дорога мне. Все они. Ты это знаешь. Ты прекрасно это знаешь.

— Ты и с остальными спал?

Джек залпом опрокинул в себя чуть ли не пол-бутылки пива и решил, что семь бед — один ответ.

— Я целовал твою сестру, Паркер, хотя ты всех их считаешь своими сестрами. На первом курсе, когда мы случайно столкнулись на вечеринке.

— Ты волочился за Паркер? — Дел был явно шокирован. — Кто ты, незнакомец?

— Ничего я за ней не волочился. Мы поцеловались. Спонтанно. Тогда это получилось естественно. А потом мне показалось, что я целую *свою* сестру. Она отреагировала точно так же, и мы посмеялись. Вот и все.

— А потом ты взялся за Мак? И Лорел?

У Дела зачесались руки, так хотелось еще поработать кулаками.

— О да! Я ни одну из них не упустил. Я меняю женщин как перчатки и разбиваю им сердца. Да за кого ты меня принимаешь, черт побери? — возмутился Джек.

— В данный момент даже и не знаю. Ты должен был предупредить меня, что думаешь об Эмме в этом смысле.

— О да. Представляю картинку: «Привет, Дел, я тут собираюсь переспать с Эммой. Что ты на это скажешь?»

Теперь Дел не казался ни разъяренным, ни шокированным, он словно заледенел. И, по мнению Джека, это было гораздо хуже.

— Давай попробуем перевернуть ситуацию. Что почувствовал бы ты, если бы случайно все это увидел? Примерь-ка на себя, Джек.

— Я бы разозлился. Я бы почувствовал себя обманутым, преданным. Ты ждешь признания, что я все испортил? Я все испортил. Но с какой бы стороны я на это ни смотрел, конец один. Думаешь, я не понимаю, что ты чувствуешь? Не понимаю, что после гибели родителей ты всю ответственность взял на себя? Не понимаю, что все они для тебя значат? Каждая из них. Дел, я все это время был рядом с тобой.

— Это не имеет никакого отношения к...

— Самое непосредственное отношение. — После небольшой паузы Джек заговорил чуть спокойнее: — Я знаю, что, сколько бы родных ни было у Эммы, ты считаешь ее членом своей семьи.

— Помни это, Джек. — Похоже, лед тронулся. — И помни следующее: если ты ее обидишь, будешь иметь дело со мной.

— Справедливо. Мир?

— Пока нет.

— Дай мне знать, когда остынешь, — предложил Джек, отставляя недопитое пиво.

Поскольку деваться было некуда, Эмма вплотную занялась подготовкой к пятничной свадьбе и успела все, как запланировала, а в пятницу с утра со всеми своими помощницами она уже готовилась к субботним и воскресным торжествам. Днем Эмма отвезла полный фургон цветов и композиций для предстоящей свадьбы в главный дом, а остальные цветы заняли освободившееся место в холодильнике. Когда свадьба пойдет своим чередом, можно будет вернуться к себе и еще поработать.

Перед самым приездом невесты Эмма и Бич наполнили вазы портика огромными белыми гортензиями.

— Великолепно, идеально! — восхитилась Эмма. — Бич, теперь помоги Тиффани в вестибюле, а я помогу Динь.

Она пробежала через дом на веранду, прикидывая время, проверяя по пути вазы и цветочные композиции, стремительно взобралась на стремянку прикрепить в центре перголы шар из белых роз.

— Не думала, что мне это понравится, — заметила Динь, устанавливая пьедесталы с цветами. —

Белый цвет такой, ну, ты меня понимаешь, слишком белый. А получилось интересно, даже вроде как волшебно. Привет, Джек. Ой, кто это тебя поколотил?

— Мы с Делом поколотили друг друга. Наше любимое развлечение.

— Боже милостивый.

Если Джек полагал, что Эмму встревожит его разбитая челюсть, то его ждало жестокое разочарование. Эмма совершенно не разволновалась, а когда спускалась с лестницы, в каждом ее движении сквозило раздражение.

— Почему мужчины считают, что все вопросы можно решить кулаками? — спросила она, подбоченившись.

Хотя вопрос был явно риторическим, Джек ответил:

— А почему женщины решают свои проблемы шоколадом? Это заложено природой. Видовые признаки.

— Динь, давай закончим с гирляндами. От шоколада хоть настроение повышается, — сказала Эмма, не отрываясь от работы. — Паркер пыталась дозвониться до Дела, но он целый день торчит в суде.

— Он первый меня ударил. — Джек взял стремянку и оттащил туда, куда показала Эмма, затем постучал пальцем по распухшей губе. — Между прочим, больно.

Эмма закатила глаза и легко поцеловала пострадавшее место.

— Сейчас у меня нет времени на жалость, но обещаю компенсацию, если ты останешься.

— Я планировал просто объяснить, как обстоят дела — а обстоят они не очень хорошо, — и убраться с дороги... Вы ведь по уши заняты весь уик-энд.

Эмма понимала, что он чувствует себя виноватым, немного несчастным и раздраженным, особенно среди друзей.

— Да, я занята, и ты, безусловно, можешь найти что-нибудь повеселее. Но все же... ты мог бы остаться. С Картером, например. Или у меня. Если хочешь. Я чуть позже улизну с приема, чтобы закончить кое-что на завтра.

— Может, будем действовать по обстоятельствам?

Эмма отступила, окинула оценивающим взглядом перголу и подхватила Джека под руку.

— Красиво. А ты что думаешь?

— Что я понятия не имел, как много в мире белых цветов. Элегантно и в то же время фантастично.

— Совершенно верно. — Эмма повернулась к нему, потрепала волосы, провела пальцами по разбитым губам. — Мне еще нужно проверить Большой и Бальный залы.

— Может, мне попробовать выманить Картера?

— Увидимся попозже, если...

— Если, — согласился он и, презрев боль, рискнул на настоящий поцелуй. — Хорошо. Увидимся позже.

Эмма рассмеялась и убежала в дом.

# 11

Ближе к ночи, заполнив холодильник букетами, настольными композициями и гирляндами для субботних и воскресных приемов и прекрасно сознавая, что придется встать в шесть утра, Эмма доползла до гостиной и рухнула на диван.

— И ты должна повторить все это завтра, — уточнил Джек. — Дважды.

— Мммм-хммм.

— И еще раз в воскресенье.

— Угу. Не меньше двух часов в воскресенье с утра до начала оформления первого торжества. Зато в субботу я только оформлю залы, а украшения доделает команда. К обоим приемам.

— Я помогал вам, но никогда... Мне и в голову не приходило. И так каждый уик-энд?

— Зимой полегче. — Эмма скинула туфли, свернулась калачиком. — Апрель, май, июнь — самые оживленные месяцы. И еще один пик в сентябре и октябре. Но в общем и целом? Да, каждый уик-энд.

— Я еще раз заглянул в твой холодильник. Тебе, без сомнения, необходим второй.

— Без сомнения. Начиная бизнес, мы и не представляли, что так развернемся. Нет, вру. Паркер представляла. — Эмма улыбнулась. — Паркер всегда все знает наперед. А я просто надеялась заработать на жизнь любимым делом. Никогда не думала, что когда-нибудь у нас не будет ни одной свободной минутки. Сплошные приемы, консультации, встречи. Поразительно.

— Ты могла бы нанять больше помощников.

— Возможно. Ты тоже, не правда ли? — Когда Джек сел рядом с ней на диван, закинул ее ноги себе на колени и начал растирать усталые ступни, она расслабилась, закрыла глаза. — Я помню, как ты начинал свое дело. Совсем один. А теперь у тебя персонал, помощники. Ты проектируешь, встречаешься с клиентами. Когда фирма твоя, чувствуешь себя совсем иначе, чем если пашешь на кого-то от звонка до звонка. — Эмма открыла глаза, встретилась с ним взглядом. — И каждый раз, когда нанимаешь кого-то — даже если это правильно и полезно, — будто отрываешь что-то от себя.

— Именно по этой причине я долго сомневался, нанимать ли Чипа. То же самое было с Дженис, потом с Мишель. А сейчас я взял студента на летнюю практику.

— Отлично. Только тебе не кажется, что мы превращаемся в старшее поколение? Тяжело с этим мириться.

— Ему двадцать один год. Ровно. Интервьюируя его, я чувствовал себя дряхлым старцем. Когда ты завтра начинаешь?

— Дай подумать... В шесть... может, в половине седьмого.

— Тебе пора спать. — Джек рассеянно погладил ее ногу. — Тяжелый уик-энд. Если не возражаешь, сходим куда-нибудь в понедельник.

— Сходим? Куда? — Эмма взмахнула рукой. — Туда, где нам принесут еду и, может, даже развлекут?

Джек улыбнулся.

— Ужин и кино, что скажешь?

— Ужин и кино? Потрясающе.

— Тогда я заеду за тобой в полседьмого?

— Хорошо. Отлично. Только у меня вопрос. — Эмма сладко потянулась и села. — Ты крутился здесь до полуночи, а теперь хочешь уехать, чтобы дать мне выспаться?

— У тебя был тяжелый день. — Он легко сжал ее ногу. — Ты наверняка устала.

— Не настолько устала. — Эмма ухватила его за рубашку и притянула к себе.

Вечером понедельника Лорел проводила последних клиентов. Сентябрьские жених с невестой ушли не с пустыми руками — унесли огромную коробку с образцами тортов. Правда, Лорел не сомневалась, что парочка уже остановила свой выбор на итальянском кремовом торте, и точно знала, что невеста склоняется к дизайну «Королевской фантазии», а жених — «Мозаичной роскоши». Лорел не сомневалась и в том, что победит невеста, но очень приятно, когда мужчина так искренне интересуется деталями. В качестве компромисса можно будет уговорить невесту на мозаичный торт жениха в той же цветовой гамме, и проигравших не будет.

— Сообщите, когда примете решение, и помните, что в любой момент можете его изменить. У нас полно времени.

Лорел сохранила веселую, непринужденную улыбку, даже когда заметила на дорожке Дела.

Шикарный, идеально сшитый костюм, шикарный кожаный портфель, шикарные туфли — парень просто излучал уверенность и успешность.

— Паркер в кабинете, и, кажется, одна, — сказала Лорел.

— Хорошо. — Пока Дел заходил в холл и закрывал за собой дверь, Лорел успела дойти до лестницы. — Эй, ты со мной не разговариваешь? — окликнул он.

Лорел остановилась, оглянулась.

— Я только что с тобой разговаривала.

— Едва ли. По-моему, злиться должен я, а не ты.

— Похоже, что я злюсь?

Дел подошел к ней.

— Я и в кошмарном сне не мог представить, что друзья и родные станут мне лгать или о чем-то умалчивать. И когда это случилось...

Лорел больно ткнула пальцем в его плечо, затем подняла руку, предупреждая любые возражения.

— Во-первых, я не знала, что ты не знаешь. Как и Паркер, и Мак, и Картер, и сама Эмма, если уж на то пошло. Так что это касается только тебя и Джека. Во-вторых... — Лорел снова ткнула его в плечо, поскольку он явно хотел ее перебить. — Я с тобой согласна.

— Если ты дашь мне вставить хоть слово... Что ты сказала? Ты согласна?

— Да, согласна. На твоем месте я бы тоже обиделась и разозлилась. Джек должен был сказать тебе, что увлекся Эммой.

— Ну, ладно. Спасибо... или прошу прощения. Как пожелаешь.

— Однако...

— Черт.

— Однако, — повторила Лорел. — Может, ты спросишь себя, почему твой лучший друг промолчал? И, может, ты захочешь оглянуться назад и вспомнить, как ты повел себя прошлым вечером? Надулся как индюк.

— Минуточку!

— Это мое мнение, и я понимаю, почему Джек тебе не сказал. Типичная реакция Делани Брауна.

— И что это значит?

— Если ты не знаешь, нет смысла объяснять.

Лорел уже занесла ногу на ступеньку, но Дел остановил ее, схватив за руку:

— Дезертируешь?

— Отлично, сам напросился. Делани Браун не одобряет. Делани Браун все знает лучше всех. Делани Браун манипулирует и маневрирует, пока не загонит тебя туда, куда считает нужным, причем ради твоего собственного блага.

— Жестко, Лорел.

Она сочувственно вздохнула.

— Нет, вовсе нет. На самом деле ты искренне желаешь друзьям и близким только самого лучшего, ты действуешь в их интересах. Но, Дел, ты всегда так чертовски уверен, что знаешь, как лучше.

— Хочешь убедить меня, будто то, что происходит между Эммой и Джеком, — самое лучшее для каждого из них?

— Я не знаю. — Лорел вскинула руки ладонями вверх. — И не притворяюсь, что знаю. Я только знаю, что в данный момент они счастливы.

— И тебя это не смущает? Тебе не кажется, что ты попала в альтернативную реальность?

Лорел принужденно рассмеялась.

— Ну, не совсем. Немного...

— Это все равно как... что, если бы я вдруг набросился на тебя?

Ее смех замер, лицо словно окаменело.

— Какой же ты идиот.

— Что? Ну вот, видишь? — выкрикнул он ей вслед, поскольку она бросилась бегом вверх по лестнице, и пробормотал, в одиночестве поднимаясь в кабинет сестры: — Я же говорил. Альтернативная реальность.

Паркер сидела за письменным столом, где Дел и ожидал найти ее, и, работая на компьютере, говорила в микрофон, прикрепленный к наушнику:

— Совершенно верно. Я знала, что могу на вас рассчитывать. Да, двести пятьдесят. Можете привезти ко мне, а я уже доставлю по назначению. Огромное спасибо. И вам также. До свидания. — Паркер сняла наушник. — Я только что заказала двести пятьдесят резиновых уток.

— Зачем?

— Клиентка желает, чтобы они плавали в бассейне в день ее свадьбы. — Паркер распрямилась, отпила воды из бутылки. — Как поживаешь?

— Бывало и лучше. Бывало и хуже. Минуту назад Лорел признала, что Джек — кретин. Она считает, что он должен был мне рассказать, но я, мол, сам виноват, поскольку я — Дел Браун. Я манипулирую людьми?

Паркер посмотрела на него с сочувствием.

— Это шутка?

— Черт побери. — Дел бросил портфель на письменный стол и направился к кофеварке.

— Ладно, не шутка. Да, конечно, манипулируешь. И я манипулирую. Мы с тобой улаживаем проблемы, находим решения и ответы, и при этом, естественно, изо всех сил подталкиваем людей к этим решениям и ответам.

Дел обернулся.

— Я манипулирую тобой, Паркс?

— Если бы ты не манипулировал мной — до некоторой степени, — например в вопросах с поместьем, возникших после смерти родителей, я не заказывала бы сейчас двести пятьдесят резиновых уток. У меня не было бы этого бизнеса. Ни у кого бы из нас не было.

— Я не об этом спрашивал.

— Ты когда-нибудь заставлял меня делать то, что я не хочу, или то, что хочешь только ты? Нет. Мне искренне жаль, что ты узнал о Джеке и Эмме именно так, как узнал, однако я думаю, что эта ситуация пока кажется странной всем нам. Никто из нас не чувствовал ее приближения. Пожалуй, даже Джек и Эмма.

— Я никак не могу привыкнуть. — Дел сел, пригубил кофе. — А когда привыкну, вероятно, все уже закончится.

— Ну, ты романтик?

Дел пожал плечами.

— Джек никогда не относился серьезно ни к одной женщине. Он, конечно, не бабник, но и постоянством не отличается. Преднамеренно он ее не обидит, он не такой, но...

— Может, тебе следует чуть больше доверять своим друзьям. — Паркер развернула рабочее кресло, чтобы прямо посмотреть на брата. — По моему мнению, ничто между людьми не происходит без причины, иначе я не могла бы каждый день делать то, что я делаю. Иногда все складывается, иногда — нет, но на все есть причина.

— Другими словами, ты предлагаешь мне успокоиться и просто быть другом.

Паркер улыбнулась ему.

— Да. Это мой ответ, мое решение и моя попытка манипулировать тобой. Как у меня получается?

— Прилично. Пожалуй, загляну-ка я к Эмме.

— Это было бы очень мило.

Дел отставил кофе, открыл портфель.

— Давай сначала просмотрим бумаги.

Двадцать минут спустя Дел постучался к Эмме и тут же распахнул дверь.

— Эм?

Он услышал музыку, ту, под которую она обычно работала — арфы и флейты, — а потому отправился в мастерскую. Эмма сидела за длинным рабочим столом, укладывая крохотные розовые бутоны в белую корзинку.

— Эм.

Она подскочила, резко обернулась.

— Ты меня испугал. Не слышала, как ты вошел.

— Я, наверное, помешал.

— Начинаю композиции для девичника. — Эмма поднялась. — Дел, ты сильно на меня злишься?

— Совсем не злюсь. Даже меньше, чем совсем. — Не успели эти слова сорваться с его языка, как он понял: ему стыдно, что Эмма думала иначе. — А на Джека примерно на семерку по десятибалльной шкале, но это уже прогресс.

— Я должна уточнить, что если Джек спит со мной, то и я сплю с ним.

— Может, придумаем кодовое слово? Например, вы с Джеком пишете вместе роман или выполняете лабораторную работу.

— Ты злишься из-за лабораторной работы или потому, что мы тебе не сказали?

— Потому что он не сказал. В общем, все перемешалось. Я пытаюсь примириться с лабораторной работой и злюсь, потому что он не сказал мне, что ты и он...

— Расставляем пробирки? Наклеиваем этикетки на чашки Петри?

Дел, нахмурившись, сунул руки в карманы.

— Если подумать, мне не нравится лабораторная работа в качестве кодового слова. Я просто хочу, чтобы тебе было хорошо, чтобы ты была счастлива.

— Мне хорошо. Я счастлива. Хотя и знаю, что из-за этого вы поколотили друг друга. А может, от этого я даже чуточку счастливее. Обожаю, когда парни дерутся из-за меня.

— Это был внезапный порыв.

Эмма подошла к нему, привстала на цыпочки,

обняла его лицо ладонями, легко провела губами по его губам.

— Постарайся больше не поддаваться порывам, потому что страдают два моих любимых лица. Давай просто по-дружески посидим на патио, выпьем лимонада.

— Хорошо.


Пока Дел и Эмма сидели на патио, Джек в студии Мак раскладывал планы будущей пристройки.

— Тот же проект, что я отправил тебе по электронной почте, но более детальный и с парой предложенных тобой изменений, — пояснил он.

— Картер, смотри! У тебя будет собственная комната.

Картер потрепал ярко-рыжие волосы Мак.

— А я-то надеялся, что мы будем жить в твоей.

Рассмеявшись, Мак склонилась над планами.

— Ты только взгляни на мою гардеробную. Ну, не мою, а для клиентов. Боже, как мне нравится новое патио. Джек, хочешь пива?

— Нет, спасибо. У тебя есть что-нибудь безалкогольное?

— Конечно. Диетическая кола?

— Фу, гадость. Сойдет вода.

Мак удалилась на кухню, а Джек стал объяснять проект Картеру:

— В этих встроенных шкафах полно места для книг или чего угодно. Для папок, для тетрадей.

— А здесь что? Неужели камин?

— Мак предложила. Она сказала, что в профессорском кабинете обязательно должен быть камин. Это маленький газовый камин с имитацией дров. Уютно, красиво и дополнительный источник тепла.

Картер оглянулся на Мак, вернувшуюся с бутылкой воды и двумя бутылками пива.

— Ты заказала мне камин.

— Ну да. Наверное, это любовь. — Мак чмокнула его в губы, наклонилась, подобрала их теперь общего трехлапого кота Триада и села, а кот свернулся у нее на коленях.

Наверное, мысленно согласился Джек. Пока они обсуждали проект и стройматериалы, он все пытался представить, как это — чувствовать такую связь и такую уверенность в другом человеке. Мак и Картер явно не сомневаются в том, что нашли свою половинку. Того, с кем можно строить дом, смотреть в будущее, растить детей. Делить кота. Как они узнали? Как решились рискнуть? Для Джека это до сих пор оставалось одной из величайших тайн жизни.

— Когда можно будет начать? — прервала его размышления Мак.

— Завтра я подам документы на разрешение на строительство. У тебя есть на примете подрядчик?

— Ну... Мне понравилась фирма, которая занималась первой перестройкой. Они еще работают?

— Вообще-то я переговорил с хозяином. Могу завтра попросить его подать заявку.

— Какой же ты молодец. — Мак дружески ткнула его в плечо. — Хочешь поужинать с нами?

Мы готовим спагетти. Я позвоню Эмме, может, она тоже придет.

— Спасибо, мы собрались в ресторан.

— А, понятно.

— Прекрати, — приказал Джек, но не смог сдержать смех.

— Как я могу прекратить, если наслаждаюсь ситуацией.

— Мы просто хотим поужинать и сходить в кино.

— А, понятно.

Джек снова рассмеялся

— Все, я убегаю. Картер, до Покерного Вечера. Готовься к проигрышу.

— Я мог бы прямо сейчас отдать тебе деньги и сэкономить время.

— Соблазнительное предложение, но я с большим удовольствием обдеру тебя за карточным столом. Мак, я подам заявку, — добавил он, направляясь к двери. — Эти копии можешь оставить себе.

Джек услышал приглушенный вскрик Мак за секунду до того, как заметил Дела. Друзья остановились футах в пяти друг от друга.

— Подождите! — закричала Мак. — Если опять собираетесь драться, я прихвачу камеру.

— Я нейтрализую ее, — пообещал Картер.

— Эй, стойте. Я серьезно! — успела выкрикнуть Мак до того, как Картер втянул ее в дом.

Джек сунул руки в карманы.

— Это просто глупо.

— Кто знает. Возможно.

— Послушай, мы уже поколотили друг друга и

высказали свое мнение. Мы выпили пиво. Согласно правилам этого достаточно.

— Мы не ходили на матч.

Джек расслабился. Похоже, Дел начинает потихоньку привыкать к происходящему.

— Можно завтра? Сегодня у меня свидание.

— А что случилось с правилом «друзья важнее девок»?

Джек хищно улыбнулся:

— Ты назвал Эмму девкой?

Дел открыл рот, закрыл, запустил пятерню в волосы.

— Теперь ты видишь, сколько осложнений? Я назвал ее девкой потому, что не думал об Эмме как... о нашей Эмме и хотел продемонстрировать свое остроумие.

— Ну, спасибо за объяснение, а то мне снова пришлось бы поколотить тебя. «Янкис» завтра играют на своем поле.

— Ты за рулем.

— Угу, но лучше возьмем Карлоса. Я оплачиваю кар-сервис. С тебя чаевые и пиво. Хот-доги пополам.

— Ладно. — Дел подумал немного. — Ты дал бы мне в морду из-за нее?

— Я уже это сделал.

— Это было не из-за нее.

«Дел прав», — подумал Джек, а вслух сказал:

— Я не знаю.

— Хороший ответ, — решил Дел. — До завтра.

Ужин — в маленьком ресторанчике — и кино — боевик — прошли с таким успехом, что второе официальное свидание было назначено на следующий понедельник. Из-за плотных рабочих графиков Эмма с Джеком не могли встретиться раньше, но обменялись несколькими поддразнивающими электронными посланиями и втиснули в свое расписание то, что назвали дружеским сексом по телефону.

Эмма никак не могла решить, чего больше в их нынешних отношениях — секса или дружбы, но чувствовала, что вдвоем они смогут найти счастливое равновесие. Она уже почти подготовилась к вечернему выходу, когда снизу ее окликнула Паркер.

— Сейчас спускаюсь, — отозвалась Эмма. — Цветы для тебя в мастерской, в конической вазе, правда, я так и не поняла, почему ты должна смотреть, как делают банты шафера.

— МН просила заехать и быстренько проверить, все ли правильно. Поэтому я заеду и проверю. Это не займет много времени.

— Я могла бы выручить тебя и заскочить к ним по дороге, но задержалась с последней консультацией. — Эмма сбежала с лестницы, остановилась и покрутилась перед Паркер. — Как я выгляжу?

— Ослепительно. Иначе и быть не может.

Эмма рассмеялась.

— Потому что я подколола волосы, верно? Непринужденно и как будто в любую минуту они могут рассыпаться?

— Неотразимо. Как и платье. Этот насыщенный красный цвет очень тебе идет. И тренировки тоже сделали свое дело.

— О, вот она, ложка дегтя. Теперь мне придется продолжать. Как ты думаешь, жакет или шаль? — Эмма протянула подруге и то и другое.

— А куда ты собралась?

— На вернисаж. Местная художница, модернистка.

— Шаль артистичнее. А ты умница, Эм.

— Неужели?

— Большинство гостей будет в черном, и красное платье выделит тебя из толпы. Ты должна давать мастер-классы.

— Если все равно наряжаться, то почему бы не так, чтобы тебя заметили? А что скажешь о туфлях?

Паркер опустила взгляд на босоножки на высоких шпильках с сексуальными завязками вокруг лодыжек.

— Потрясающе. Ни один обладатель игрек-хромосомы даже не взглянет на картины.

— У меня на уме только одна игрек-хромосома.

— Эмма, ты выглядишь счастливой.

— Это нетрудно, ведь я счастлива. Я встречаюсь с интересным мужчиной, который легко может меня рассмешить, от которого у меня бегают мурашки по коже, который действительно слушает то, что я говорю, и который так хорошо меня знает, что мне совершенно не нужно притворяться. И с ним то же самое. Я знаю, что он веселый, остроумный, не боится работы, ценит друзей, обожает спорт. И... ну, все, что знаешь о человеке, когда он рядом двенадцать лет. — Эмма прошла в мастерскую. — Некоторые думают, что самое интересное и возбуждающее — узнавать друг друга, но это не так. Что-то новое всегда найдется, зато как чудесно, когда хорошо знаешь человека, хорошо его понимаешь. Джек возбуждает меня, и в то же время мне с ним уютно... Я подобрала тебе розовые тюльпаны и мини-ирисы.

— Да, идеальное сочетание.

— Хочешь, я добавлю лизиантусы?

— Нет, так чудесно. И очень правильно. Эмма... — начала Паркер, глядя, как Эмма перевязывает цветы белой лентой и заворачивает их в прозрачную бумагу. — Хоть один из вас понимает, что ты его любишь?

— Что? Нет. Я ничего подобного не говорила... Ну, разумеется, я люблю Джека. Мы все любим Джека.

— Мы все не надеваем красное платье и сексуальные туфли, чтобы провести с ним вечер.

— А, ну, просто... я же иду на свидание.

— Не просто на свидание, Эм. Ты идешь с Джеком. Ты спишь с Джеком. Конечно, ты и раньше встречалась с парнями, но я только что слушала тебя, я видела твое лицо. И, милая, я знаю тебя. Ты влюблена.

— Зачем ты все это сказала? — расстроилась Эмма. — Теперь я совсем запутаюсь, и все осложнится, и мне будет неловко.

Паркер вопросительно выгнула брови, склонила голову к плечу.

— С каких это пор влюбленность все запутывает и осложняет?

— С Джека. Меня устраивает все как есть. Даже больше, чем устраивает. У меня потрясающие отношения с потрясающим мужчиной, и я... Я не жду никаких других, потому что с Джеком это невозможно. Он не из тех, кто думает о том, что будет через пять лет. Или даже через пять недель. Для него существует только... сейчас.

— Знаешь, меня удивляет, что и ты, и Дел, самый близкий ему человек, так мало ему доверяетс.

— Вовсе нет. Просто именно в этой области Джек не ищет... постоянства.

— А ты?

— Я наслаждаюсь моментом. — Эмма решительно тряхнула головой. — Я не собираюсь в него влюбляться, потому что мы оба знаем: как только это произойдет, я начну романтизировать и его, и нас, и наши отношения и мечтать, чтобы он... — Она умолкла, прижав ладони к животу. — Паркер, со мной уже случалось, когда в меня влюблялись, а я нет. Это так же ужасно для того, кто влюблен, как и для другого... Нет, нет. Я этого не допущу. Мы только начали встречаться. Я не допущу ничего подобного.

— Хорошо, успокойся. — Паркер погладила плечо Эммы. — Если ты счастлива, я тоже счастлива.

— Я счастлива.

— Ну и хорошо. Я побегу. Спасибо за цветы.

— Всегда пожалуйста.

— До завтра, Эм. Очередная консультация по свадьбе Симан.

— У меня записано. Они хотят обойти сады, чтобы определиться со своими пожеланиями к следующему апрелю. Я наполню пару вазонов гортензиями «Никко блю» из оранжереи. Они пышные и наверняка понравятся. И я приберегла еще парочку сюрпризов, — добавила Эмма, провожая Паркер до двери.

— Как всегда. Желаю хорошо провести вечер.

— Я постараюсь.

Эмма прижалась спиной к закрытой двери. Можно одурачить себя, можно одурачить Джека, но ей никогда не удавалось одурачить Паркер. «Разумеется, я люблю Джека, возможно, уже много лет, и просто убедила себя в том, что это похоть. И похоть-то в данном случае ужасна, но любовь? Смертельна».

Эмма точно знала, чего ждет от любви, она хотела любить всем сердцем, душой и телом, она хотела любить вечно. Она хотела любить день за днем, ночь за ночью, год за годом. Она хотела дом, семью, споры и примирения, взаимную поддержку, секс — все. Она всегда знала, чего хочет от партнера, любовника, отца своих детей.

Но почему Джек? Почему, когда она наконец почувствовала то, о чем мечтала всю жизнь, это случилось с мужчиной, которого она так хорошо знает? Она знает, что он больше всего ценит свою свободу, свое личное пространство и что считает брак заранее проигранным сражением.

Она все это знала и все равно влюбилась. А если бы Джек узнал или догадался о ее чувствах? Как бы он отреагировал? Пришел бы в ужас? Нет, вряд ли. Он встревожился бы, стал бы ее жалеть... что еще хуже. И осторожно, вежливо отступил бы. Какое унижение!

Только незачем ему знать. Она этого не допустит, а следовательно, никаких проблем. Она управляется с мужчинами так же ловко, как с цветами. Прежде, если отношения начинали причинять боль вместо удовольствия, именно она всегда умела первой прекратить их и двигаться дальше.

Горло пересохло и даже слегка саднило. Эмма оттолкнулась от двери, прошла в кухню, чтобы выпить воды. Ничего, и на этот раз она справится и, когда придет время, сможет пойти дальше. Зачем мучить себя, пока они еще вместе?

Или... заставить Джека влюбиться? Если она может удержать мужчину от влюбленности или, наоборот, помочь ему разлюбить ее в том случае, если он вдруг решил, что влюблен... то неужели она не сможет сделать так, что мужчина ее полюбит?

— Стоп, я совсем запуталась! — пробормотала Эмма. Она сделала глубокий вдох, отпила воды. — Если я заставлю его влюбиться в меня, будет ли это настоящим чувством? Боже, я больше не могу об этом думать. Я иду на вернисаж. Все. Точка.

Услышав стук в дверь, она вздохнула с облегчением. Появилась причина перестать думать и волноваться. Они поедут на вернисаж. Они будут наслаждаться друг другом. И пусть все идет своим чередом.

# 12

Даже удовлетворению нелегко вытеснить волнение, поняла Эмма, когда, открыв Джеку дверь, увидела в его глазах восхищение, коего и добивалась.

— Я потрясен, — сказал он. — Мне необходим момент тишины, чтобы собраться с мыслями и выразить благодарность.

Эмма улыбнулась ему медленно, соблазнительно.

— Выслушаю с удовольствием. Хочешь зайти?

Джек переступил порог, глядя ей в глаза, провел кончиками пальцев по ее плечам.

— Я как раз думал о том, как войду и заставлю тебя забыть о выставке.

— О нет. — Эмма слегка оттолкнула его, вручила ему шаль и повернулась спиной, чтобы он накинул шаль ей на плечи. — Ты обещал мне странные картины, паршивое вино и непропеченные канапе.

— И все же мы могли бы войти. — Джек наклонился, провел губами по ее шее. — Я нарисую эротические картинки, мы будем пить хорошее вино и закажем пиццу.

— Богатый выбор, — сказала Эмма, когда они уже шли к его машине. — Художественная выставка сейчас, эротические картинки позже.

— Как скажешь. — Прежде чем открыть дверцу, Джек притянул Эмму к себе и пылко поцеловал. — Мне нравится, как ты выглядишь, то есть ты выглядишь потрясающе.

— Так и было задумано. — Она провела ладонью по темно-серому свитеру, который он надел под кожаную куртку. — А мне нравится, как выглядишь ты, Джек.

— Раз уж мы так хорошо выглядим, думаю, надо дать возможность и другим полюбоваться. — Сев за руль, Джек непринужденно улыбнулся. — Как прошли выходные?

— Без единой свободной минутки, как и предполагалось. И успешно, поскольку Паркер уговорила субботних клиентов заказать шатры и, когда пошел дождь, никто не промок. К тому же мы собрали все свечи, что у нас были, и мой неприкосновенный запас цветов, и, пока дождь барабанил по крышам, гости наслаждались мягким светом и чудесными ароматами. Получилось очень мило.

— Я все размышлял, как вы выйдете из положения. Я в субботу днем был на новой стройплощадке, и у нас не получилось. Я имею в виду остаться сухими.

— А я люблю весенние дожди. Их звуки, их ароматы. Не все невесты со мной согласились бы, но субботняя была счастлива. А как прошел Покерный Вечер?

Джек нахмурился, упрямо глядя в темноту, прорезанную светом фар его машины.

— Не хочу об этом говорить.

Эмма расхохоталась.

— Я слышала, что Картер вас обчистил.

— Парень задурил нам головы своим «Я неважный игрок» и открытым честным лицом. Он шулер.

— О да, Картер настоящий шулер.

— Ты не играла с ним в карты. Поверь мне.

— А ты просто жалкий неудачник.

— К сожалению, и это правда.

Веселясь от души, Эмма откинулась на спинку сиденья.

— Итак, расскажи мне немного об этой художнице.

— А... да, наверное, надо это сделать. — Джек умолк, забарабанил пальцами по рулю. — Подруга клиента. Кажется, я упоминал.

— Упоминал. — Вообще-то Эмма имела в виду картины, но уловила в его тоне достаточно, чтобы уточнить:

— И твоя подруга?

— Вроде того. Мы встречались пару раз. Несколько раз. Да, возможно, несколько.

— Понимаю. — Несмотря на вспыхнувший интерес, Эмме удалось сохранить непринужденный тон. — Значит, она твоя бывшая.

— Не совсем. Мы не... Ну, мы встречались несколько недель. Больше года тому назад. Даже ближе к двум. Просто мимолетный роман. Было и прошло.

Его смущение показалось Эмме занятным и очень милым.

— Джек, если тебе кажется, что ты ступил на зыбкую почву, успокойся. Я подозревала, что ты спал с другими женщинами.

— Это правда. Спал. И Келли — одна из них. Она... э... интересная.

— И артистичная.

Уголки его губ дернулись.

— Сама увидишь.

— Так почему вы расстались, или это бестактный вопрос?

— Наши отношения стали меня напрягать. Она оказалась эксцентричной и напористой.

— Требовала слишком много внимания? — довольно холодно переспросила Эмма.

— Требовала — правильное слово. В общем, мы расстались.

— Однако вы расстались друзьями.

— Не совсем. Но пару месяцев назад мы случайно столкнулись и поговорили вполне нормально. Она пригласила меня на открытие своей выставки, и я решил, что никто не пострадает, если я загляну. Тем более с тобой. Ты ведь меня защитишь?

— И часто ты нуждаешься в защите от женщин?

— Непрерывно.

Хм, ему опять удалось развеселить ее. Эмма погладила его руку, державшую руль.

— Не волнуйся. Я не дам тебя в обиду.

Они оставили автомобиль на стоянке и пошли к галерее пешком. Эмма с удовольствием вдыхала прохладный весенний воздух, напоенный ароматом роз и красного соуса. Легкий ветерок теребил концы ее шали. Магазинчики, по которым Эмма так любила бродить, уже закрылись, но в кафе и закусочных было полно посетителей. Некоторые даже бросили вызов холоду и устроились за уличными столиками с мерцающими свечами.

— Знаешь, что я еще для тебя не делала? — спросила Эмма.

— Я составил список, но, пожалуй, над самыми интересными пунктами еще придется поработать.

Эмма пихнула его локтем.

— Кук. Я хорошая повариха, когда выпадает свободное время. Я попробую соблазнить тебя собственноручно приготовленным фахитас.

— В любое время, в любом месте. — Джек остановился перед галереей. — Мы пришли. Ты уверена, что не хочешь для меня стряпать сейчас?

— Сейчас искусство, — сказала Эмма и шмыгнула мимо него внутрь.

Нет, не искусство было ее первой мыслью. В глаза сразу бросилась небольшая толпа, напряженно рассматривающая огромное белое полотно с единственной широкой, размытой черной линией в центре.

— Это след автомобильной шины? Единственная шина на белой дороге или разделение... чего-то? — тихо спросила она Джека.

— Это черная линия на белом фоне. И мы срочно должны выпить, — решил он.

— Ммм-хмм.

Джек отправился на поиски алкоголя, а Эмма — знакомиться с выставкой. Она изучила полотно с разорванной черной цепью и подписью *Свобода* и еще одно, щеголявшее россыпью черных точек, которые при ближайшем рассмотрении оказались строчными буковками.

— Захватывающе, не правда ли? — восхитился мужчина в темных роговых очках и черной водолазке, неожиданно оказавшийся рядом с Эммой. — Экспрессия хаоса.

— Угу, — пробормотала Эмма.

— Минималистский подход к страсти и смятению. Блестяще. Я мог бы изучать эту картину часами и каждый раз видеть что-то новое.

— В зависимости от расположения букв.

Мужчина ослепительно улыбнулся.

— Вот именно! Я Джаспер.

— Эмма.

— Вы видели «*Роды*»?

— Своими глазами нет.

— Я уверен, это ее лучшая работа. Висит вон там. Хотелось бы узнать ваше мнение. — Жестикулируя, Джаспер коснулся ее локтя, но не нечаянно, как Эмма точно знала, а проверяя ее реакцию. — Позволите принести вам вина?

— Вообще-то... у меня уже есть, — сказала Эмма, беря бокал у подоспевшего Джека. — Джек, познакомься, Джаспер. Мы восхищались... — она наконец нашла название, — «*Вавилоном*».

— Смешение языков, — предположил Джек, протягивая Эмме бокал и по-хозяйски обнимая ее за плечи.

— Да, конечно. Прошу меня извинить, — пробормотал Джаспер и поспешил их покинуть.

— Бедняга, его мечты разбиты. — Джек с умным видом уставился на картину, потягивая не просто плохое, а очень плохое вино. — Похоже на магнит для холодильника.

— Слава богу. А я уж испугалась, что ты действительно что-то увидел.

— Или кто-то с перепугу рассыпал Скрабл.

— Прекрати. — Эмма уже еле сдерживала смех. —

Джаспер считает это блестящим образцом минималистского хаоса.

— Ну, он знаток искусства. Почему бы нам просто не...

— Джек!

Эмма обернулась. Раскинув руки, громыхая дюжиной массивных серебряных браслетов, сквозь толпу продиралась высокая огненно-рыжая девица. Бесконечные ноги в черных колготках, обтягивающее черное платье на тощем теле, пышная грудь, чуть ли не выплескивающаяся из глубокого круглого декольте. Обхватывая Джека и впиваясь в его губы своими, кроваво-красными, девица чуть не сбила Эмму с ног, и Эмма едва успела перехватить бокал Джека.

— Я знала, что ты придешь, — басовито прохрипела, словно прорыдала, девица. — Ты даже не представляешь, как много это для меня значит. Это невозможно представить.

— А-а, — ошеломленно протянул Джек.

— Большинство этих людей... они меня не *знают*. Они не были *во* мне.

Боже. Боже милостивый.

— Ладно. Подожди... — Джек попытался выпутаться из ее объятий, но ее руки, как удавка, еще крепче обхватили его шею. — Я просто хотел заглянуть и поздравить. Позволь представить тебе... Келли, ты перекрыла мне кислород.

— Я *скучала* по тебе. Этот вечер так много значил для меня, но теперь он значит намного больше. — Театральные слезы заблестели в ее глазах; губы задрожали от избытка чувств. — Я знаю, что теперь, когда ты здесь, я смогу пережить этот вечер, этот стресс, эти *ожидания*. О, Джек, Джек, не покидай меня. Не отходи от меня.

«Еще немного, и я действительно окажусь в ней», — подумал Джек, в отчаянии хватая Келли за запястья и пытаясь оторвать ее руки от своей шеи.

— Келли, познакомься, это Эммелин. Эмма...

— Очень рада познакомиться. — С преувеличенным энтузиазмом Эмма протянула руку. — Должно быть, вы...

Келли отшатнулась, словно ее ударили ножом, но тут же опомнилась и набросилась на Джека:

— Как ты посмел! Как ты мог? Как ты мог привести ее сюда и швырнуть мне в лицо? Ублюдок! — Откричавшись, Келли умчалась прочь, расталкивая оцепеневших зрителей.

— Ну, славно повеселились. Пошли отсюда. — Джек схватил Эмму за руку и поволок к двери. — Ошибка. Большая ошибка, — признал он, глотнув свежего воздуха, и потащил Эмму дальше по улице. — Похоже, она проткнула мне миндалины языком. Ты меня не защитила.

— Я подвела тебя. Мне так стыдно.

Джек прищурился.

— По-твоему, это было смешно?

— Я тоже стерва. Бессердечная стерва. Позор мне. — Эмма остановилась и, не в силах больше сдерживаться, расхохоталась. — Господи, Джек. О чем ты думал?

— Когда женщина протыкает мужчине миндалины языком, он перестает думать. А еще она умеет... И я чуть не сказал это вслух. — Джек пригладил ладонью волосы, внимательно посмотрел на сияющее лицо Эммы. — Мы слишком долго были друзьями. Это опасно.

— Как друг, я угощу тебя выпивкой. Ты заслужил. — Эмма взяла его за руку. — Я не поверила, когда ты назвал ее напористой и все такое. Я решила, что ты просто парень, который терпеть не может обязательств. Но *напористая* — слишком мягкое слово для нее. К тому же ее художества смехотворны. Ей следовало бы встречаться с Джаспером. Он ею восхищается.

— Давай поищем выпивку в другом конце города, — предложил Джек. — Мне не хотелось бы снова с ней столкнуться. — Он открыл Эмме дверцу машины. — А ты совсем не смутилась.

— Естественно. У меня высокий порог смущения. Если бы в ней была хоть капелька искренности, я бы ее пожалела, но она насквозь фальшивая, как и ее искусство. И, возможно, такая же странная.

Джек обдумывал услышанное, пока обходил капот и садился за руль.

— Почему ты это сказала? Что она фальшивая?

— Келли устроила спектакль и сыграла главную роль. Может, она и испытывает какие-то чувства к тебе, но себя она любит гораздо больше. И она видела меня еще до того, как прыгнула на тебя. Она устроила это шоу, прекрасно зная, что ты пришел не один.

— Нарочно сделала из себя посмешище? Как такое вообще может прийти в голову?

— Дело не в этом. Она уже была на взводе и

подзарядилась еще больше. — Эмма перехватила его озадаченный взгляд. — Мужчинам не понять, верно? А это так интересно. Джек, она была звездой своей романтической трагедии, и она наслаждалась каждой секундой. Держу пари, благодаря этому представлению она продаст сегодня больше чепухи, которую называет искусством.

Следующие несколько минут Джек молча крутил руль.

— Твое самолюбие сильно пострадало? — нарушила молчание Эмма.

— Царапина. Поверхностная. Я размышляю, не подал ли ей ложный сигнал, не спровоцировал ли ее. — Джек пожал плечами. — Может, я действительно заслужил это захватывающее шоу и царапину.

— Переживешь, но лучше держись от нее подальше. Итак... хочешь познакомить меня с другими своими бывшими?

— Ни в коем случае. — Джек повернул к ней голову, и в свете уличных огней его волосы вспыхнули золотыми и бронзовыми искрами. — Но я должен сказать, что по большей части женщины, с которыми я встречался, не были чокнутыми.

— Это хорошо тебя характеризует.

Они нашли маленький ресторанчик и заказали одну порцию фетучини Альфредо на двоих.

Джеку вдруг пришло в голову, что рядом с Эммой он полностью расслабляется. Странно, он всегда считал себя человеком спокойным, не подверженным стрессам, но одно присутствие Эммы, разговоры с ней о чем угодно загоняли любую его проблему, любую тревогу в самые дальние уголки мозга.

Еще более странным казалось то, что женщина одновременно умиротворяет и возбуждает его. Он не мог припомнить, чтобы испытывал подобную комбинацию чувств рядом с любой другой женщиной.

— Как случилось, что за все годы нашего знакомства ты никогда не готовила мне еду? — спросил он.

Эмма намотала на вилку одну-единственную макаронину.

— Как случилось, что за все годы нашего знакомства ты никогда не затаскивал меня в постель?

— Ага. Значит, ты стряпаешь для мужчин, только когда получаешь секс.

— Правильно выбранная стратегия. — Эмма улыбалась, в ее глазах танцевали смешинки, зубы пощипывали макаронину. — Готовить так хлопотно. Должна же я получить вознаграждение.

— Как насчет завтра? Вознаграждение гарантировано.

— Не сомневаюсь, но завтра не получится. Я не успею купить все ингредиенты, а я очень серьезно отношусь к стряпне. Среда слишком плотно забита, но...

— В среду вечером я занят.

— Хорошо, в любом случае следующая неделя удобнее. Я не Паркер и не держу в голове расписание, а в руке «BlackBerry», но думаю... Ой. Чинко ди Майо. Скоро пятое мая. Важный семейный праздник. Ты же помнишь, ты приходил раньше.

— Самая грандиозная вечеринка года.

— Фамильная традиция Грантов. А что касается ужина, я сверюсь с ежедневником, тогда и договоримся. — Эмма откинулась на спинку стула с бокалом в руке. — Надо же, скоро май. Самый лучший месяц.

— Для свадеб?

— И для свадеб, и вообще. Азалии, пионы, лилии, глицинии. Все просыпается и расцветает. И можно высаживать некоторые однолетники. Миссис Грейди начинает копаться в своем огородике. Май — это начало и возвращение. А у тебя какой любимый месяц?

— Июль. Выходные на пляже — солнце, песок, серфинг. Бейсбол. Длинные дни, дымящийся гриль.

— Ммм, тоже хорошо. Очень хорошо. Запах свежескошенной травы.

— Мне не приходится косить траву.

— Городской парень.

— Мой жизненный удел.

Перебрасываясь словами, они лениво ковыряли спагетти. Вокруг, не нарушая их уединения, жужжали разговоры.

— Ты когда-нибудь хотел жить в Нью-Йорке? — спросила Эмма.

— Обдумывал этот вариант, но мне нравится здесь. Жить, работать. И достаточно близко от Нью-Йорка, чтобы попасть на любой матч: «Янкис», «Никс», «Джайентс», «Рейнджерс» — все под боком.

— Ходят слухи, что в Нью-Йорке еще есть балет, опера, театр.

— Неужели? — Джек с преувеличенным изумлением вытаращил глаза. — Фантастика.

— Джек, ты настоящий мужчина.

— Виновен.

— Как ни странно, но я никогда тебя не спрашивала, почему ты выбрал архитектуру.

— Моя мать уверяет, что я еще в два года начал строить дома. Наверное, не переболел. Люблю придумывать, как организовать пространство или изменить уже построенное здание. Как лучше его использовать? Для жизни, работы, игры? А что будет вокруг? Какие материалы в данном случае самые лучшие, самые интересные или практичные? Что представляет собой клиент, чего он хочет на самом деле? В какой-то степени это не очень сильно отличается от того, что делаешь ты.

— Только твои творения живут дольше.

— Должен признаться, что с болью в сердце наблюдал бы, как мое творение вянет и умирает. Тебя это не тревожит?

Эмма отщипнула крохотный кусочек хлеба.

— Я думаю, в быстротечности есть что-то притягательное. Она делает творение более ценным, более личным. Цветок распускается, и ты думаешь: ах, какая красота. Или создаешь букет и думаешь: ах, великолепно. Я не уверена, воспринимали бы мы эту красоту столь же остро, если бы не знали, что она скоро исчезнет. Здание должно стоять вечно; сады вокруг него должны меняться.

— Ты не думала заняться ландшафтным дизайном?

— Наверное, еще мимолетнее, чем ты рассматривал Нью-Йорк. Мне нравится работать в саду, на свежем воздухе, на солнце, высаживать растения и наблюдать, как они расцветут через год или весной, или летом. Однако каждый раз, как приходит заказ от моего поставщика, мне кажется, что я получила коробку с новыми игрушками. — Ее лицо приняло мечтательное выражение. — И каждый раз, как я вручаю невесте ее букет, вижу ее реакцию или замечаю, какими глазами гости на свадьбе смотрят на цветочные композиции, я думаю: это сделала я. И даже если такие композиции уже были, они никогда не получаются идентичными. Поэтому каждый раз все в новинку.

— А новое не может наскучить. До знакомства с тобой я считал, что флористы в основном просто втыкают цветы в вазы.

— До знакомства с тобой я считала, что архитекторы в основном чертят за кульманами. Видишь, как много нового мы узнали.

— Несколько недель назад я и представить не мог, что мы будем сидеть вот так. — Джек положил ладонь на ее сложенные руки, легко погладил, глядя ей прямо в глаза. — И что еще до конца вечера я узнаю, что скрывает это потрясающее платье.

— Несколько недель назад... — Эмма сбросила туфлю и под столом медленно провела ступней по его ноге. — Я и представить не могла, что надену это платье только для того, чтобы ты снял его с меня. Вот почему... — Эмма придвинулась к Джеку, в ее глазах замерцали золотистые отблески свечей, а губы почти коснулись его губ, — ... под ним ничего нет.

Джек еще пару секунд в упор смотрел в ее глаза, ласковые и озорные, затем вскинул свободную руку:

— Счет!

Он должен был сосредоточиться на вождении, тем более что пытался побить рекорд скорости на равнинных трассах. Эмма сводила его с ума с того момента, как откинула пассажирское сиденье, как скрестила потрясающие голые ноги так, что платье соблазнительно заскользило вверх по бедрам. А потом она наклонилась вперед — о да, он точно знал, что нарочно, — и, на секунду рискнув отвести взгляд от дороги, он был вознагражден восхитительным видом ее грудей на фоне сексуальной красной ткани.

Эмма покрутила ручки радиоприемника, повернула голову, соблазнительно улыбнулась, распрямилась и снова скрестила ноги, а подол платья скользнул повыше на полдюйма. Джек захлопнул отвисшую челюсть, испугавшись, что вот-вот у него потекут слюни.

Из мелодии, которую нашла Эмма, он слышал только басы. Ритмично пульсирующие басы. Остальное воспринималось статичным белым шумом.

— Ты рискуешь нашими жизнями, — предупредил он, но Эмма только рассмеялась.

— Я могла бы увеличить риск. Я могла бы сказать, чего жду от тебя. Как безумно хочу быть с тобой. У меня сейчас такое настроение, что я хочу подчиняться, хочу, чтобы ты делал со мной все, что пожелаешь. Джек, еще несколько недель назад ты мог представить, что сможешь обладать мной? Делать со мной все, что захочешь?

— С того самого утра, как увидел тебя на пляже. Только я представлял, как ночью тяну тебя в воду. Я представлял вкус твоей кожи, подсоленной морской водой. Я представлял твои груди в своих ладонях, под своими губами, представлял, как волны накрывают нас. Я овладевал тобой на мокром песке и отступал, только когда у тебя оставалось сил ровно столько, чтобы прошептать мое имя.

— Долго же ты мечтал, — произнесла она чуть охрипшим голосом. — Но я знаю одно: мы действительно должны вернуться на пляж.

Смех должен был немного уменьшить боль, но лишь усилил ее. Еще одно, происходящее с ним впервые, решил Джек, — женщина, которая заставляет его смеяться и в то же время испытывать страстное желание.

Не снижая скорости, Джек свернул на аллею поместья Браунов. На третьем этаже в обоих крыльях главного дома и в студии Мак горел свет. Эмма оставила немного света в доме, и над ее крыльцом горел фонарь.

Джек отстегнул ремень безопасности в ту же секунду, как нажал на тормоза. Не успела Эмма освободиться от своего ремня, как Джек развернулся и стал жадно целовать ее губы, гладить ее соблазнительные ноги.

Эмма чуть прикусила его язык — мимолетная эротическая ловушка — и стала судорожно расстегивать молнию на его брюках. Джек сдернул платье с одного ее плеча и тут же ударился коленом о рычаг переключения передач.

— Ух! — вскрикнула за него Эмма и захихикала. — Придется дополнить налокотники наколенниками.

— Чертова машина слишком мала. Бежим в дом, пока целы.

Она схватила его за куртку, дернула к себе, чтобы поцеловать еще раз.

— Скорее.

Они выскочили из машины каждый со своей стороны, метнулись друг к другу и столкнулись со сдавленным смехом, с отчаянным стоном. И снова впились друг в друга губами. И не в силах разорвать контакт, пошатываясь и спотыкаясь, словно в безумном танце закружились к дому. А когда они добрались до крыльца, Эмма толкнула Джека на дверь и снова набросилась на него, отрываясь лишь на секунды, чтобы сдернуть с него куртку, сорвать свитер. В какой-то момент она изловчилась и цапнула зубами его подбородок, выдернула ремень из его брюк и отбросила вслед за свитером.

Джек наконец нашарил за спиной дверную ручку, и они оба ввалились внутрь. Теперь он толкнул Эмму на дверь, одной рукой схватил ее руки в замок и поднял над головой, а другой вздернул подол платья. И нашел ее. Уже распаленную, уже жаждущую его. И вонзился в нее. Она задохнулась и закричала, содрогаясь в сильном и быстром оргазме.

— Сдаешься? — прохрипел Джек.

Она судорожно дышала, дрожала, но не отвела взгляд.

— Никогда.

Джек снова довел ее до оргазма, сокрушая ее тело руками, губами. Она уже не могла ни стонать, ни кричать. Кожа вспыхнула, когда Джек сдернул платье до талии, освободив ее груди, и стал целовать их. Он давал ей все, что она хотела, больше, чем могла представить. Он был требовательным и безжалостным, он был абсолютным властелином ее тела. Думал ли он об этом? Знал ли? Догадывался?

Сейчас ей было достаточно желать так сильно и быть так безмерно желанной. Эмма оперлась спиной о дверь, закинула ногу на его талию, прижалась к нему.

— Я хочу больше.

У Джека закружилась голова. Его будто затянуло в омут по имени Эмма. Ее лицо, ее тело, ее рассыпавшиеся волосы, вкус ее кожи, ее аромат окутали его. И в новом приступе безумия он вонзился в нее и не смог остановиться, пока она не прошептала его имя.

Освобождение было бурным и восхитительным. Джек не был уверен, что держится на ногах, и подумал, что вряд ли его сердце когда-нибудь забьется в прежнем ритме. Оно все еще бешено колотилось в груди, не давая свободно вздохнуть.

— Мы еще живы? — с трудом выдавил он.

— Я... я не думала, что можно чувствовать себя так, будто меня уже нет. Вся моя жизнь пронеслась перед глазами в одно мгновенье.

— А я там был?

— В каждой сцене.

Он подарил себе еще минуту и отстранился. И заметил, что действительно устоял. Как и она... раскрасневшаяся, сияющая и голая, если не считать пары сексуальных босоножек на высоченных шпильках.

— Боже, Эмма, ты... Нет слов. — Он не смог удержаться и снова коснулся ее, на этот раз почти благоговейно. — Мы так и не добрались до спальни.

— Хорошо. — Когда он обхватил ее бедра, она повисла на нем и обвила его талию обеими ногами. — Ты сможешь донести меня хотя бы до дивана?

— Я могу попытаться. — Он донес ее, и они, сплетенные, рухнули на диван.


Два часа спустя, наконец добравшись до спальни, они заснули, обнявшись, не отпуская друг друга.

Эмме снился сон, и в ее сне они танцевали в саду, освещенном луной. Весенний воздух благоухал розами. Лунный свет серебрил цветы, распустившиеся повсюду. Обнявшись, они скользили и кружились. Джек поднес их сплетенные пальцы к своим губам и поцеловал.

И когда она подняла глаза, когда улыбнулась ему, то увидела в его глазах слова еще до того, как он произнес их:

— Я люблю тебя, Эмма.

И во сне ее сердце расцвело, как цветок.

# 13

Готовясь к консультации с Симанами, Эмма наполнила вазоны портика пышными гортензиями. Насыщенный голубой цвет, несколько театральный и романтический, прекрасно контрастировал с окружающей природой и приковывал к себе внимание. Поскольку невеста выбрала голубые и персиковые цвета, Эмма надеялась, что не ошиблась и гортензии создадут необходимое настроение.

Тихонько напевая, Эмма вернулась к фургону и начала выгружать горшки с белыми тюльпанами — любимыми цветами невесты, — которые собиралась расставить по краям ступенек. Образ более нежный, чем интенсивный голубой, более мягкий, более изысканный. Очаровательное смешение форм, стиля, текстур. Будет очень элегантно, очень стильно... Эмма склонилась между вазонами с полными руками тюльпанов.

— Эм! — Эмма обернулась, и Мак — уже в ярко-зеленом, как ее глаза, деловом костюме — щелкнула затвором фотоаппарата. — Отлично выглядишь!

— Цветы отлично выглядят, а мне еще надо

привести себя в порядок. Наш самый важный клиент достоин самой тщательной подготовки. — Эмма поставила горшки и выпрямилась. — Во всем.

— У тебя осталось не так уж много времени.

— Я почти закончила. Это последнее. — Довольная проделанной работой, Эмма с наслаждением вдохнула аромат цветов. — Боже! Какой чудесный день!

— Что-то ты сегодня очень жизнерадостная.

— У меня вчера было отличное свидание. — Эмма отступила, чтобы окинуть взглядом портик, и подхватила Мак под руку. — Было все: комедия, драма, разговоры, секс. Я чувствую себя... полной энергии.

— И у тебя блестят глаза.

— Может быть. — Эмма на секунду положила голову на плечо подруги. — Я понимаю, что это случилось слишком быстро, и мы еще не обсуждали — даже не намекали на серьезные отношения, но... Мак, ты же знаешь мои фантазии. Как я всегда мечтала о лунной ночи, о звездах...

— О танце в саду. — Мак обняла Эмму за талию. — Конечно, знаю, с самого детства.

— Мне это снилось сегодня ночью. С Джеком. Я танцевала с Джеком. Я знала, с кем танцую, впервые с тех пор, как мне снится этот сон или я представляю этот танец. Тебе не кажется, что это что-то значит?

— Ты влюблена.

— То же самое сказала Паркер вчера вечером перед моим свиданием, и я все отрицала: нет, нет и нет, я не влюблена. Но, разумеется, как обычно, она оказалась права. Я чокнулась?

— Кто сказал, что любовь разумна? Ты уже влюблялась.

— Да, вроде того, — согласилась Эмма. — Хотела влюбиться, надеялась, что влюблена. Однако теперь, когда влюбилась, это гораздо больше того, что я представляла. А представляла я немало. — Эмма отошла в сторонку и покружилась. — Я счастлива.

— Ты скажешь ему?

— Боже, нет, разумеется. Он испугается. Ты же знаешь Джека.

— Да, — осторожно сказала Мак. — Я знаю Джека.

— Я счастлива, — повторила Эмма, приложив руку к сердцу. — И пока мне достаточно. Он неравнодушен ко мне. Всегда понимаешь, когда мужчина к тебе неравнодушен.

— Да, конечно.

— Поэтому я собираюсь быть счастливой и верить, что он в меня влюбится.

— Эмма, хочешь правду? Я не понимаю, как он может не влюбиться в тебя. Вы так подходите друг другу, это видно невооруженным глазом. Если ты счастлива, я счастлива за тебя.

Однако, хорошо зная подругу, Эмма почувствовала сомнения в ее тоне, в ее словах.

— Ты боишься, что он причинит мне боль. Я чувствую. И у тебя есть основания, мы же знаем Джека. Только, Мак, ты ведь не хотела влюбляться в Картера.

— Ты меня подловила. — Мак с улыбкой провела кончиками пальцев по растрепавшимся локонам Эммы. — Не хотела, но влюбилась, поэтому должна отбросить цинизм.

— Хорошо. И хватит разговоров, мне пора перевоплотиться в профессионала. Пожалуйста, передай Паркер, что я все сделала и вернусь через двадцать минут.

— Договорились, — сказала Мак и, уже не скрывая озабоченности, посмотрела вслед убежавшей подруге.

Час спустя Эмма — в элегантном костюме и туфлях на низких каблуках — показывала свои сады будущей невесте, ее все подмечающей матери и зачарованной сестре матери.

— Вы видите все, что будет цвести следующей весной, и, разумеется, этого мало, чтобы удовлетворить ваши желания.

— Они и слышать не хотят о мае или июне, — пробормотала Кэтрин Симан.

— Мама, только не начинай опять, — взмолилась Джессика.

— Зато это лучшее время для тюльпанов, которые, как я знаю, вы любите, — обратилась Эмма к Джессике. — Этой осенью мы посадим побольше — целое море — белых и персиковых тюльпанов и голубые гиацинты. И дополним их персиковыми розами, дельфиниумом, водосбором, левкоями и гортензиями в белых контейнерах. Все в выбранных вами тонах, разбавленное белым. А здесь я планирую поставить решетку, увитую розами. — Эмма улыбнулась Кэтрин. — Обещаю вам, получится сказочный сад, и такой пышный и романтичный, какой вы только можете пожелать для свадьбы своей дочери.

— Ну, я видела вашу работу, так что доверяю вашему слову. — Кэтрин кивнула Мак. — Предсвадебные фотографии были именно такими, как вы обещали.

— Очень помогает, когда модели прекрасны и безумно влюблены друг в друга, — не поскупилась на комплимент Мак, правда, вполне искренний.

— Мы прекрасно провели время. — Джессика ослепительно улыбнулась Мак. — И я чувствовала себя сказочной принцессой.

— Ты и выглядела сказочной принцессой, — сказала ее мать. — Хорошо, давайте поговорим о верандах.

— Если вы помните эскизы, которые я показывала на презентации... — начала Эмма, возглавляя процессию, направившуюся к дому, но ее перебила восторженная тетушка Адель:

— Ах, Паркер, я видела вашу работу. Я была здесь на трех свадьбах, и все были проведены изумительно.

— Благодарю вас, — улыбнулась Паркер.

— То, что вы создали здесь, вдохновило меня на планирование чего-то похожего. Мы часть года живем на Ямайке, а многие специально едут туда, чтобы пожениться. Идеальное место для надежной, элитной свадебной фирмы, предоставляющей полный комплекс услуг.

— Адель, ты это серьезно? — удивилась Кэтрин.

— Я изучила ситуацию и настроена более чем серьезно. — Адель снова повернулась к Паркер. — Мой муж скоро выходит на пенсию, и мы планируем проводить в нашем зимнем доме на Ямайке еще больше времени. Я думаю, это было бы отличным вложением средств и очень благодарным и веселым делом. — Адель улыбнулась и подмигнула Эмме. — А если бы я смогла соблазнить вас обещанием неограниченного количества тропических цветов и ласковыми островными бризами, то заложила бы первый камень.

— Соблазнительно, — признала Эмма таким же веселым беззаботным тоном, — но «Цветочная фантазия» «Брачных обетов» занимает все мое время. Если вы не оставите эту затею, я уверена, любая из нас с удовольствием ответит на все ваши вопросы. А теперь посмотрите сюда...

После консультации четыре совершенно вымотанные подруги рухнули на диван в гостиной.

— Боже. — Лорел со стоном вытянула ноги. — Кэтрин ни одной мелочи не упустила. Я чувствую себя так, будто мы провели свадьбу, а не просто ее проговорили. Уже в который раз.

— Если никто не возражает, предлагаю не занимать пятницу и воскресенье до и после этой свадьбы. Ее масштаб более чем скомпенсирует возможные потери от двух свободных дней, а освещение в прессе и молва принесут еще больше. —

Паркер скинула туфли. — Мы на целую неделю сможем сосредоточиться только на этом приеме.

— Слава богу, — с облегчением вздохнула Эмма. — Количество цветов, ландшафтный дизайн, букеты и композиции, гирлянды и фестоны, украшение деревьев. Вы можете все это представить? Мне пришлось бы нанять больше дизайнеров, чем обычно. Однако, имея целую неделю на подготовку одной свадьбы, я смогу обойтись обычной командой. Конечно, если потребуется, можно будет пригласить кого-нибудь уже на оформление, но я предпочитаю сделать как можно больше своими руками и с людьми, которых я знаю.

— Я целиком и полностью согласна с Эммой, — поддержала Лорел. — Торты, десертный бар, шоколад с монограммами — и все очень изысканное и трудоемкое. Свободная от приемов неделя даст мне возможность поспать хоть пару часов в сутки.

— Даже три. — Мак подняла руку. — Они заказали подробную фотосъемку репетиции и репетиционного ужина, так что, если бы в пятницу был прием, пришлось бы нанимать для него фотографа, поскольку я была бы занята с Симанами. А так я возьму в помощь двух фотографов и двух видеооператоров только на саму свадьбу. И свободное воскресенье сохранит жизнь нам и нашим помощникам.

— О, Паркер, и это только первая жертва, которую ты им приносишь.

— Значит, решено. Я сообщу МН, что мы освобождаем целую неделю, чтобы посвятить свадьбе ее дочери все наше время, внимание и таланты. Ей понравится, — подвела итог Паркер.

— Мы ей и так нравимся, — заметила Эмма. — Ей нравится концепция нашей фирмы, основанной и управляемой четырьмя женщинами.

— И ее сестре мы тоже нравимся. Кого еще пронырливая Адель пыталась сманить на Ямайку? — спросила Лорел.

Все четверо дружно подняли руки.

— Она даже не сознает, как это бестактно, — добавила Паркер. — Это наш бизнес. Мы не наемные работники. Мы хозяева.

— Да, бестактно, но вряд ли она хотела кого-то обидеть. — Эмма пожала плечами. — Я предпочитаю чувствовать себя польщенной. Она считает мои цветы сказочными, торты и десерты Лорел — роскошными, координаторские способности Паркер — уникальными, а Мак поразила всех предсвадебными фотографиями.

— Да, — согласилась Мак, — я это сделала.

Паркер подняла свою бутылку с водой.

— А теперь поздравим друг друга, уделим минуточку восхищению нашими потрясающими талантами и вернемся к работе.

— Ну, если минуточку, я хотела бы поблагодарить Эмму за вчерашнее ночное шоу.

Эмма непонимающе уставилась на Лорел.

— Прости, о чем ты?

— Я случайно вышла вчера на веранду подышать перед сном свежим воздухом и увидела мчащийся по дорожке автомобиль. Сначала я подумала: ой-ой, что-то стряслось. Но нет, все было тихо.

— О боже. — Эмма в ужасе закрыла ладонями глаза. — О боже.

— Поскольку никто не выскочил, истекая кровью, и не вывалился из салона, я собралась бежать вниз и сортировать пострадавших по степени поражения, но не успела. Распахнулись обе дверцы. Из одной вылетела Эмма, из другой — Джек.

— Ты смотрела?

Лорел фыркнула:

— А то!

— Дальше, — потребовала Мак. — Мы должны знать все.

— И узнаете, не сомневайтесь. Они набросились друг на друга, как дикие звери.

— Ой, да... — вспомнила Эмма.

— Потом был классический номер прижимания спиной к двери.

— Как давно меня не прижимали спиной к двери, — мечтательно произнесла Паркер, легким трепетом подчеркивая свои слова. — Очень давно.

— Должна отметить, что, с моей точки зрения, Джек выполнил трюк идеально. Безупречно. Но и наша девочка не ударила в грязь лицом.

— Господи, Лорел, замолчи!

— Она сорвала и отшвырнула его куртку. За курткой последовал его свитер.

— О мой бог, о мой бог, о мой бог! — запричитала Мак.

— Но золотой медали заслуживает фокус с ремнем. Эмма выдергивает его... — Лорел взмахнула рукой, показывая, как это было. — И он со свистом летит прочь.

— Кажется, мне нужна еще одна бутылка воды.

— Очень жаль, Паркс, но остальное они проделали внутри.

— Все удовольствие отравили, — пробормотала Мак.

— Оставив пищу моему... ну, очень пылкому воображению. В общем, я хочу поблагодарить нашу милую Эммелин за прекрасный вид с моего балконного диванчика. Сестра, встань и поклонись благодарной публике.

И Эмма поклонилась под бурные аплодисменты.

— А теперь я оставляю вас и Любопытную Томасину вашим непристойным мыслям и удаляюсь работать, — сказала она и ушла.

— Спиной к парадной двери, — прошептала Паркер. — Хоть и не хочется признаваться, что я пала так низко, но я умираю от зависти.

— Если бы я пала так низко, то позавидовала бы ее прижиманию к чему угодно. Но я спокойна, потому что объявила себе мораторий на секс, — с важным видом сообщила Лорел.

— Мораторий на секс? — Мак изумленно уставилась на подругу.

— Ты не ослышалась. И раз уж у меня мораторий на секс, я могу распространить его на свидания, потому что в последние месяцы свидания меня дико раздражают. — Лорел передернула плечами. — С чего бы это?

— Из-за отсутствия секса? — предположила Мак.

Лорел прищурилась и сердито ткнула пальцем в сторону Мак.

— Ты так говоришь потому, что тебя трахают регулярно.

— Ну да, — согласилась Мак. — Меня трахают регулярно.

— Бестактно хвастаться перед нами регулярным сексом, ведь у нас ничего подобного нет, — упрекнула Паркер.

— Но меня трахают с любовью, — привела Мак очень веский довод, и Лорел не смогла удержаться от смеха.

— А теперь меня от тебя тошнит.

— И не только от меня, во всяком случае, наполовину. Паркс, Эмма сказала, что ты была права. Она влюблена в Джека.

— Естественно, она влюблена в Джека, — подхватила Лорел. — Иначе она бы с ним не спала.

— Хм, Ясноглазка, не хочется лишать тебя иллюзий, но Эмма занималась сексом и с мужчинами, которых не любила. И, — добавила Мак, — она же тактично отказывалась от секса с большим числом мужчин, чем мы все трое, вместе взятые.

— Так я к этому и веду. Что, к примеру, происходит, когда мы, четыре знойные красотки, являемся в клуб? Естественно, без кавалеров мы не остаемся. Но Эмма? Они роятся вокруг нее, как пчелы.

— Я не понимаю...

— Я понимаю. — Паркер кивнула. — Она не станет спать с парнем только потому, что он привлекательный. Она может выбирать, и выбирает тщательно. Она разборчивая, а не распутная. Если бы это была просто похоть, она нашла бы удовлетворение с кем угодно, потому что связываться с Джеком и сложно, и рискованно.

— Вот почему она так долго ждала, прежде чем броситься в омут, — сказала Мак. — Я не понимаю... Ой, понимаю, — поправила она себя. — Черт побери, это отвратительно, Паркс, ты не даешь мне ни шанса найти истину раньше тебя.

— Интересно, что она будет делать теперь, когда поняла то, о чем я ей давно говорила.

— Ей снился ее танец в саду, — сказала Мак. — С Джеком.

— Да, это серьезно, — согласилась Лорел. — Она не просто влюблена, она любит.

— Она все понимает и просто наслаждается моментом.

Все замолчали.

— Я думаю, — после долгой паузы осторожно сказала Паркер, — что любовь не может быть неправильной. И неважно, на мгновение она или на всю жизнь.

— Мы знаем, что Эмма всегда хотела на всю жизнь, — уточнила Мак.

— Но невозможно получить вечность, не воспользовавшись мгновеньем.

— А если ничего не получится? — Лорел обвела взглядом подруг. — У нее есть мы, и мы будем рядом.

Наложив на лицо очищающую и увлажняющую маску, Эмма села за письменный стол разбираться с документами. Интересно, сколько на свете счастливых женщин, которые могут ухаживать за собой и одновременно выписывать счета? Босиком, под тихое мурлыканье Норы Джоунз?

И сколько счастливиц прошлой ночью занимались безумным сексом — дважды — с потрясающим мужчиной?

Держу пари, немного. Очень немного.

Пока маска творила свои чудеса, Эмма составила заказ на флористическую губку, ленты, проволоку, разноцветные бусины, просмотрела объявления о распродажах и специальных скидках и добавила в заказ водостойкий прозрачный клей, листовой пенопласт и три дюжины прозрачных портбукетниц.

Этого хватит на какое-то время, подумала она, размещая заказ на сайте, затем зашла на сайт оптового поставщика свечей посмотреть его предложения.

— Тук, тук! Эммелин! Ты дома?

— Мама? Я здесь. — Эмма сохранила на сайте свой заказ, выскочила из-за стола и встретила маму, уже поднимающуюся по лестнице. — Привет!

— Привет, детка. Ты такая розовая.

— Я... Ой, совсем забыла. — Эмма похлопала пальцами по щеке. — Это смывается. Я увлеклась свечами. — Она зашла в ванную комнату, чтобы смыть маску. — Улизнула с работы?

— Я честно отработала все утро и теперь свободна, как птица, вот и заглянула к дочери по дороге домой. — Лючия взяла в руки баночку с маской. — Хорошая?

— Ты мне и скажешь. Я ее впервые попробовала.

Эмма сполоснула лицо прохладной водой и высушила, аккуратно прикладывая полотенце.

Лючия, поджав губы, прилежно изучила лицо дочери.

— Ты слишком красива. Трудно сказать, это благодаря моим счастливым генам или содержимому банки.

Эмма улыбнулась и, приблизив лицо к зеркалу, потрогала щеки и подбородок.

— Но ощущения приятные. Это плюс.

Она протерла лицо тоником, затем последовал увлажнитель.

— Ты сияешь, — заметила Лючия. — Но, насколько я слышала, и это не от содержимого банки.

— Счастливые гены?

— Ну, что-то счастливое точно. Утром в магазин заходила твоя кузина Дана. Ее близкая подруга Ливи... ты, кажется, знаешь Ливи?

— Да, немного.

— Ливи на днях ужинала со своим новым бойфрендом. И как ты думаешь, кого она заметила в укромном уголке за итальянской едой, бутылкой вина и интимным разговором с красавчиком-архитектором?

Эмма невинно похлопала ресницами.

— Я должна угадать? Сколько попыток? — Лючия приподняла и опустила брови. — Мам, пойдем на кухню, я тебя угощу. Кофе или что-нибудь холодненькое?

— Холодненькое.

— Мы с Джеком ходили на вернисаж. Ужасный вернисаж, хотя история неплохая.

— К этому мы еще вернемся. Расскажи об ужине.

— После вернисажа мы пили вино и наслаждались итальянской едой. — Эмма достала бокалы, насыпала в них лед, нарезала лимон.

— Детка, ты пытаешься увильнуть.

— Угу. — Эмма рассмеялась. — Что глупо, поскольку ты уже наверняка поняла, что мы с Джеком встречаемся.

— Ты думаешь, что я не одобрю?

— Нет. Возможно. — Эмма открыла бутылочку с маминой любимой газированной водой, налила газировку в бокалы со льдом, добавила ломтики лимона.

— Ты счастлива? Я вижу ответ на твоем лице, но ты можешь ответить одним словом — «да» или «нет».

— Да.

— Тогда почему я должна не одобрять то, что приносит тебе счастье?

— Но ведь это странно, правда? Через столько лет?

— Кое-что требует времени, кое-что — нет. — Лючия ушла в гостиную, села на диван. — Я люблю эту комнату. Ее цвета, ароматы. Я знаю, что здесь ты счастлива.

Эмма подошла и села рядом с мамой.

— Очень счастлива.

— Ты счастлива в своей работе, в своей жизни, в своем доме. И это помогает матери даже взрослой женщины спокойно спать по ночам. А если теперь ты счастлива с мужчиной, которого я к тому же немного знаю, я тоже счастлива. Ты должна привести его на ужин.

— Мама! Мы только... встречаемся.

— Он уже приходил к нам ужинать.

— Да. Да. Джек, друг Дела, приходил на ужин, на барбекю, на вечеринки. Но сейчас ты просишь привести меня на ужин не друга Дела.

— И он уже не может полакомиться моей стряпней или выпить пива с твоим отцом? Детка, я правильно поняла, что в этом случае означает «встречаемся»?

— Да.

— Пусть обязательно придет на Чинко ди Майо. Все твои друзья должны прийти. Мы зажарим на гриле свинину, а не Джека.

— Хорошо. Мама, я люблю его.

— Да, детка. — Лючия притянула к себе дочь, и Эмма положила голову на мамино плечо. — Я знаю это твое выражение лица.

— Он меня не любит.

— Тогда он не так умен, как я думала.

— Я ему небезразлична, ты знаешь. Я ему нравлюсь, и нас очень сильно тянет друг к другу. Но он меня не любит. Пока.

— Вот это моя девочка.

— Тебе не кажется, что... коварно заманивать мужчину, целенаправленно влюблять его в себя?

— Ты собираешься лгать, притворяться, давать обещания, которые не будешь выполнять?

— Нет. Конечно, нет.

— Тогда какое же это коварство? Если бы я не влюбила в себя твоего отца, мы не сидели бы сейчас в этой чудесной маленькой гостиной.

— Ты... Правда?

— О, я была безумно влюблена. И безнадежно, во всяком случае, я так думала. Он был такой красивый, такой добрый, такой милый и такой забавный, когда играл со своим маленьким мальчиком. И такой одинокий. Он хорошо относился ко мне, уважительно, а когда мы лучше узнали друг друга, мы подружились. Но я хотела, чтобы он потерял голову, увидел во мне женщину, разделил со мной свою постель пусть даже на одну ночь.

Романтичное сердце Эммелин чуть не выскочило из груди.

— О, мама.

— Что? Ты думала, что желания, вожделение — твое личное изобретение? Я была молода и намного ниже его по общественному положению. Его богатство, его статус были непреодолимыми преградами, как я думала. Но кто запретил бы мне мечтать? И, может, даже не только мечтать, — добавила Лючия с загадочной улыбкой. — Я старалась как можно лучше выглядеть, готовить те блюда, которые он особенно любил, слушать его, когда он нуждался в друге. Это я умела. И я делала все, чтобы когда он куда-то собирался, то думал, будто его галстук завязан не совсем правильно — даже если все было в порядке, — и поправляла его. Я и сейчас так делаю, — прошептала она. — Я и сейчас хочу это делать. Я понимала, что нас что-то связывает, я это чувствовала, я видела это в его глазах. Что-то большее, чем забота о маленьком мальчике, которого мы оба любили, что-то большее, чем дружба и уважение. И мне оставалось лишь очень аккуратно показать, что я принадлежу ему.

— Мама, это так... Ты никогда мне не рассказывала.

— Не было нужды. Твой папа, он был очень осторожен, очень долго старался даже ненароком не коснуться моей руки, не задержать на мне взгляд. Пока однажды, стоя под вишневым деревом, я не увидела, что он идет ко мне. Он шел ко мне и смотрел на меня.

Лючия прижала руку к сердцу.

— Ах! Мое сердце. Оно упало прямо к его ногам. Как он мог не понять? И он понял. И его сердце упало рядом с моим.

— Я тоже так хочу.

— Конечно, детка.

Эмма сморгнула слезы.

— Но я не думаю, что, если начну поправлять Джеку галстук, это поможет.

— Мелочи, Эмма. Поступки, моменты. И не только мелочи. Я открыла ему свое сердце. Я отдала ему свое сердце, когда еще верила, что он не сможет или не захочет его принять. И все равно отдала... как дар. Даже если бы он разбил его. Я была очень смелой. Любовь — очень смелое чувство.

— Я не такая смелая, как ты.

— Думаю, ты ошибаешься. — Лючия обняла дочь за плечи. — Очень сильно ошибаешься. Но для тебя это внове. Новое, яркое и счастливое. Наслаждайся.

— Я наслаждаюсь.

— И приведи его на праздник.

— Хорошо.

— А теперь я еду домой и больше не буду отвлекать тебя от работы. У вас свидание?

— Не сегодня. Сегодня очень длинная консультация — свадьба Симан.

Глаза Лючии заискрились.

— Ах, та, грандиозная.

— Грандиозная. И у меня полно бумажной работы, заказы, планирование, и завтра тяжелый день. А у него завтра вечером деловая встреча, но он постарается приехать после нее и...

— Я знаю, что такое «и». — Лючия рассмеялась. — Тогда хорошенько выспись сегодня. — Она похлопала Эмму по колену и встала.

— Я так рада, что ты заехала. — Эмма тоже вскочила и крепко обняла маму. — Поцелуй за меня папу.

— За тебя и за себя. Думаю, он сегодня пригласит меня в ресторан, и мы выпьем вина, поедим пасты, пошушукаемся. Покажем всем, что мы еще совсем не старые.

— Вы никогда не состаритесь.

Прислонившись к дверному косяку, Эмма помахала маме, а потом, вместо того чтобы вернуться к работе, оставила дверь нараспашку и пошла прогуляться по садам.

Набухшие почки, свежие бутоны, нежные ростки. Начало нового цикла. Эмма прошла к своим оранжереям, с удовольствием послонялась по ним. Семена, посаженные ею зимой, уже взошли, и очень дружно. Пожалуй, пора их закаливать, приучать к открытому грунту.

Эмма сделала круг по саду, остановилась наполнить птичьи кормушки — обязанность, которую она делила с Мак. Когда Эмма вернулась домой, заметно посвежело. А когда солнце зайдет, станет совсем прохладно.

Она зашла на кухню и вдруг, совершенно спонтанно, вытащила кастрюльку и стала крошить, строгать, толочь, заливать, а когда суп закипел на медленном огне, вернулась к компьютеру закончить свои заказы.

Час спустя она снова спустилась на кухню, помешала суп и, услышав шум мотора, выглянула в окно. Удивленная, довольная, она поспешила к двери встречать Джека.

— Привет.

— Я умудрился быстро закруглить совещание. А поскольку снова забыл здесь свою куртку, решил заглянуть по дороге. Ты стряпаешь?

— Я погуляла, стало холодать, и у меня появилось желание сварить суп. Если соблазнишься, тебе хватит.

— Вообще-то я... сегодня вечером матч, и я...

— У меня есть телевизор. — Эмма подошла к нему, с загадочной улыбкой поправила ему галстук. — Я люблю смотреть трансляции матчей.

— Неужели?

Она слегка дернула галстук.

— Ты можешь попробовать суп. Если не понравится, я отдам твою куртку, и ты посмотришь свой матч дома.

Эмма ушла на кухню и принялась снова мешать суп. Когда Джек последовал за ней, оглянулась через плечо.

— Наклонись, открой рот.

Джек подчинился, и Эмма сунула ложку ему в рот.

— Вкусно, — удивился он. — Очень вкусно. Почему я не знал, что ты умеешь варить такой вкусный суп?

— Ты никогда не заглядывал за своей курткой после ловко закругленного совещания. Хочешь остаться на ужин?

— Хочу. Спасибо.

— Придется подождать еще час или чуть дольше. Можешь пока открыть каберне.

— Хорошо. — Он снова наклонился, поцеловал ее. Подумал и поцеловал еще раз, нежно, неторопливо. — Я рад, что заглянул.

— Я тоже.

# 14

В честь Чинко ди Майо над домом родителей Эммелин гордо развевались, символизируя слияние двух культур, мексиканский и американский флаги.

Ежегодно в обширных владениях Грантов в этот день предлагались развлечения от лаун-боулинга и бадминтона до надувных домиков, где дети могли вволю попрыгать, как на батуте, и водных горок. Друзья, родственники и соседи играли, соревновались, толпились у столов с едой, набирая с огромных блюд свинину, курятину, тортильи — теплые маисовые лепешки, чили — красную фасоль, гуакамоле — пюре из мякоти авокадо, и сальсу, такую острую, что обжигала горло.

Чтобы загасить этот огонь, были заготовлены галлоны лимонада, «Негро Модело», «Короны», текилы и ледяных «Маргарит».

Каждый раз, приходя сюда пятого мая, Джек изумлялся огромному количеству людей, которых умудрялись накормить Гранты. Как изумлялся разнообразию выбора: фахитас и бургеры, черные бобы и рис или картофельный салат. И круглые открытые яблочные пироги.

По мнению Джека, еда была еще одним символом полного и абсолютного слияния Филипа и Лючии.

Джек прихлебывал пиво и наблюдал за гостями, танцующими под трио гитар и маримбы. Рядом с ним Дел потягивал свое пиво.

— Классная вечеринка.

— М-да, Гранты не мелочатся.

— Ну и как тебе здесь? С хозяйской дочкой?

Джек начал было отнекиваться просто из принципа. Но, черт побери, это же Дел.

— Немного не по себе. Однако никто пока не побежал за веревкой, чтобы линчевать меня.

— Еще не вечер.

— Браун, умеешь же ты успокаивать. Послушай, у меня взыграло воображение или здесь действительно вдвое больше детей, чем в прошлом году? Нет, в позапрошлом. В прошлом году я не смог вырваться.

— Возможно. Не думаю, что все родственники. Правда, слышал, что Селия опять беременна.

— Да, Эмма упоминала. Ты один?

Дел самодовольно улыбнулся.

— Да. Но никогда не угадаешь, верно? Посмотри на ту блондинку в синем платье. Обалденные ножки.

— Да, я всегда знал, что у Лорел великолепные ноги.

Дел поперхнулся пивом.

— Это не... Ох, — выдавил он, когда девушка обернулась и он увидел ее смеющееся лицо. — Наверное, просто не привык видеть ее в платье. — И он демонстративно отвернулся. — Как бы то ни было, здесь уйма знойных брюнеток, стильных блондинок и даже стайка рыженьких. И многие без парней. Для тебя, полагаю, дни охоты в прошлом.

От слов Дела у Джека мурашки побежали между лопатками.

— Я встречаюсь, но я не ослеп и не умер.

— А где Эм?

— Пошла помогать кому-то с какой-то запоздавшей едой. Мы не сиамские близнецы.

Дел приподнял брови.

— Как скажешь.

— У меня есть друзья, у нее есть друзья, у нас есть общие друзья. Мы не должны шагать строем на вечеринках.

— Хорошо-хорошо. — Дел задумчиво отхлебнул пива. — Ну... а вон тот парень, которого она в данный момент целует в губы, ее друг, твой друг или общий друг?

Джек резко развернулся и успел поймать конец поцелуя Эммы с нордическим богом. Эмма рассмеялась, выразительно жестикулируя, схватила бога Тора за руку и потащила к одной из компаний.

— Похоже, не из твоих, — прокомментировал Дел.

— Почему бы тебе не... — Джек осекся, поскольку перед ними остановилась Лючия.

— Вам следует поесть, а не просто стоять здесь и украшать собой праздник.

— Я обдумываю меню, — сообщил ей Дел. — Такой богатый выбор, столько решений предстоит принять вплоть до яблочного пирога.

— Кроме яблочного пирога, есть клубничный торт и эмпанадас.

— Видите? Очень трудный выбор.

— Попробуйте все, а потом решите. Смотрите! Мак и Картер! — просияла Лючия. — Макензи, ты успела.

— Простите за опоздание. Съемка заняла больше времени, чем я рассчитывала. — Мак поцеловала Лючию в щеку.

— Главное, что ты здесь. И ты! — Лючия обняла Картера.

Картер подхватил ее и оторвал от земли, демонстрируя искреннюю привязанность.

— Ты столько лет не был у нас на Чинко ди Майо.

Картер ухмыльнулся.

— Теперь здесь еще веселее.

— Просто нас стало больше. Здесь твои родители с детьми Дайан. И Шерри с Ником. Скоро придут Дайан и Сэм. Мак, твоя будущая свекровь говорит, что вы уже планируете свадьбу.

— Они поладили, — заметил Картер.

— Дай-ка мне еще раз взглянуть на твое кольцо. Ах! — Изучив бриллиант на пальце Мак, Лючия улыбнулась Картеру. — Прекрасное кольцо. Идем-ка, Мак. Селия его еще не видела. Картер, — окликнула она, уводя Мак, — ешь, пей, не стесняйся.

Картер не двинулся с места.

— Я не был на этих праздниках лет... лет десять, наверное. Совсем забыл. Похоже на ярмарку с аттракционами.

— Лучшую в стране, — заметил Дел. — Гранты или знакомы, или в родстве со всеми. Включая, похоже, нашего механика и партнера по покеру. Привет, Мэл.

Подошел Мэл в потертых джинсах, черной футболке, солнцезащитных очках, с двумя бутылками пива. Одну он протянул Картеру.

— Привет. Хочешь, темная лошадка?

— Конечно. Не думал, что ты знаком с Грантами.

— Последние шесть-восемь месяцев они привозят мне машины в ремонт или на сервисное обслуживание. Не успеешь оглянуться, уже выкладываешь Лючии историю своей жизни, жуешь ее маисовый хлеб и мечтаешь, чтобы она бросила мужа и сбежала с тобой на Мауи.

— Истинная правда, — согласился Джек.

— Она сказала, чтобы я заглянул после работы, мол, праздник на заднем дворе в честь Чинко ди Майо. Я думал, скромное веселье, мексиканское пиво, тортильи. — Мэл потряс головой. — Здесь кого-нибудь нет?

— Думаю, они пригласили всех.

Подбежала Эмма с бокалом «Маргариты» в руке.

— Джек, прости, я задержалась. Непредвиденные обстоятельства.

— Да, одно я видел.

Удивленно взглянув на Джека, Эмма повернулась к Малкому.

— Привет, я Эммелин.

— «Кобальт».

— Я... — Ее широко распахнувшиеся глаза засветились искренним раскаянием. — Виновна. Должно быть, вы Малком.

— Мэл. — Он окинул ее долгим взглядом. — Знаете, хорошо, что вы похожи на вашу мать, на которой я надеюсь жениться. Иначе я отчитал бы вас точно так же, как вашу подругу, когда принял ее за вас.

— Я это заслужила. Но я все осознала и теперь гораздо ответственнее отношусь к машинам. Вы отлично поработали. У вас талант. Вы не найдете время на следующей неделе для моего фургона?

— Вы не только внешне на нее похожи, не так ли?

Эмма улыбнулась, глотнула коктейль.

— Вам нужна тарелка и побольше еды.

— Вы не могли бы показать мне, где... — Мэл перехватил предостерегающий взгляд Джека, заметил, как тот по-хозяйски погладил волосы Эммы, и перестроился: — Ну да. Пойду пожую немного.

— Я тоже, — решил Картер.

Уголки губ Дела дернулись.

— Похоже, и я проголодался. — Он помахал пивной бутылкой. — Эм, кто та высокая брюнетка? Розовый топ, тесные джинсы?

— А... Пейдж. Пейдж Хавиллер.

— Она одна?

— Да.

— До встречи.

— Лучше бы спросил, есть ли у нее мозги, — сказала Эмма, когда Дел отошел. — Он заскучает через тридцать минут или еще быстрее.

— Зависит от того, чем они будут заниматься эти тридцать минут.

Эмма рассмеялась.

— Наверное. — Она сжала его руку. — Хороший день, правда?

— Я никак не могу понять, как твои родители это делают.

— Они начинают готовиться за несколько недель, нанимают целый взвод помощников, которые устанавливают аттракционы и все такое. А Паркер координирует боевые действия. Кстати говоря, я...

— Кто был тот парень?

— Парень? Их было много. Дай пару намеков.

— Тот, которого ты недавно целовала.

— Этого недостаточно.

Джек начал злиться.

— Тот, что похож на принца Датского.

— Принца... А, ты, должно быть, имеешь в виду Маршалла. Одна из причин, которые меня задержали.

— Я заметил.

Эмма вскинула голову и слегка нахмурилась.

— Он долго сюда добирался. С женой и новорожденным сыном. Когда он меня нашел, я немного повозилась с малышом. Проблема?

— Нет. — «Идиот», — мысленно обозвал он себя. — Дел меня накручивал, я и попался. Оксюморон. Давай открутим пленку назад. Так что ты хотела сказать?

— Мы встречались недолго несколько лет тому назад. Маршалл и я. Я познакомила его с его женой. Мы провели их свадьбу года полтора назад.

— Понял. Прошу прощения.

Эмма улыбнулась.

— Он не хватал меня за задницу, как одна чокнутая художница хватала тебя.

— Его потеря.

— Почему бы нам не пообщаться с гостями?

— Хорошая мысль.

— Ой! — воскликнула Эмма через пару секунд. — Я вот что хотела сказать. У меня завтра в городе несколько дел, и, если бы я сегодня переночевала у тебя, мне не пришлось бы мотаться взад-вперед. Я привезла сюда Паркер — мы приехали пораньше, чтобы помочь, — но она может вернуться домой с Лорел.

— Переночевать у меня?

Брови Эммы поползли вверх, глаза похолодели.

— Я могу спать на диване, если ты не нуждаешься в компании.

— Нет, нет. Я просто думал, что тебе нужно домой. Ты обычно очень рано начинаешь свой день.

— Завтра я начинаю его в городе, и не очень рано. Но если у тебя проблема...

— Нет. — Джек остановился, развернул ее лицом к себе. — Отлично. Хорошо. Разве тебе не нужны какие-то вещи... на завтра?

— Когда мне в голову пришла эта мысль, я кое-что бросила в багажник.

— Тогда договорились. — Джек наклонился поцеловать ее.

— Похоже, тебе срочно нужно еще пива, парень.

Джек обернулся на голос ее отца.

Филип улыбнулся. «Непринужденно», — подумал Джек. Так могло показаться. Но не тому, кто только что договорился переспать с его дочерью.

— Или «Негро Моделло»? — предложил Филип.

— Да, спасибо. Отличная вечеринка, как всегда.

— Мое любимое время года. — Филип обнял Эмму за плечи. Привычно. С любовью. Покровительственно. — Мы положили начало этой традиции, когда Лючия забеременела Мэтью. Друзья, родственники, дети. Теперь наши дети выросли и обзавелись собственными семьями.

— Ты расчувствовался, — сказала Эмма, поднимая голову и легко проводя губами по щеке отца.

— Я все еще вижу, как ты бегаешь с подружками по лужайке, как борешься за призы, бросая кольца на палку или пытаясь разбить пиньяту. Как твоя мама, ты полна цвета и жизни.

— Папа.

Филип посмотрел на Джека в упор.

— Счастливый мужчина, которому предложат все это. И только умный мужчина сможет все это оценить.

— Папа, — уже предостерегающе повторила Эмма.

— Мужчина редко получает столько сокровищ, — сказал Филип, легко похлопав ее по носу пальцем. — Пойду-ка проверю гриль. Я не доверяю ни твоим братьям, ни твоим дядьям, если уж на то пошло. Пока, Джек, — добавил он, кивнув, и удалился.

— Прости. Он не мог не высказаться.

— Ничего. Посмотри, на рубашке не проступили пятна пота?

Эмма, рассмеявшись, обхватила его рукой за талию.

— Нет. Может, покажем детишкам, как надо разбивать пиньяту?

Позже они плюхнулись на траву и смотрели, как подростки играют в соккер. Сбросив босоножки и аккуратно расправив платье, рядом присела Паркер.

— Вечерний футбол, — заметил Джек. — Не ваше обычное развлечение.

— Ты играешь? — спросила его Эмма.

— Не увлекаюсь европейским футболом. Могу

играть в бейсбол, американский футбол, баскетбол. Но больше люблю смотреть.

— Тебе все равно, что смотреть, лишь бы гоняли мяч. — Мак опустилась на траву рядом с ними и потащила за собой Картера. — Я переела. Не могла удержаться.

— Позорники, — пробормотала Эмма, когда один из подростков потерял мяч. — Он что, думает, у мяча есть глаза? Локатор?

— Ты любишь соккер?

Эмма покосилась на Джека.

— Школьная девичья команда. Соревнования штата.

— Шутишь?

— Капитаны, — уточнила Эмма, показывая на себя и на Паркер.

— Жестокие штучки. — Лорел опустилась на колени рядом с Паркер. — Мы с Мак ходили на все матчи жалеть их противников. Давай. — Она подтолкнула Паркер локтем. — Покажи им класс.

— Хм. Хочешь, Паркс? — спросила Эмма.

— Эм, мы уж лет десять не играли.

Эмма вскочила на колени и подбоченилась.

— Хочешь сказать, что мы слишком старые, чтобы разбить наголову этих лузеров и слабаков? Хочешь сказать, что потеряла кураж?

— О, к черту. Один гол.

— Забьем, не сомневайся.

Как и Паркер, Эмма скинула босоножки.

Джек зачарованно смотрел, как две женщины в красивых весенних платьях приближаются к площадке.

Последовал спор, затем улюлюканье, свист.

— Что происходит? — спросил подошедший Мэл, разглядывая зрителей и игроков.

— Эмма и Паркер собираются надрать футболистам задницы, — объяснила Лорел.

— Не шутите? Очень интересно.

Команды заняли свои места на траве в свете прожекторов. Эмма и Паркер переглянулись, Эмма подняла три пальца, затем два. Паркер засмеялась, пожала плечами.

Мяч взмыл в воздух. Эмма передала его Паркер. Та поймала мяч с лету и повела к воротам, ловко обойдя трех противников. Ее ноги мелькали так быстро, что свист превратился в ободряющие крики.

Паркер сделала отвлекающее движение и перебросила мяч через все поле Эмме. Эмма послала мяч в ворота так резко, что вратарь только раскрыл рот.

Эмма и Паркер синхронно вскинули руки и завизжали.

— Они всегда так делали, — важно сообщила Мак окружающим. — Никакой скромности. Вперед, «Робинз»!

— Название их футбольной команды, — объяснил Картер.

Когда Паркер собралась покинуть площадку, Эмма схватила ее за руку. Джек услышал, как она сказала: «Еще один».

Паркер отрицательно качала головой. Эмма настаивала. Паркер отряхивала и расправляла платье, но вдруг рассмеялась. Бывшие капитаны снова заняли оборону против команды оппонентов, которая теперь явно относилась к ним с большим уважением. Они сражались, блокировали, теснили.

Джек улыбнулся во весь рот, когда Эмма плечом оттолкнула противника. И как же классно она это сделала, понял он, и даже жестко. Его окатила волна вожделения, когда Эмма набросилась на игрока, владевшего мячом. Ее подкат — Иисусе, только посмотрите на нее! — лишил подростка равновесия и смазал передачу.

Паркер прыгнула вперед, приняла мяч головой.

— Ну-ну, — пробормотал Мэл.

— Перехват! — выкрикнула Лорел, когда Эмма завладела мячом. — Эй, эй!

Эмма удержала мяч, несмотря на все попытки противников отобрать его, и отбила мяч назад Паркер ударом «ножницами». Паркер поймала мяч и забила его в ворота прямо между ногами вратаря.

Руки взлетели вверх, визг сотряс воздух, и Паркер обняла Эмму за плечи.

— Достаточно?

— Более чем. — Эмма судорожно вдохнула воздух. — Нам давно не семнадцать, но это было здорово.

— Давай уйдем победителями. — Они взялись за руки, поклонились аплодирующей публике и покинули поле.

— Детка! — Джек схватил Эмму за руку и потянул на траву. — Ты неподражаема.

— О да. — Она взяла бутылку воды, предложенную Мак, но не успела сделать ни глотка.

Джек уже целовал ее. Поцелуй вызвал новые аплодисменты.

— Я раб женщины, — прошептал он, — королевы удара «ножницами».

— Неужели? — Эмма легко цапнула его зубами за нижнюю губу. — Ты еще не видел мой удар внешней стороной стопы.

— В любое время. В любом месте.

Мэл встретил Паркер на краю поля, предложил одну из двух бутылок пива:

— Хотите?

— Нет. Спасибо.

Обойдя его, Паркер вытащила бутылку воды из контейнера со льдом.

— В какой спортзал вы ходите, Классные Ножки?

Паркер открыла бутылку.

— В свой собственный.

— Заметно. Отлично двигаетесь. Играете еще во что-нибудь?

Паркер не спеша отпила воды.

— На пианино.

И ушла прочь, а он смотрел ей вслед, лениво потягивая пиво.

Позже Лорел сидела на крыльце дома Грантов, откинувшись на локти, полуприкрыв глаза. Она наслаждалась тишиной, запахами травы и цветов. И таинственным мерцаньем весенних звезд.

Послышались шаги, но Лорел не шелохнулась.

И понадеялась, что припозднившийся гость пройдет мимо, не нарушив ее одиночества.

— У тебя все в порядке?

Она простилась с одиночеством и, приоткрыв глаза, посмотрела на Делани.

— Да, просто сижу здесь.

— Я вижу.

Он сел рядом с ней.

— Я уже со всеми распрощалась. Паркер внутри — или снаружи, — проверяет, не осталось ли незаконченных дел. Лично я выпила слишком много текилы и не могу выискивать, что бы такое еще поделать.

Дел пригляделся к ней.

— Я отвезу тебя домой.

— Мои ключи у Паркер. Она отвезет домой нас обеих. Так что спасательная операция не требуется, сэр.

— Как скажешь. Я слышал, «Робинз» сегодня вспомнили прошлое. Жаль, я пропустил.

— Они выиграли, как всегда. А ты был так занят. — Лорел с преувеличенным интересом огляделась по сторонам. — Делани, неужели ты один? Сегодня был такой богатый выбор! Поверить не могу, что ты промахнулся.

— Я и не думал кого-то здесь подцепить.

Лорел презрительно фыркнула и отпихнула его. Делани невольно улыбнулся.

— Детка, ты напилась.

— Да, я напилась. Завтра я буду на себя злиться, но сейчас? Мне классно. Не могу вспомнить, когда в последний раз я выпила слишком много текилы или чего угодно. Запросто кого-нибудь подцепила бы. Я ас.

— Прости, не понял.

— И я не о футболе. — Захихикав, Лорел снова его пихнула. — Очень милый парень... как его там... все набивался. Но у меня сексуальный морит... морат... Погоди. Сексуальный мо-ра-то-рий, — наконец выговорила она.

Улыбаясь, Дел заправил выбившуюся солнечную прядку волос ей за ухо.

— Правда?

— Да, чистая правда. Я пьяна, и у меня вот то, что я сейчас сказала, только не заставляй меня повторять. — Лорел помотала головой, растрепав волосы, которые Дел только что пригладил, и одарила его пьяненькой улыбкой. — Ты ведь не собираешься за мной приударить?

Его улыбка мгновенно растаяла.

— Нет.

Лорел снова фыркнула, откинулась назад, небрежно помахала рукой.

— Тогда двигай отсюда.

— Я посижу, пока Паркер не выйдет.

— Мистер Браун, мистер Делани Браун, вам никогда не надоест спасать окружающих?

— Я тебя не спасаю. Я просто здесь сижу.

Да, подумала она, просто сидишь. В прекрасный весенний вечер под россыпью звезд среди благоухающих первых роз.

Эмма припарковала «Кобальт» за машиной Джека, взяла свою немаленькую дамскую сумку и направилась к багажнику. Открыла его и улыбнулась, увидев, как Джек достает ее саквояж.

— И не будешь спрашивать, чем, черт побери, я его набила?

— Если честно, я думал, он гораздо тяжелее.

— Я себя сдерживала. Да, я не спросила, когда тебе завтра вставать.

— Часов в восемь. Не слишком рано.

Эмма ухватила Джека за свободную руку и помахала их сцепленными руками.

— Я расплачусь за твое гостеприимство и приготовлю завтрак. Если у тебя найдется, из чего готовить.

— Может, и найдется.

Они поднялись к задней двери его квартиры над офисом.

— Легче жить, если живешь и работаешь в одном месте, правда? Хотя иногда мне кажется, что без четкого разграничения мы в конце концов станем работать слишком много. Мне нравится это здание. В нем чувствуется характер.

— Я влюбился в него, — признался Джек, отпирая дверь.

— Оно тебе подходит. Характер и традиция снаружи, чистые линии и сбалансированное пространство внутри, — сказала Эмма, входя в кухню.

— А я все пытаюсь подобрать слова, чтобы выразить свои впечатления о вашем футбольном шоу.

— Боюсь, завтра квадрицепсы так будут болеть, что я еще пожалею о своем порыве.

— Думаю, твои квадрицепсы выдержат. Я не говорил тебе, что спортсменки — моя слабость?

Эмма прошла с ним через всю квартиру в спальню.

— А зачем? Я знаю обе твои слабости — спорт и женщины.

— Объедини их, и я конченый человек.

— И раб женского удара «ножницами». — Эмма приподнялась на цыпочки и чмокнула его в губы. — Ты еще не видел меня в футбольной форме.

— Ты ее сохранила?

Эмма рассмеялась, закинула чемоданчик на кровать, расстегнула молнию.

— Вообще-то сохранила.

— Здесь?

— Боюсь, что нет. Но я захватила... — Эмма вытащила из саквояжа что-то очень воздушное, очень короткое, очень черное. — Если тебя это заинтересует.

— Думаю, день закончится так же идеально, как начался.


Утром Эмма сделала французские тосты и превратила ломтики яблока в нечто хрустящее и умеренно сладкое.

— Потрясающе. Гениальная флористка, непревзойденная футболистка и кухонная фея.

— Я очень разносторонняя. — Эмма сидела напротив него в алькове, служившем столовой. По ее мнению, здесь не хватало цветов, дерзких и ярких, в медной вазе. — Но теперь у тебя нет яиц и осталось очень мало молока. Я сегодня поеду в магазин. Если хочешь, я и тебе могу что-нибудь купить.

Наступила короткая, но красноречивая пауза. Джек явно не хотел ее помощи.

— Нет, спасибо. Я сам собирался на днях пополнить запасы. Как поживают твои квадрицепсы?

— Замечательно. — Эмма приказала себе не делать проблему из его нежелания позволить ей купить чертову коробку яиц. — Видимо, железный эллиптический ублюдок справляется со своей работой. А ты как поддерживаешь форму?

— Хожу в спортзал три-четыре раза в неделю, играю в баскетбол, примерно так.

Эмма прищурилась и сердито уставилась на него.

— Держу пари, тебе это нравится. Спортзал.

— Да, нравится.

— И Паркер нравится. По-моему, вы оба больные.

— Поддерживать форму — болезнь?

— Нет, болезнь — *любовь* к этому процессу. Я занимаюсь на тренажерах, но я считаю это неприятной работой, обязанностью, необходимым злом. Как брюссельская капуста.

В его глазах замелькали веселые искорки.

— Брюссельская капуста — зло?

— Естественно. Все это знают, даже если не

признаются. Маленькие зеленые шарики зла. Точно как приседания — вид пытки, изобретенный людьми, которым приседания ни к чему. Ублюдки.

— Твоя философия фитнеса и полезного питания меня завораживает.

— Моя честность тебя завораживает. — Эмма с наслаждением допила кофе. — Во всяком случае, летом я смогу плавать в бассейне. Это и полезно, и весело. Ну, ты принял душ, пока я надрывалась ради тебя у горячей плиты, теперь моя очередь. Я быстренько, я тебя не задержу. — Она взглянула на электронное табло той самой горячей плиты. — Честно, я быстро.

— А... послушай, можешь не спешить. Просто захлопни дверь, когда уйдешь.

Эмма довольно улыбнулась.

— Тогда я сначала выпью еще чашку кофе.

Она не спеша выпила кофе, потом так же не спеша приняла душ. Завернувшись в полотенце, втерла в кожу крем, открыла увлажняющий лосьон для лица...

Когда она занялась макияжем, в ванную комнату вошел Джек. Эмма увидела в зеркале, как его взгляд остановился на ее тюбиках и баночках, расставленных на полке, успела заметить мелькнувшее в его глазах недовольство... и почувствовала укол в сердце.

— Я ухожу. — Он нежно провел ладонью по ее влажным волосам, таким же нежным был поцелуй. — Увидимся сегодня?

— Конечно.

Оставшись одна, Эмма закончила макияж, высушила волосы. Оделась, собрала свои вещи.

А потом вернулась в ванную комнату и яростно чистила раковину и полку, пока не уничтожила все следы своего пребывания в его личном пространстве.

— Не паникуй, Джек, — пробормотала она. — Все чисто. Все твое.

Уходя, она оставила на его кухонном столе записку:

*Джек, я забыла, что занята сегодня вечером. Созвонимся. Эмма.*

Ей просто необходима была передышка.

Эмма дернула заднюю дверь, убедилась, что замок захлопнулся, и с саквояжем в руке спустилась к машине. Сев за руль, она щелчком открыла мобильник и позвонила Паркер.

— Привет, Эмма. Я на другой линии с...

— Я быстро. Мы можем устроить сегодня девичник?

— Что-то случилось?

— Ничего. Правда ничего, мне просто необходим девичник.

— Дома или куда-нибудь поедем?

— Дома. Я не хочу никуда ехать.

— Я все устрою.

— Спасибо. Я приеду через пару часов.

Эмма захлопнула мобильник-раскладушку.

Подруги. Мои лучшие подруги. Они никогда не подведут.

## 15

— Я слишком бурно отреагировала.

За работой Эмма весь день обдумывала поведение Джека и к девичнику, устроенному в гостиной третьего этажа, немного успокоилась.

— Ты расскажи, а там уж нам судить, — предложила Лорел, вгрызаясь в ломоть фирменной домашней пиццы миссис Грейди.

— Он не сделал ничего плохого. Он не сказал ничего плохого. Я сама себя накрутила.

— Ладно, но ты всегда предпочитаешь злиться на себя, а не на других. Даже если этот другой того заслуживает. — Мак налила в бокал вина и протянула бутылку Лорел.

— Нет, нет. Я вывожу из организма безумное количество текилы. Это может занять не один день.

Эмма хмуро уставилась на свою пиццу.

— Я не беру на себя чужую вину. Мак, тебя послушать, так я дурочка.

— Ты не дурочка. Ты просто толерантная и всем сочувствуешь. — Поскольку Эмма подняла свой бокал, Мак его наполнила. — Поэтому если ты на кого-то злишься, значит, имеешь право.

— Я не бесхарактерная.

— То, что ты не такая стерва, как мы, вовсе не значит, что ты бесхарактерная, — заметила Лорел.

— Я могу быть стервой.

— Можешь, — согласилась Мак, поглаживая плечо Эммы. — У тебя есть возможности, у тебя есть способности. Просто у тебя не хватает духу ими пользоваться.

— Я...

— Врожденная тактичность не недостаток, — прервала ее Паркер. — Мне приятнее думать, что все мы морально безупречны.

— Кроме меня. — Лорел подняла свою банку диетической колы.

— Да, кроме тебя. Эмма, просто расскажи нам, что тебя гложет.

— Это прозвучит глупо, даже мелочно. — Эмма мрачно уставилась в свой бокал, перевела взгляд на розовые ногти пальцев ног. Подруги терпеливо ждали. — Просто Джек слишком рьяно защищает свое личное пространство. На самом деле он ничего не говорит, но он окружил себя невидимыми барьерами. А однажды он высказался прямо. Мак, ты должна помнить.

— Подскажи.

— Когда зимой ты решила перестроить шкаф в спальне. Ты злилась потому, что Картер оставил у тебя какие-то свои вещи. А потом пришел Джек, и он с тобой согласился. Он наговорил, что случается, если позволить тому, с кем встречаешься, застолбить территорию.

— Но он шутил. По большей части. А ты взбесилась, — вспомнила Мак. — И сбежала.

— Он сказал, что женщина начинает оставлять косметику в ванной комнате, а потом требует выделить ей ящик. И не успеешь оглянуться, ее вещи повсюду. Как будто если ты хочешь оставить зубную щетку, то уже готова зарегистрироваться в свадебном отделе «Тиффани».

— Он запаниковал, потому что ты хотела оставить у него зубную щетку? — спросила Лорел.

— Нет. Да. Не совсем. Я ни слова не сказала о проклятой зубной щетке. Слушайте, ситуация такая. Если мы куда-то едем и его дом оказывается ближе, мы все равно приезжаем сюда. Вчера вечером я спросила, можно ли переночевать у него, потому что утром мне надо быть в городе, а он... он заколебался.

— Может, у него было не убрано, — предположила Мак. — Он должен был вспомнить, не оставил ли разбросанные грязные носки или порножурналы или когда он в последний раз менял простыни.

— Нет, дело не в этом. У него всегда чисто, что, вероятно, составляет часть проблемы. Он любит, чтобы все было на своем месте. Как Паркер.

— Эй, попрошу без оскорблений.

— Но это правда, — сказала Эмма с улыбкой, полной любви и извинений. — Это просто характер такой. Но ты, Паркс, не устроишь скандал, если парень, переночевав у тебя, оставит зубную щетку. Ты просто найдешь этой щетке свое место.

— Какой парень? Можно получить имя, адрес и фотографию?

Эмма так расслабилась, что смогла оценить шутку и рассмеялась.

— Я рассуждаю теоретически. Как бы то ни было, за завтраком я сказала, что поеду за покупками и, раз уж у него закончились яйца и молоко, могу купить и ему. И опять эта заминка. То же самое «о-о» и «нет, спасибо». Но самое страшное было, когда он поднялся наверх. Я как раз подкрашивалась и — о, какое преступление! — разложила на полке свою косметику. И опять этот взгляд. Раздраженный... настороженный. Я же говорила, что вам это покажется глупым.

— Вовсе нет, — возразила Паркер. — Ты почувствовала себя нежеланной и назойливой.

— Да. — Эмма закрыла глаза. — Точно. Вряд ли он так думал или сознавал, но...

— Неважно. В действительности подсознательное оскорбление еще хуже.

— Да! — воскликнула Эмма и с благодарностью посмотрела на Паркер. — Спасибо тебе.

— И что ты сделала? — спросила Лорел.

— Сделала?

— Да, что ты сделала, Эм? Например, сказала, чтобы он не напрягался? Мол, это всего лишь зубная щетка или тушь для ресниц.

— Он уехал на работу, а я полчаса уничтожала следы своего пребывания и не унялась, пока не убедилась, что в его личном пространстве не осталось ни пушинки моей чертовой туши.

— О да, ты его проучила, — сказала Лорел. — А я сорвала бы с себя бюстгальтер и забросила его на лейку душа, а на зеркале начиркала бы губной пастой язвительное послание. Да, и еще съездила бы на распродажу тампонов и будто бы случайно оставила огромную упаковку на кухонном столе. Вот *это* был бы ему урок.

— Может, это просто доказало бы его правоту?

— Нет, потому что он совершенно не прав. Вы спите вместе. Чья бы ни была кровать, второй партнер должен иметь под рукой все необходимое. Тебе нравится, когда он оставляет у тебя свою зубную щетку или бритву?

— Он не оставляет. Никогда.

— Ой, брось. Только не говори, что он никогда не забывает...

— Никогда.

— Господи. — У Лорел явно иссякли аргументы. — Это уж слишком. Он одержимый.

Мак подняла руку и застенчиво улыбнулась.

— Я только хочу сказать, что сама была такой же. Ну, не совсем... ладно, одержимой. Я забывала или оставляла свои вещи у Картера. И он делал так же. Но в тот день, о котором ты говоришь, Эм, меня завело то, что его пиджак, его бритва, что угодно, смешиваются с моими вещами. Дело не в самих вещах, а в том, что они символизируют. Он здесь. Он реально здесь, и это не просто секс. Это не временное. Это настоящее. — Мак пожала плечами, раскинула руки. — Я запаниковала. Этот изумительный мужчина меня полюбил, а я испугалась. Вероятно, Джек чувствует себя примерно так же.

— Я не говорила ему о любви.

— Может, должна сказать. — Паркер устроилась поудобнее, поджала под себя ноги. — Легче играть, когда карты раскрыты. Эмма, если он не знает о твоих чувствах, как он может принимать их во внимание?

— Я не хочу, чтобы он принимал во внимание

мои чувства. Я хочу, чтобы он чувствовал то, что чувствует, чтобы был самим собой. Если бы он был другим, я никогда его не полюбила бы. — Эмма вздохнула, отпила вина. — Почему я всегда думала, что любовь должна быть прекрасной?

— Будет, как только ты разберешься со всеми странностями, — сказала Мак.

— Часть проблемы заключается в том, что я очень хорошо его знаю и обращаю внимание на все мелкие... — Эмма энергично выдохнула, отпила еще вина. — Я думаю, что просто должна отбросить свою чувствительность и перестать все романтизировать.

— Ты должна чувствовать то, что чувствуешь, и быть самой собой.

Эмма заморгала, когда Паркер бросила ей в лицо ее же слова.

— Да, должна. Наверное. И, наверное, я действительно должна поговорить об этом с Джеком.

— А мне больше нравится фокус с тампонами. Никакие слова не требуются. — Лорел пожала плечами. — Но если ты хочешь разобраться с ним по-взрослому...

— На самом деле не хочу, но мне надоело дуться по полдня. С тем же успехом можно попробовать разумно поговорить. На следующей неделе. Я думаю. Может, нам обоим нужна небольшая передышка.

— Мы должны хотя бы раз в месяц оставлять себе вечер, свободный от мужчин и работы.

— Лорел, мы так и делаем, — напомнила Мак.

— Но это всегда получается спонтанно. Хорошо, конечно, только теперь, когда половина из нас при мужчинах, мы должны придать этому событию официальный статус. Восстановление эстрогена.

— Ни мужчин, ни работы. — Эмма кивнула. — Звучит...

Затрезвонил телефон Паркер. Она взглянула на дисплей.

— Уиллоу Моран. Первая суббота июня. Вряд ли надолго. Привет, Уиллоу! — оживленно поздоровалась она и вышла из комнаты. — Нет, ничего страшного. Для этого есть я.

— Ну, почти никакой работы. А мне побольше пиццы. — Лорел взяла второй кусок.

Эмма решила, что, несмотря на несколько отвлекающих моментов, девичник принес ей все необходимое. Немного пространства, немного времени, проведенного с подругами. Она вошла в свой дом, чувствуя приятную усталость, и поднялась наверх проверить график следующих нескольких дней. У нее едва ли будет время перевести дух. И это тоже ей необходимо.

Она взяла в руки телефон, умышленно оставленный дома, и увидела голосовое сообщение от Джека. У нее резко улучшилось настроение. Так резко, что она приказала себе отложить телефон. Если бы это было срочно, Джек позвонил бы в главный дом.

Можно подождать до утра.

И кого она обманывает?

Эмма присела на край кровати и стала слушать.

«*Привет. Прости, не дозвонился до тебя. Послушай, мы с Делом хотим в воскресенье выманить Картера на матч. Я подумываю заглянуть к тебе в субботу. Отблагодарил бы тебя за сегодняшнее утро, приготовил завтрак и с легким сердцем отправился похищать Картера. Перезвони мне, когда сможешь. Я собираюсь работать над эскизами твоего холодильника... Думать о тебе.*

*В чем ты сейчас?*»

Эмма рассмеялась. Ему всегда удавалось рассмешить ее. Милое послание. Заботливое, забавное, небезразличное.

Что еще ей надо?

Все, призналась она себе. Я хочу все.

Эмма решила выждать. Она сказала себе, что слишком занята для столь серьезного разговора. Май — сплошная вереница свадеб, девичников, да еще День Матери. Если она по уши не завалена цветами, то планирует очередную композицию. С таким плотным рабочим графиком гораздо удобнее для обоих, чтобы Джек приезжал к ней. Эмма убеждала себя, что должна благодарить судьбу за роман с мужчиной, который не бурчит из-за ее вечно занятых уик-эндов и работы допоздна и который всегда готов помочь, если свободен.

В один из грозовых майских дней она работала в одиночестве и блаженствовала. Будь рядом с ней Динь и Тиффани, у нее уже звенело бы в ушах от их бесконечной болтовни, а сейчас за окнами грохотал гром, свистел ветер, барабанил дождь, и почему-то это успокаивало. Эмма закончила букет подружки невесты и встала из-за стола, чтобы немного размяться... обернулась, увидела Джека и дернулась, как испуганный кролик, взвизгнула. А через мгновение она уже смеялась, прижимая руку к сердцу.

— Боже, как ты меня напугал.

— Прости, прости. Я стучался, орал, но невозможно перекричать разгневанного бога.

— Ты промок насквозь.

— Там льет как из ведра. — Джек пробежал ладонью по волосам, и капли полетели во все стороны. — Из-за ливня пришлось отменить встречу на стройплощадке, и я решил не упускать шанс. Мило, — добавил он, кивнув на букет.

— Правда? Я как раз собиралась поставить его в холодильник и заняться букетом невесты. Ты можешь сварить себе кофе, высушиться.

— Это я и надеялся услышать. — Джек подошел поцеловать ее. — Я привез твои эскизы. Посмотришь, когда будет время. Если погода позволит, в понедельник утром начнется перестройка у Мак. Рано утром.

— Как чудесно. Они знают?

— Я по дороге заглянул в студию. Хочешь кофе?

— Нет, спасибо.

Эмма продефилировала к холодильнику и обратно и снова устроилась за столом с цветами и инструментами, уже представляя, каким будет букет невесты.

— Никогда не видел твою работу на этой стадии. Я тебя не раздражаю?

— Нет. Садись. Поговори со мной.

— Я сегодня видел твою сестру.

— Да?

— Мы случайно столкнулись в городе. А тебе не нужна фотография или эскиз?

— Я часто использую то или другое, но этот... вот здесь. — Эмма постучала себя пальцем по виску. — Белые кустовые розы, бледная калина для акцента. Легкий каскад станет милым и романтичным, когда распустятся бутоны.

Джек смотрел, как она связывает, скручивает, отрезает лишнее.

— Кажется, ты сказала, что это букет невесты.

— Да.

— А зачем тогда ваза?

— Я пропитала оазис, закрепила его в держателе. Видишь? — Она наклонила к нему вазу. — Ваза поможет мне создать правильную форму, каскад.

— А что ты делаешь, когда здесь работают твои помощницы?

— Хм?

— Вы сидите рядком и работаете, как на конвейере?

— Нет. Мы действительно сидим рядом, но каждая делает отдельную композицию по моему дизайну. Не то чтобы я сделала основу, а потом передала полуфабрикат, например Динь.

Эмма снова погрузилась в упоительную тишину, прерываемую раскатами грома и дробью дождя.

— Тебе необходим угловой стол. — Джек снова обвел взглядом мастерскую, инструменты, подставки, контейнеры. — Может, даже лучше U-образный. С корзинами, контейнерами и выдвижными ящиками. Когда я все здесь проектировал, ты работала в основном одна, а теперь эта мастерская недотягивает до твоего уровня. Тебе необходимо место для компостного контейнера на колесиках и еще для одного контейнера для неразлагающихся отходов. Клиенты заглядывают сюда, когда кто-то из вас работает?

Эмма сунула в рот пострадавший от острого шипа большой палец.

— Конечно. Иногда.

— Хорошо.

Джек встал и вышел, оставив Эмму в недоумении.

Он вернулся, опять промокший, с блокнотом, который, видимо, взял в машине.

— Работай, не обращай на меня внимания. Я просто хочу внести некоторые изменения в проект. Придется передвинуть ту стену.

— Передвинуть? — Эмма почти забыла о букете. — Стену?

— Вытянуть, раскрыть рабочее и демонстрационное пространства. Они станут более эффектными и удобными. Для одного работника слишком просторно, но... Извини. — Джек оторвался от рисунка. — Мысли вслух. Это раздражает.

— Нет, все прекрасно. — И немного странно работать вместе в этот грозовой вечер, подумала она.

Некоторое время они трудились в молчании,

хотя Эмма обнаружила, что Джек из тех, кто бормочет, держа в руке карандаш. Она не возражала и только удивлялась, что еще не все о нем знает.

Закончив букет, Эмма повертела его, рассмотрела со всех сторон. И заметила, что Джек следит за ней.

— Букет станет пышнее и нежнее, когда розы раскроются.

— Ты быстро работаешь.

— Эта модель не очень трудоемкая. — Эмма встала, подошла к зеркалу в полный рост. — У невесты очень затейливое платье со множеством украшений, поэтому нужен букет попроще. Никаких лент, никаких бантов, лишь легкий намек на каскад. Держать вот так, на уровне талии, обеими руками...

Их взгляды встретились в зеркале, и она заметила в его глазах легкое беспокойство.

— Не переживай, Джек. Я не репетирую.

— Что?

— Я должна отнести букет в холодильник.

Когда она убирала букет в холодильник, Джек уже стоял в дверях.

— Я подумал, что белое хорошо смотрится на тебе... идет тебе? Не знаю, как сформулировать. Но тебе все идет. И ты никогда не носишь цветы. Наверное, для тебя это слишком банально. Так что, может, я ошибся.

Эмма замерла в недоумении.

— Ошибся?

— Да. Я на минутку.

Она только покачала головой, когда Джек снова исчез. Закрыла холодильник. Надо прибрать рабочее место, сделать заметки на завтра.

— Я всегда примеряю букеты, — сказала она, услышав, что он вернулся. — Необходимо удостовериться, что их удобно держать, что я не ошиблась в форме, цвете, текстурах.

— Разумеется. Я понял. Я тоже иногда берусь за молоток, чтобы прочувствовать здание. Я понял, Эмма.

— Хорошо. Я просто хотела... — Она обернулась и осеклась, увидев длинную плоскую коробочку в его руке.

— У меня была деловая встреча в городе, и я его увидел. В витрине. Он просто кричал: «Эй, Джек. Я хочу к Эмме». И я подумал: да, наверное. Поэтому...

— Ты привез мне подарок, — сказала она, когда он вручил ей футляр.

— Ты говорила, что любишь, когда тебе дарят цветы.

Эмма открыла футляр.

— О, Джек.

На бархате сверкал браслет, усыпанный разноцветными розочками из драгоценных камней.

— И теперь ты можешь их носить.

Изумление и восторг вспыхнули в ее глазах.

— Да. Он прекрасен. Просто прекрасен. — Эмма вынула браслет, накинула на свое запястье. — Я ослеплена.

— Я тоже. Ювелир показал мне... застежка скользит вот сюда, и ее не видно.

— Спасибо. Это... Ой, посмотри на мои руки.

Джек взял ее руки, перепачканные, исцарапанные, и поднес к своим губам.

— Я смотрю. И не могу оторваться.

— Я рассердилась на тебя, и ты принес мне цветы. Придется чаще на тебя сердиться. — Эмма со вздохом закрыла глаза и прошептала: — Дождь прекратился. Я должна прибраться и помочь на вечерней репетиции. А потом мы могли бы выпить и перекусить на патио. Если ты хочешь остаться.

— Я хочу остаться. — Его вдруг ставший напряженным взгляд блуждал по ее лицу. — Эмма, думаю, я мало говорил тебе, как ты важна мне.

— Я знаю. — Она приподнялась на цыпочки и нежно поцеловала его. — Я знаю.


Позже, когда Эмма ушла в главный дом, Джек перебрал ее продуктовые запасы и решил, что просто должен что-нибудь быстренько сварганить. Он вовсе не беспомощен на кухне. И вовсе не ждет, что Эмма будет для него готовить всегда, когда они остаются у нее.

Что все чаще и происходит, понял он.

Можно не просто что-то сварганить, а приготовить вкусный ужин, недаром он когда-то встречался с помощницей шеф-повара. Немного чеснока и оливкового масла, приправы, нарезанные помидоры, и получатся отличные спагетти. Ничего страшного.

Он уже готовил ей завтрак, не так ли?

Однажды.

Почему он вдруг почувствовал, что использует ее, принимает ее как само собой разумеющееся? Он знал почему. Он точно знал почему.

Выражение ее лица, когда их взгляды встретились в зеркале, та промелькнувшая обида, почти мгновенно стертая раздражением.

*Я должен практиковаться.*

Он подумал о цветах, о браслете. Однако интуиция не так уж сильно подвела Эмму. На каком-то уровне ему действительно было... не по себе. Или... черт его знает как. А увидев ее с букетом, он... запаниковал, чего отрицать. На секунду, но запаниковал.

И он обидел ее, оскорбил ее чувства. А ведь меньше всего на свете он хотел причинить ей боль.

Она простила его или просто не стала заострять внимание, отмахнулась от обиды. Не из-за браслета. Она никогда не стала бы дуться ради подарка.

Она... Эмма.

Теперь, когда он осознал свои ошибки, все изменится. Он будет более чутким, вот и все. Хотя бы потому, что они вместе... От шока он цапнул ножом большой палец. Семь недель. Нет, почти восемь, то есть два месяца. А это практически целый сезон.

Четверть года.

Очень долгий срок для него. Можно по пальцам пересчитать, когда время, проведенное им с одной и той же женщиной, исчислялось месяцами.

Через пару недель в истории их отношений будет вся весна, плавно перетекающая в лето.

Джек понял, что ему это нравится. Больше чем нравится. Он не хочет встречаться ни с кем другим. Ему хорошо. Что бы это ни значило, черт побери. Как же приятно знать, что она скоро вернется и они вместе поужинают. Он налил себе вина и начал пассеровать чеснок.

— За остаток весны, — сказал он, поднимая бокал, — и за все лето.


— Тревога! Код «Красный»! — Эмма, стоявшая на стремянке с полной охапкой изящных гирлянд, вытянула шею, чтобы прочитать сообщение на дисплее рации, прикрепленной к поясу ее брюк. — Кошмар. Катастрофа. «Красная» тревога. Бич, заканчивай с гирляндами. Тифф — фестоны. Динь, командуй.

Эмма бросилась вниз со стремянки, и Джек подхватил ее.

— Осторожнее. Это не национальная катастрофа.

— Именно. Только в этом случае Паркер объявляет «красную» тревогу. Идем. Иногда лишняя пара рук, особенно мужских, бывает незаменимой. Если это девчачьи фокусы, вернешься и поможешь надевать чехлы на стулья. Черт побери. Я шла точно по графику.

— Ты успеешь.

Эмма пронеслась через веранду, буквально взлетела вверх по еще не украшенной лестнице в холл перед Апартаментами невесты. И попала прямо в гущу истерики.

Весь холл заполонила небольшая толпа полуодетых людей. Голоса срывались на ультразвук, доступный собакам, которых, впрочем, здесь не было. Слезы текли неудержимыми потоками.

В эпицентре бушующего урагана островком хладнокровия стояла Паркер. Правда, Эмма под напускным спокойствием подруги распознала отчаяние.

— Прошу внимания! Все будет хорошо. Но вы должны успокоиться и выслушать меня. Миссис Карстэрз, пожалуйста, присядьте здесь. Садитесь, садитесь, теперь глубоко вдохните.

— Но моя детка, моя девочка.

Картер — храброе сердце — протиснулся вперед — и взял рыдающую женщину под руку.

— Прошу вас, садитесь.

— Что-то нужно сделать. Что-то нужно сделать.

Эмма узнала в толпе мать невесты. Та не плакала — пока, но ее лицо уже было свекольного цвета. В тот момент, когда Эмма бросилась вперед перехватить МН или любого, от кого требовалось немедленно освободить Паркер, раздался пронзительный свист. Толпа ошеломленно смолкла и распалась.

— Тихо. Всем. Прекратить истерику! — приказала невесть откуда возникшая Лорел в белом фартуке с разводами, похоже от малинового соуса.

Паркер втиснулась в наметившуюся щель.

— Мистер Карстэрз, пожалуйста, присядьте рядом с вашей женой. Жених, будьте добры пройти с друзьями в ваши апартаменты. Картер вас проводит. Миссис Принстон, Лорел отведет вас с мужем вниз. Вы должны выпить чаю. Дайте мне пятнадцать минут. Джек, пожалуйста, спустись с Лорел. Мистеру и миссис Карстэрз мы принесем чай сюда.

— Я могу надеяться на глоток виски? — спросил мистер Принстон.

— Естественно. Скажите Джеку, какой вы предпочитаете. Эмма, ты бы меня очень выручила в Апартаментах невесты. Пятнадцать минут, и все наладится. Просто сохраняйте спокойствие.

— В чем дело? — спросила Эмма.

— Срочная корректировка плана. У двух подружек невесты дикое похмелье, а одну героически вырвало в туалете пару минут назад. У МЖ случился нервный срыв, когда она пошла навестить сына в Апартаментах жениха, что разъярило МН — у них плохие отношения. Перебранка, оскорбления, и обе разгневанные фурии попытались пробиться в Апартаменты невесты. У ЛПН — она на девятом месяце — от стресса начались схватки.

— О мой бог. Она рожает? Сейчас?

— Бракстсон-Хикс. — Лицо Паркер оставалось образцом решительности и несокрушимого самообладания. — Рожает нового Бракстсон-Хикса. Ее муж вызвал врача, и ЛПН убедила его позволить нам считать время между схватками. С ней Мак, невеста и все, кто не блюет и не стонет. ЛПН и невеста — единственные, кто сохранил самообладание. Кроме Мак. Пошли.

Паркер сделала глубокий вдох и распахнула дверь Апартаментов невесты.

ЛПН лежала на маленьком диванчике, бледная, но довольно спокойная. Перед ней на коленях стояла невеста — в корсете, поясе с резинками для чулок и в парикмахерской накидке.

Паркер подошла к беременной.

— Как дела? Хотите, я позову вашего мужа?

— Нет. Передайте ему, пусть остается с Питом. Я в полном порядке, правда. Последние десять минут все было спокойно.

— Уже почти двенадцать, — сказала невеста, показывая всем секундомер.

— Мэгги, прости меня.

— Немедленно прекрати. — Невеста погладила плечо подруги. — Все будет прекрасно.

— Ты должна закончить прическу и макияж. Ты должна...

— Успеется. Все успеется.

— Отличная мысль, — сказала Паркер тоном, одновременно бодрым и деловитым. — Джинни, если тебе здесь неудобно, мы можем отвести тебя в мою комнату. Там спокойнее.

— Нет, мне здесь хорошо, правда. И мне нравится смотреть. Кажется, он опять заснул. — Она погладила огромный живот. — Честно. Джен гораздо хуже, чем мне.

— Я идиотка. — Джен, бледная, с зеленым оттенком подружка, закрыла глаза. — Мэгги, просто пристрели меня.

— Я принесу чай и поджаренный хлеб. Это должно помочь. Эмма и Мак останутся с вами.

Я вернусь через две минуты, — сказала Паркер и тихонько шепнула Эмме: — Если снова начнутся схватки, скинь мне сообщение.

— Не сомневайся. Мэгги, идем, превратим тебя в красавицу. — Эмма помогла Мэгги подняться с колен и передала ее стилисту, а сама с секундомером в руке осталась около будущей матери. — Итак, Джинни, это мальчик?

— Да, наш первенец. У меня до срока еще четыре недели. В четверг я ходила на осмотр. Все было прекрасно. Мы отлично себя чувствуем. Как там мама?

Эмме понадобилась секунда, чтобы вспомнить: Джинни — сестра жениха.

— Прекрасно. Волнуется, конечно, но...

— Она в шоке, — рассмеялась Джинни. — Один взгляд на Пита в смокинге, и она совсем расклеилась. Мы даже здесь слышали ее вопли.

— Естественно, ее реакция расстроила мою маму, — прокомментировала Мэгги с кресла стилиста. — Представьте, они набрасываются друг на друга, как парочка питбулей, Джен блюет в ванной комнате, а Шэннон свернулась в углу эмбрионом.

— Мне уже лучше, — замахала со своего кресла Шэннон, маленькая брюнетка, в данный момент потягивающая нечто очень похожее на имбирный эль.

— Крисси держится. Она вывела детей подышать свежим воздухом и уже должна вернуться.

— После последней схватки прошло пятнадцать минут. Мэгги, если Шэннон готова встать на вахту с секундомером, я пойду поищу Крисси и детей, — предложила Эмма. — Подружка невесты, цветочница и мальчик с кольцами, правильно?

— О, большое спасибо. У меня просто голова кружится от этого безумия.

— У нас бывало и безумнее. — Эмма передала секундомер Шэннон, еще раз взглянула на Джинни. Щеки беременной порозовели, и она выглядела совершенно безмятежной. — Мак, удержишь оборону?

— Без проблем. Эй, давайте-ка пофотографируемся!

— Жестокая женщина, — пробормотала Джен.

Выскочив из комнаты, Эмма заметила на веранде рыдающую в салфетку мать жениха. Муж похлопывал ее по плечу и приговаривал:

— Перестань, Эди. Ради бога.

На главной лестнице Эмма столкнулась с Паркер.

— Статус?

— Думаю, снизился до желтого. Схваток больше не было. Одна похмельная подружка идет на поправку, другая — трудно сказать. Невесту причесывают, а я иду загонять последнюю подружку и детей.

— Они на кухне, пьют молоко с печеньем. Если сможешь взять на себя ДЦ и НК, пришли ПН наверх. Миссис Грейди готовит чай с тостами. Я хочу проверить жениха и успокоить будущего папочку.

— Уже бегу. МЖ на веранде в диких рыданиях.

Паркер поджала губы.

— Я с ней разберусь.

— Удачи, — Эмма поспешила вниз и свернула к кухне как раз в тот момент, когда из Большого зала вышел Джек.

— Пожалуйста, скажи мне, что никто наверху не рожает.

— Этот кризис, похоже, миновал.

— Ну, слава тебе господи.

— РН?

— Что?

— Родители невесты?

— С Картером. Кажется, он преподает в классе их племянника. Мамаша поправляет макияж или что-то там еще.

— Хорошо. Я должна найти последнюю ПН, послать ее наверх и заняться ДЦ и НК.

Джек нахмурился, пытаясь разгадать код, но в конце концов капитулировал:

— Как скажешь.

Эмма задумчиво посмотрела на него.

— Насколько я помню, ты прекрасно справляешься с детьми.

— Нормально справляюсь. Они те же люди, только короче.

— Если бы ты взял на себя НК — мальчика, ему пять, и поразвлекал его минут пятнадцать, это была бы неоценимая помощь. Как только мы все наладим, отведешь его в Апартаменты жениха. Я отведу наверх девочку, помогу ей одеться. — Эмма с опаской взглянула на запиликавшую рацию и вздохнула с облегчением. — Статус желтый, держимся. Хорошо.

— Разве у этих детей нет родителей? — спросил Джек, покорно следуя за Эммой.

— Есть, и у обоих свои обязанности. Дети — брат и сестра, близнецы. Их мама — ПН. Отец — шафер. Поэтому ты можешь сдать НК минут через десять-пятнадцать. Просто дай взрослым отдышаться. А я одену ДЦ и пойду заканчивать наружное оформление. Ну, вперед.

Эмма нацепила на лицо счастливую улыбку и исчезла за дверью кухни.

Через час невеста и подружки были одеты, причесаны, накрашены, жених и шаферы втиснуты в наглаженные смокинги. Пока Мак собирала группы для официальных фотографий, а Паркер удерживала матерей брачующихся на приличном расстоянии друг от друга, Эмма закончила наружный декор.

— Постоянная работа случайно не нужна? — спросила она Джека, помогающего надевать чехлы на последний ряд стульев.

— Даже не предлагай. Не представляю, как вы это делаете каждый уик-энд.

Эмма прикрепила конусы с бледно-розовыми пионами к нескольким стульям.

— Зато скучать не приходится. Динь, я должна сбегать домой переодеться. Гости уже прибывают.

— Беги. Мы справимся.

— Паркер прикинула, что мы задерживаемся всего минут на десять. Это просто чудо. Когда закончите, можете поесть на кухне. Я вернусь через пятнадцать минут. Джек, пойди выпей.

— Я так и планировал.

Эмма вернулась через двенадцать минут уже в элегантном черном костюме и начала прикалывать бутоньерки под аккомпанемент голоса Паркер в наушнике:

— Мы в Апартаментах невесты. Слушайте музыку. Выпускай шаферов.

Эмма прислушивалась к обратному отсчету, отряхивала лацканы, шутила с женихом. Паркер утешала родителей, Мак занимала позицию для съемки.

И только на секундочку Эмма позволила себе выглянуть и восхититься прекрасным залом. Накрахмаленные белые чехлы на стульях служили идеальным фоном для цветов. Зеленые листья и розовые цветы всех оттенков, от самых бледных до самых насыщенных, утопали в мерцающих кружевах и вуалевых облаках.

Секунда пролетела, жених занял свое место. Матерей — одну зареванную, другую слегка накачанную виски — проводили на их места.

Эмма собрала букеты и передала их Паркер, командовавшей дамами.

— Вы все выглядите великолепно. Еще держишься, Джинни?

— Он проснулся, но ведет себя прилично.

— Мэгги, ты ослепительна.

— Ой, не надо. — Невеста помахала рукой перед своим лицом. — Я не думала, что расклеюсь, но я на грани. Боюсь, что оправдаю худшие опасения своей будущей свекрови.

— Один глубокий вдох, выдох, — приказала Паркер. — Медленно и свободно.

— Хорошо, хорошо. Паркер, если я когда-нибудь объявлю войну, ты будешь моим генералом. Эмма, цветы... Вдох, выдох. Папочка.

— Спокойно, детка. — Отец сжал ее пальцы. — Ты же не хочешь, чтобы я вел тебя к жениху, рыдая, как младенец.

— Подожди. — Паркер просунула руку под фату и аккуратно промокнула глаза Мэгги салфеткой. — Выше голову и улыбайся. Отлично. Первая подружка, вперед.

— Увидимся на том берегу, Мэгз. — Джен, еще немного бледная, но сияющая, торжественно вышла в зал.

— Вторая... вперед.

Покончив на данный момент со своими обязанностями, Эмма отступила, оставив Паркер править бал.

— Должен признать, — сказал оказавшийся за ее спиной Джек, — я не думал, что вы справитесь в этот раз. Во всяком случае, так идеально. Я не только потрясен, я благоговею.

— У нас бывало гораздо хуже.

— О, о, — сказал Джек, увидев ее налившиеся слезами глаза.

— Ничего. Иногда на меня просто находит. Я думаю о том, как вела себя невеста. Кризис за кризисом. Все рушилось в главный момент ее жизни. Но она держалась. Ты только погляди на ее улыбку. А как жених на нее смотрит! — Эмма вздохнула. — Иногда я просто не могу сдержать слезы.

Джек протянул ей бокал вина.

— Думаю, ты это заслужила.

— Конечно, заслужила. Спасибо.

Она взяла Джека под руку, склонила голову к его плечу и следила за свадебной церемонией.

# 16

После счастливо закончившейся свадьбы подруги Картер вместе с Джеком присоединились к уже собравшимся в гостиной девушкам.

— В конце концов все наладилось. — Смакуя второй за вечер бокал вина, Эмма повела плечами, пошевелила пальцами босых ног. — Вот что главное. Эта свадьба останется в воспоминаниях похмельями, сражающимися матерями и угрозой преждевременных родов, однако именно подобные события делают каждую свадьбу уникальной.

— Никогда бы не подумала, что можно рыдать без перерыва почти шесть часов. — Лорел кинула в рот пару таблеток аспирина и запила их газировкой. — Словно это были похороны ее сына, а не свадьба.

— С помощью фотошопа я, конечно, вытяну ее портреты, но даже тогда... — Мак пожала плечами. — Думаю, только очень храбрая невеста может взять в довесок к мужу свекровь, которая воет во время обмена клятвами.

Закинув голову, Мак с пугающей точностью воспроизвела завывания миссис Карстэрз.

— О, моя голова, — пробормотала Лорел. — Пощади мою бедную голову.

Сидевший на подлокотнике дивана Картер расхохотался и похлопал Лорел по плечу.

— Не знаю, как вас, но меня эта женщина перепугала до смерти.

— Я думаю, отчасти виноват чуть не родившийся внук. Слишком много на нее свалилось одновременно, — предположила Эмма.

— Надо было воткнуть в нее валиум, — откликнулась Лорел. — И я не шучу. Я все боялась, что она бросится на свадебный торт, как на погребальный костер.

Мак вздохнула.

— О боже, это была бы последняя капля. Прими мои соболезнования.

— Картер, Джек, вы оказали неоценимую помощь. — Паркер отсалютовала им бутылкой воды. — Если бы я знала, что МЖ — плакальщица, то заранее приняла бы меры, но на репетиции она вела себя безупречно, даже казалась счастливой.

— Держу пари, перед репетицией кто-то все же воткнул в нее успокаивающее, — сказала Лорел.

— А какие меры вы предприняли бы, если бы предвидели ее реакцию? — поинтересовался Джек.

Паркер загадочно улыбнулась.

— О, у нас полно профессиональных секретов. Может, мне не удалось бы удержать ее от слез, но я точно не позволила бы ей расстраивать жениха и невесту перед церемонией. Если бы Пит и Мэгги не сохранили спокойствие, катастрофы мы не избежали бы. А нервным персонам мы даем какое-нибудь поручение, чем-то их занимаем, обычно это срабатывает.

— Меня работа точно спасла от слез, — заметил Джек.

— Завтра нам придется воевать без резервов главнокомандующего. — Мак дружески лягнула Картера. — Они променяли нас на «Янкис».

— И говоря о завтрашнем дне, я должна немедленно лечь спать, иначе я просто не выдержу. — Лорел поднялась. — Спокойной ночи, дети.

— Какой тонкий намек. Собирайся, профессор. Боже, мои ноги меня убивают.

Картер отвернулся от Мак и жестом предложил ей забраться ему на спину. Что Мак со смехом и сделала.

— Вот это, я понимаю, любовь, — сказала она, звонко чмокая Картера в макушку. — Это тебе за предложение, а мне за доверие. Надеюсь, профессор Изящество меня не уронит. До завтра, девочки. Давай, поехали!

— Боже, какие они милые, — улыбнулась Эмма им вслед. — Даже Ужасная Линда не в силах омрачить их счастье.

— Утром она звонила Мак, — сообщила Паркер.

— Черт побери.

— Сказала, что передумала и ждет Мак с Картером на своей свадьбе в Италии на следующей неделе. А когда Мак сказала, что за такой короткий срок не сможет освободиться и прилететь в Италию, Линда устроила обычный спектакль.

— Мак мне и словом не обмолвилась.

— Она не хотела отвлекать тебя. Линда, разумеется, позвонила ровно в тот момент, когда Мак собирала аппаратуру для утренней свадьбы. Но ты права в главном: Линда не в силах омрачить их счастье. До Картера такой звонок погрузил бы Мак в глубокую депрессию. А сейчас ей было неприятно, но она справилась и просто не стала зацикливаться.

— Чары Картера победили Злые Чары Линды. Я должна его расцеловать.

— Если ты мне доверяешь, я сделаю это завтра за тебя, — предложил Джек.

Эмма чопорно чмокнула его в щеку.

— Спасибо, но я как-нибудь сама.

— Как скажешь. Ладно, пошли домой.

— Завтра в восемь утра совещание, — напомнила Паркер.

— Да, да. — Эмма подавила зевок. — А ты не хочешь взвалить меня на спину?

— Я предпочитаю другой способ. — С нарочито театральным размахом Джек подхватил ее на руки.

— Блеск! Я тоже. Спокойной ночи, Паркс.

— Спокойной ночи. — С легкой завистью Паркер смотрела, как Джек в стиле Рэта Батлера выносит Эмму из гостиной.

— Отличный уход со сцены. — Эмма восхищенно прижалась губами к щеке Джека. — Но ты вовсе не должен тащить меня до самого дома.

— Думаешь, я позволю Картеру меня переплюнуть? Тогда ты ничего не понимаешь в здоровой конкуренции. Приятно видеть Мак такой счастливой, — добавил он. — Я несколько раз случайно оказывался рядом после концертов Линды. Тяжелое зрелище.

— Я знаю. — Эмма лениво теребила волосы Джека. — Линда — единственный человек, которого я активно не люблю. Я раньше пыталась найти ей какие-нибудь оправдания, а потом поняла, что их просто нет.

— Она как-то и ко мне подкатывалась.

Эмма вскинула голову.

— Что? *Мать* Мак к тебе приставала?

— Давным-давно. Вообще-то был и еще один раз, не так давно. Значит, получается два приставания. Первый раз, еще в колледже, я приезжал сюда на пару недель в летние каникулы. Мы собирались на вечеринку, и я заехал за Мак. У нее тогда не было машины. Ее мать открыла дверь, оглядела меня с головы до ног, но не так, как обычно это делают матери, а потом загнала меня в угол и не выпускала, пока Мак не спустилась. Это было... интересно и да, страшно. Ужасная Линда. Подходящее имя.

— Сколько тебе тогда было? Двадцать? Как ей не стыдно! Ее следовало бы арестовать. Или еще как-нибудь наказать. Теперь я ее еще больше не люблю. Хотя и не думала, что это возможно.

— Я выжил. Но если она попробует снова, надеюсь, ты меня защитишь. И лучше, чем от Ужасной Келли.

— Когда-нибудь я выскажу ей все, что о ней думаю. Линде, не Келли. А если она появится на свадьбе Мак и попробует выкинуть очередной фортель, я могу и разозлиться.

— Ты разрешишь мне посмотреть?

Эмма снова опустила голову ему на плечо.

— Завтра я позвоню мамочке и скажу ей, какая она замечательная. — Она снова чмокнула его в щеку. — И ты тоже замечательный. Меня впервые несут на руках под луной.

— Вообще-то на небе тучи.

Эмма улыбнулась:

— Мне так не кажется.


Джек изучал свои «дырявые» карты. Покерный Вечер пока складывался для него удачно, но вот пара двоек не обнадеживала. Джек сказал «пас» и стал ждать, что предложат остальные. Доктор Род внес в банк двадцать пять баксов. Сидевший рядом с ним Мэл бросил карты. Дел швырнул в банк фишки. Ландшафтный дизайнер Фрэнк сделал то же самое. Адвокат Генри бросил карты.

Джек поколебался и выложил двадцать пять баксов.

Дел «сжег» верхнюю карту и открыл три следующие: трефовый туз, бубновая десятка, бубновая четверка.

Возможный флэш, возможный стрит. А на руках паршивая пара двоек.

Джек сказал «пас».

Род внес в банк еще двадцать пять баксов.

Картер вышел из игры. Дел и Фрэнк поддержали ставку.

Глупо, подумал Джек, но у него появилось предчувствие. Иногда предчувствия стоят двадцати пяти баксов.

Он добавил свои фишки в банк.

Дел снял закрытую карту и перевернул следующую. Бубновая двойка.

Вот это уже интересно. И все же, зная, как сыграл Род, Джек спасовал.

Род поставил еще двадцать пять, Дел поднял его ставку на двадцать пять баксов.

Фрэнк вышел из игры. Джек подумал, не сбросить ли двойки, но предчувствие держалось. Он швырнул в банк пятьдесят баксов.

— Рад, что ты не испугался. Я собираюсь взять банк. Пусть будет пожирнее. — Род ухмыльнулся. — Я только что обручился.

Дел взглянул на него.

— Серьезно? Нас сбивают, как мух.

— Поздравляю, — сказал Картер.

— Спасибо. Поднимаю еще на пятьдесят баксов. Я подумал: какого черта я жду? И прыгнул. Шелл хочет познакомиться с фирмой твоей сестры, Дел. Может, как покерному приятелю, устроишь мне скидку?

— И не надейся. — Дел пересчитал фишки. — Но я поддержу твои полсотни. Похоже, наступает конец твоему покеру и сигарам.

— Черт, Шелл не такая. Твое решение, Джек.

Вероятно, карманные тузы. Род никогда не блефовал, а если и пытался, это было видно невооруженным глазом. Значит, карманные тузы или пара хороших бубен. И все же...

— Остаюсь. Считай это подарком на помолвку.

— Признателен. Мы подумываем о следующем июне. Шелл хочет пышную свадьбу. Я-то думал улететь зимой на какой-нибудь остров, позагорать, заняться серфингом, жениться. Но она хочет выйти замуж с размахом.

— И это только начало, — скорбным тоном произнес Мэл.

— Картер, у тебя ведь пышная свадьба, верно?

— Мак в бизнесе. Они потрясающе работают. Хотят сделать что-то особенное. Очень личное.

— Не переживай, Род, — посоветовал Мэл. — От тебя все равно ничего не зависит. Просто научись повторять «конечно, детка» каждый раз, как она спросит, нравится ли тебе что-то, хочешь ли ты что-то, сделаешь ли ты что-то.

— Много ты понимаешь. Ты там никогда не был.

— Чуть не вляпался. Просто я недостаточно часто говорил «конечно, детка». — Мэл осмотрел кончик своей сигары. — К счастью.

— А я думаю, мне понравится. — Род подтолкнул на переносицу съехавшие очки. — Есть с кем остаться дома, есть с кем выйти в свет. Джек, кажется, ты движешься в этом же направлении.

— Что?

— Ты уже давно встречаешься со знойной флористкой. Сошел с дистанции.

Дел прикусил сигару.

— Мы играем в покер или обсуждаем свадьбу Рода? Три игрока на ривере.

Дел перевернул последнюю карту, но Джек не заметил, поскольку таращился на Рода.

— Ставка. И я в игре, — сказал Род.

С непроницаемым выражением лица Дел попыхивал сигарой.

— Это интересно, Род. Я поддерживаю. А ты, Джек? Остаешься или выходишь?

— Что?

— Ты играешь?

— Да. — Сошел с дистанции? Что это значит? Джек медленно глотнул пива, приказал себе сосредоточиться. И увидел, что последняя карта на ривере — двойка червей.

— Откроемся.

— У меня три туза! — воскликнул Род.

— И ты убит, — сказал ему Дел, открывая свои карты, — потому что у меня бриллиант, как тот, что ты наденешь на пальчик своей возлюбленной. Королевский флэш.

— Сукин сын. Я думал, у тебя десятки.

— Ты ошибся. Джек?

— Что?

— Господи, Джек, покажи свои карты или брось их.

— Прошу прощения. — Джек встряхнулся. — Соболезную вашим тузам и флэшу. Но я получил две такие маленькие двоечки вдобавок вот к этим четырем картам одного достоинства. Поэтому, я думаю, банк — мой.

— Ты получил четвертую двойку на траханом ривере? — Род покачал головой. — Удачливый ублюдок.

— Да. Удачливый ублюдок.

После игры, сунув в карман свою долю выигрыша — вступительный взнос по пятьдесят долларов с каждого игрока, — Джек задержался на задней веранде дома Дела.

— Опять пиво? Значит, остаешься? — спросил Дел.

— Подумываю.

— Тогда утром кофе варишь ты.

— У меня ранняя встреча, так что кофе будет в шесть часов.

— Отлично. У меня снятие показаний под присягой в деле о разводе. Черт, ненавижу, когда друзья втягивают меня в свои разводы. Вообще ненавижу дела о разводах.

— Что за друг?

— Ты ее не знаешь. Мое школьное увлечение. В конце концов она вышла замуж за этого парня, около пяти лет назад они переехали в Нью-Хейвен, двое детей. — Дел покачал головой, глотнул пива. — Теперь они решили, что не выносят друг друга. Она вернулась сюда, живет у своих родителей и решает, чего, черт побери, хочет. Он злится, потому что ее возвращение осложняет его встречи с детьми. — Дел перекинул бутылку пива в левую руку. — Она злится, потому что ее материнство разрушило ее карьеру. — Дел перекинул бутылку обратно в правую руку. — Он ее слишком мало ценил, она не понимала, под каким прессингом он живет. Ничего нового.

— Мне казалось, что ты больше не хочешь заниматься разводами.

— Когда в твой кабинет входит женщина, чьи

груди ты когда-то ласкал, и просит о помощи, трудно сказать «нет».

— Это правда. В моей работе такое случается нечасто, но это правда.

Дел ухмыльнулся и отхлебнул пива.

— Может, я просто ласкал больше грудей, чем ты.

— Посчитаемся?

— Если ты помнишь все груди, которые держал в руках, то их было не так уж много.

Джек рассмеялся, откинулся на спинку стула.

— Мы могли бы смотаться в Вегас.

— За грудями?

— За... Вегасом. Пара дней в казино. Вечера в стриптиз-баре. Да, таким образом будут включены и груди. Просто проветримся.

— Ты ненавидишь Вегас.

— Ненависть — слишком сильное выражение. Ну, есть предложение получше. Сен-Мартен или Сен-Барт. Развлечения, пляж, глубоководная рыбалка.

— Ты и рыбалка? — удивился Дел. — Насколько я знаю, ты никогда не держал в руках удочку.

— Всегда что-то бывает в первый раз.

— Зуд в одном месте?

— Просто хотел уехать куда-нибудь на несколько дней. Лето надвигается. Я всю зиму работал без отдыха и даже жалкую неделю в Вэйле сократил до трех дней. Хорошо бы это компенсировать.

— Я мог бы выбраться на длинный уик-энд.

— Отлично. Договорились. — Довольный Джек отпил еще пива. — Странно это насчет Рода.

— Что именно?

— Обручился. Так неожиданно.

— Он с Шелли уже пару лет. Никаких неожиданностей.

— Он никогда даже не намекал на женитьбу, — упорствовал Джек. — Я и не думал, что он решится. Ну, парень вроде Картера, это понятно. Он из тех, кто каждый вечер приходит с работы домой, надевает тапочки.

— Тапочки?

— Ну, ты меня понимаешь. Приходит домой, готовит себе простенький ужин, гладит трехлапого кота, смотрит телик, может, трахает Мак, если есть настроение.

— Знаешь, я пытаюсь не думать о Мак и траханье в одном предложении.

— Просыпается утром и начинает все сначала, — продолжал Джек, словно произнося речь. — Где-то по дороге добавится пара детишек, может, одноглазый пес, чтобы не скучал трехлапый кот. Траханья станет меньше, потому что дети снуют туда-сюда. Глубоководная рыбалка и стриптиз-бары останутся в далеком прошлом, и его жизнью станут кошмарные походы в торговый центр, детский сад, траханый минивэн, фонды на обучение. И боже, боже! — Джек вскинул руки. — Ему сорок, и он тренирует «Малую лигу», а у самого уже вырос животик, потому что где, черт побери, взять время на спортзал, когда нужно заехать в супермаркет и купить хлеб и молоко. Не успеешь глазом моргнуть, ему пятьдесят, и он засыпает в мягком кресле с откидывающейся спинкой за десятым повтором «*Закона и порядка*».

Дел молчал с минуту, просто пристально разглядывал лицо Джека.

— Интересный обзор следующих двадцати лет жизни Картера. Надеюсь, одного из детей они назовут в мою честь.

— А что, разве я в чем-то ошибся? — Откуда эта паника, откуда эта странная тяжесть в груди? Думать об этом не хотелось. — Есть и хорошая сторона. Мак не придет к тебе оформлять документы на развод, потому что, похоже, у них все получится. И она не станет скандалить, если он отправится на Покерный Вечер, и нс станет пилить его «ты никогда никуда со мной не ходишь».

— А Эмма станет?

— Что? Нет. Я говорю не об Эмме.

— Нет?

— Нет. — Джек сделал глубокий вдох и обнаружил, что смущен собственным лепстом. — С Эммой все прекрасно. Она нормальная. Я говорю в общих чертах.

— И в общих чертах брак — это минивэн, и кресло с откидывающейся спинкой, и конец жизни в нашем понимании?

— Пусть универсал и кресло с выдвижной подножкой. Неважно. Главное, что Мак и Картеру это подходит. Это... то, что им нужно. Но не каждому этого достаточно.

— Ну, зависит от динамики отношений.

— Динамика меняется. — Джеку до сих пор казалось, что для его родителей все изменилось за одну ночь. Сегодня семья, а завтра два чужих человека. Никаких причин, никакой логики. И так случается сплошь и рядом. Ну, в половине случаев точно. — Вот почему ты завтра снимаешь показания под присягой в деле о разводе. — Немного успокоившись, Джек пожал плечами. — Люди меняются, меняется их окружение, обстоятельства — все.

— Да, меняется. Но кто хочет добиться успеха, не отчаивается и преодолевает все изменения.

Озадаченный и необъяснимо раздраженный, Джек хмуро покосился на Дела.

— Когда это ты успел стать фанатом брака?

— Я никогда не был противником. Моя родословная — история длинных браков. Я считаю, что для жизни в браке необходимо мужество или слепая вера, тяжкий труд и значительная гибкость. Учитывая прошлое Мак и Картера, я бы сказал, что у нее есть мужество, а у него — слепая вера. Это хорошее сочетание. — Дел помолчал, глядя на свою пивную бутылку. — Ты любишь Эмму?

Джек почувствовал вспышку паники и смыл ее пивом.

— Я говорил не о ней. Не о нас. Ни о чем подобном.

— Чушь собачья. Мы сидим здесь и пьем пиво после покера. Ты взял банк, я продулся. И вместо того, чтобы изводить меня насмешками, ты разглагольствуешь о браке и глубоководной рыбалке. Причем ни то ни другое никогда тебя раньше не интересовало.

— Нас сбивают, как мух. Ты сам это сказал.

— Сказал, не отрицаю. Так оно и есть. Тони женат три, может, уже четыре года. Фрэнк женился в прошлом году, Род помолвлен. Приплюсуй сюда Картера. В данный момент я ни с кем особенным не встречаюсь, как и Мэл, насколько я знаю. Остаетесь ты и Эмма. В такой ситуации неудивительно, что безобидное замечание Рода тебя взбудоражило.

— Может, я просто начинаю задумываться о ее ожиданиях, вот и все. Она в брачном бизнесе.

— Нет, она в свадебном бизнесе.

— Ладно, существенная поправка. У Эммы большая семья. Большая, крепкая и явно счастливая семья. И хотя свадьбы и браки — события разныс, одно ведет к другому. Одна из ее лучших подруг детства выходит замуж. Ты же знаешь эту четверку, Дел. Они как кулак. Конечно, каждый палец может шевелиться сам по себе, но они растут из одной и той же руки. Ты верно сказал: ты и Мэл — свободны, как Лорел и Паркер. Но Мак? Она все взбаламутила. Теперь один из моих покерных приятелей собирается обсуждать с ними свои свадебные планы. Мой мир пошатнулся.

Джек взмахнул бутылкой пива и сделал печальный вывод:

— Если об этом думаю я, то она уж подавно.

— Ты мог бы принять какие-то радикальные меры. Поговорить с ней, например.

— Подобный разговор — это шаг вперед.

— Или назад. А куда ты хочешь, Джек?

— Вот видишь, ты меня уже спрашиваешь. —

Чтобы подчеркнуть свою точку зрения, Джек ткнул в Дела пальцем. — И она спросит, не сомневайся. И что же я должен сказать?

— Как насчет правды?

— Не знаю я правду.

— Ладно. Вот мы и докопались до причины паники.

— С чего ты взял, что я взбудоражен?

— Думаю, ты сам должен это выяснить. Ты так и не ответил на главный вопрос. Ты ее любишь?

— Как это вообще можно узнать, черт побери? Более того, как узнать, что так будет всегда?

— Мужество, слепая вера. Или у тебя это есть, или нет. Но, насколько я вижу, брат, единственный человек, который на тебя давит, это ты сам. — Скрестив ноги, Дел допил свое пиво. — Есть о чем подумать.

— Я не хочу ее обидеть. Я не хочу ее подвести.

«Послушал бы себя, — подумал Дел. — Ты уже по уши влюблен, только не понимаешь это».

— Я тоже этого не хочу, — сказал он вслух. — Потому что пришлось бы избить тебя до смерти.

— Ты просто боишься, что я изобью тебя, если ты попытаешься.

И они перешли к более привычной и безопасной перепалке.


Чтобы не допустить ошибок в перестройке жилища Мак, Джек заезжал на стройплощадку, в которую превратился бывший дом у бассейна, каждый день. И это давало ему прекрасную возможность наблюдать Совместную Жизнь Мак и Картера.

Каждое утро он видел их на кухне — один кормил кота, второй разливал кофе. В какой-то момент Картер, прихватив ноутбук, освобождал территорию, а Мак отправлялась в студию. Если Джек приезжал во второй половине дня, то видел иногда, как Картер возвращается из главного дома, но только — он обратил на это внимание — если у Мак не было клиентов. Джек решил, что в парня встроен радар.

Иногда один из них или оба выходили посмотреть, как продвигается стройка, задавали вопросы, предлагали ему кофе или что-нибудь холодное, в зависимости от времени дня.

Ритм их жизни так завораживал Джека, что однажды утром он не выдержал и остановил Картера:

— Занятия закончились, верно?

— Началось летнее веселье.

— То-то я заметил, что ты очень часто топаешь в главный дом.

— Сейчас в студии тесновато. И шумно. — Картер оглянулся на жужжание электропил, грохот гвоздезабивных пистолетов. — Я учу подростков, поэтому у меня очень высокий уровень толерантности, и все же я не понимаю, как Мак может работать в этом шуме. Похоже, он ее совсем не беспокоит.

— Чем ты занимаешься целыми днями? Составляешь тесты на следующую осень?

— Прелесть тестов состоит в том, что можно давать одни и те же из года в год. У меня есть запас.

— Ну да, кто бы сомневался. Тогда что?

— Вообще-то мне выделили одну гостевую комнату под кабинет, и миссис Грейди меня кормит.

— Ты что-то изучаешь?

Картер переступил с ноги на ногу, что Джек воспринял как проявление смущения.

— Я вроде как работаю над книгой.

— Правда?

— Ну, кто знает, что получится. Может, ничего хорошего. Но я решил потратить лето и выяснить.

— Здорово. Как ты узнаешь, что Мак выпроводила клиентов? Она тебе звонит? Говорит, что можно возвращаться?

— Когда у нее съемка здесь, она старается назначить клиентов на утро, а большинство консультаций, пока идет стройка, переносит в главный дом. Я просто смотрю ее расписание на день, чтобы не ворваться во время съемки, не нарушить атмосферу, не отвлечь ее. Очень простая система.

— И, похоже, срабатывает.

— Да, кстати, я не ожидал, что все пойдет так быстро. — Картер кивнул на дом. — Каждый день прибавляется что-то новое.

— Если погода продержится и плавно пройдут все инспекции, задержек не будет. Это хорошая команда. Они должны... — Зазвонил его сотовый. — Прости.

— Ответь. Я пойду. Мне пора начинать.

Джек нажал кнопку.

— Кук. Да, я на площадке Браунов. — Разговаривая, Джек уходил подальше от шума. — Нет, мы не можем просто... Если они настаивают, нам понадобится внести изменения в проект и снова получить разрешение.

Его рабочие визиты также давали ему представление о жизни Эммы. В начале недели клиенты приезжали и уезжали практически один за другим. В середине недели Эмма получала заказы. Несметные коробки с цветами. И сейчас она с ними возится, думал Джек. Встает рано, работает в одиночестве. Динь или кто-то из других помощниц обычно подходят попозже, делают свою часть работы.

В середине дня, если удается, Эмма недолго отдыхает на своем патио. Если он в это время оказывается на площадке, старается выкроить время и посидеть с ней хоть чуть-чуть.

Как может живой мужчина устоять перед Эммой, окутанной солнечным светом?

И в этот момент он ее увидел. С волосами, заткнутыми под шляпу. Не на патио. Опустившись на колени, она ковыряла землю лопаткой.

— Передай им: от двух до трех недель, — сказал он в трубку. Эмма обернулась, приподняла поля шляпы и улыбнулась ему. — Я выезжаю через несколько минут. Переговорю с подрядчиком. Через пару часов буду в офисе. Не волнуйся.

Джек захлопнул телефон, окинул взглядом ряды растений.

— Разве у тебя недостаточно цветов?

— Их никогда не бывает достаточно. Я хочу посадить здесь побольше многолетников. От главного дома откроется прекрасный вид.

Джек наклонился, поцеловал ее.

— Ты сама — прекрасный вид. Я думал, ты работаешь в мастерской.

— Не выдержала. Это не займет много времени. Если придется, поработаю лишний час в конце дня.

— А после конца дня ты занята?

Эмма склонила голову к плечу и наповал сразила его взглядом из-под полей шляпы.

— Зависит от предложения.

— Может, съездим в Нью-Йорк поужинать? В ресторан с официантами-снобами и слишком дорогим меню. Но ты будешь так прекрасна, что я все это даже не замечу.

— Вечером я точно не занята.

— Хорошо. Я заеду за тобой около семи.

— Я буду готова. И раз уж ты здесь... — Она обвила руками его шею и крепко-крепко поцеловала.

— Собери саквояж.

— Что?

— Собери все, что понадобится для ночевки, и мы снимем номер в отеле. Устроим настоящий праздник.

— Правда? — Эмма закружилась от радости. — Дай мне десять секунд, и я соберусь прямо сейчас.

— Договорились.

— Я должна завтра рано вернуться, но...

— Я тоже. — Он обхватил ее лицо ладонями,

поцеловал в губы. — Вот так. Чтобы ты не расслаблялась. В семь. Пока.

Довольный своим экспромтом и ее реакцией, Джек поспешил к пикапу, на ходу доставая телефон. Он позвонил в свой офис и поручил секретарше забронировать столик в ресторане и номер в отеле.

## 17

— Я сказала ему, что соберусь за десять секунд. Какая же я лгунья. — Эмма уже привела себя в порядок, и теперь ее тело, увлажненное кремами, благоухало. — Наверное, обычная домашняя одежда не самый подходящий вариант, но...

Она сунула в саквояж сложенную рубашку, повернулась к Паркер и потрясла белой шелковой сорочкой.

— Что ты думаешь?

— Она великолепна. — Паркер подошла, провела пальцем по изящным кружевам лифа. — Когда ты ее купила?

— Прошлой зимой. Не смогла устоять и сказала себе, что буду надевать только для собственного удовольствия. Но так ни разу и не надела. И к ней вот такой маленький халатик. Я люблю махровые халаты, которые дают в отелях, но так романтичнее. Мне хочется надеть после ужина что-то романтичное.

— Тогда идеально.

— Я даже не знаю, куда мы едем, где будем ночевать, и мне это нравится. Как будто он меня крадет. Мне очень нравится это ощущение. — Эмма сделала пируэт и уложила пеньюар в саквояж. — Я хочу шампанское, и свечи, и какой-нибудь нелепый изысканный десерт. Я хочу, чтобы Джек смотрел на меня в свете свечей и говорил, что любит меня. И я ничего не могу с собой поделать.

— А зачем что-то делать?

— Он все это спланировал, мы будем вместе. И этого должно быть достаточно. Я счастлива.

Пока Эмма укладывала вещи, Паркер погладила ее плечи.

— Эмма, ты вовсе не должна устанавливать для себя границы.

— Я ничего подобного не делаю. Я не думаю, что я это делаю. Да, я, наверное, ждала слишком многого, поэтому я пытаюсь немного подкорректировать свои ожидания. Как я и говорила, когда все это началось, — она сжала руку Паркер, — я просто упиваюсь своим счастьем и решаю проблемы по мере поступления. Я так давно его люблю, но это опять же моя проблема. Мы вместе всего пару месяцев. Нам некуда спешить.

— Эмма, сколько я тебя знаю — а это вся наша жизнь, — ты никогда не боялась сказать, что чувствуешь. Почему ты боишься сказать Джеку?

Эмма закрыла саквояж.

— Ну, предположим, скажу. А что, если он еще не готов? А если решит, что должен отступить, и мы снова станем просто друзьями? Вряд ли я это переживу. — Эмма повернулась лицом к подруге. — Паркер, я не готова рисковать тем, что у нас есть сейчас. Пока не готова. Поэтому я просто буду наслаждаться сегодняшним вечером и не буду ничего усложнять... О боже, мне пора одеваться. Я завтра вернусь в восемь, в половине девятого самое позднее. Но если мы вдруг застрянем в пробке...

— Я позвоню Динь и вытащу ее из кровати. Я сумею. Она примет утреннюю доставку и займется цветами.

Эмма никогда не подвергала сомнению таланты Паркер.

— Хорошо, но я вернусь. — Она втиснулась в платье и подставила Паркер спину, чтобы та застегнула молнию.

— Мне нравится этот цвет. Цитрин. Больно сознавать, что я выглядела бы в нем желтушной. А ты в нем просто сияешь. — Взгляды девушек встретились в зеркале. Паркер обняла подругу за талию. — Желаю хорошо провести время.

— Непременно.

Через двадцать минут, когда Эмма открыла дверь, Джек только взглянул на нее и ухмыльнулся.

— Обалдеть. Надо было подумать об этом давным-давно. Ты сногсшибательна.

— Я достойна надменных официантов и слишком дорогого ужина?

— Более чем. — Джек поднес к губам ее руку, поцеловал запястье, на котором сверкал подаренный им браслет.

Даже сама поездка в Нью-Йорк казалась Эмме идеальной, и неважно, неслись ли они на пределе дозволенной скорости или ползли в пробке. Безмятежный вечер сулил прекрасную долгую ночь.

— Я каждый раз думаю, что должна чаще ездить в город. Развлекаться, ходить по магазинам, знакомиться с новинками флористики. Но никогда не удается выбираться так часто, как хочется. Поэтому каждая поездка — счастье.

— Ты даже не спросила, куда мы едем.

— Это не имеет значения. Я люблю сюрпризы, спонтанность. Ведь мне, да и тебе тоже, почти все время приходится придерживаться графиков. А это? Это как крохотные волшебные каникулы. И если ты пообещаешь мне шампанское, больше нечего и желать.

— У тебя будет все, что захочешь.

Когда Джек остановил машину перед «Уолдорф Асторией», Эмма чуть не потеряла дар речи.

— С ума сойти.

— Я подумал, что ты любишь традиции.

— Ты правильно подумал.

Эмма подождала на тротуаре, пока швейцар достал их багаж, и взяла Джека за руку.

— Заранее спасибо за этот чудесный вечер.

— Заранее пожалуйста. Я только зарегистрируюсь и отправлю вещи в номер. Ресторан в трех кварталах отсюда.

— Мы можем пройтись пешком? Такая чудесная погода.

— Конечно. Дай мне пять минут.

Эмма бродила по вестибюлю, изучая витрины бутиков, роскошные цветочные композиции, снующих туда-сюда людей...

— Готова?

— Абсолютно. — Она снова вложила руку в его ладонь, и они вышли на Парк-авеню, в неугомонный вечерний город. — У одной моей кузины была свадьба в «Уолдорфе», естественно, еще до «Брачных обетов». Грандиозная, пышная свадьба, как принято у Грантов. Мне было четырнадцать, и я была потрясена. Я до сих пор помню цветы. Море цветов. В основном желтые розы. Подружки невесты тоже были в желтом, похожие на пачки сливочного масла, но цветы... Прямо в бальном зале поставили арку, увитую желтыми розами и глициниями. Наверное, работала целая армия флористов. Но я так хорошо запомнила арку, что, думаю, она того стоила. — Эмма улыбнулась ему. — А ты мог бы назвать здание, которое произвело на тебя такое же сильное впечатление?

— Их было несколько. — На углу Джек свернул на восток. — Но честно? Больше всего я был потрясен, когда впервые увидел дом Браунов.

— Правда?

— В Ньюпорте, где я вырос, полно роскошных особняков, и некоторые просто изумительны. Но в доме Браунов есть что-то, выделяющее его из множества других. Удивительная сбалансированность, плавность линий, сдержанная величественность, уверенность, достоинство и легкий намек на сказку.

— Точно, — согласилась Эмма. — Достоинство и сказочность.

— А когда в него входишь, сразу понимаешь, что в нем живут. Именно живут, и более того, обитатели любят этот дом и эту землю. Это одно из моих любимейших мест в Гринвиче.

— И моих.

Джек открыл дверь ресторана. Войдя внутрь, Эмме показалось, что вся спешка и суета остались в другом мире, даже воздух словно замер.

— Отличная работа, мистер Кук, — тихо сказала она.

Метрдотель изящно поклонился им.

— *Bonjour, mademoiselle, monsieur.*

— Кук, — произнес Джек таким бесстрастным голосом, что Эмма с трудом подавила смешок. — Джексон Кук.

— Мистер Кук, *bien sur*, прошу за мной.

Метрдотель провел их к накрытому белоснежной льняной скатертью столику с изысканной цветочной композицией, мерцающими свечами, сверкающим хрусталем и серебром и усадил с ожидаемой помпой. Предложил коктейли.

— Дама предпочитает шампанское.

— Замечательно. Я пришлю сомелье. Наслаждайтесь.

— Я уже наслаждаюсь. — Эмма наклонилась к Джеку. — Безумно.

— Все выкручивали шеи, когда ты шла по залу.

Она улыбнулась ему сексуальной изумительной улыбкой.

— Мы очень красивая пара.

— И теперь каждый мужчина в этом зале мне завидует.

— Еще больше наслаждения. Но говори, говори.

— Минуточку.

Джек взглянул на подошедшего к столику сомелье, а когда заказал бутылку, его выбор получил высочайшее одобрение. Джек накрыл ладонью руку Эммы.

— Так на чем я остановился?

— Ты сказал, что я особенная.

— Тебе легко говорить комплименты.

— Ты кружишь мне голову. Продолжай.

Джек засмеялся, поцеловал ее пальцы.

— Эмма, я люблю быть с тобой. Ты превратила мой день в праздник.

Интересно, как ее характеризует то, что от слов «я люблю быть с тобой» у нее начинает бешено биться сердце?

— Почему бы не рассказать мне о начале твоего дня?

— Ну, я раскрыл тайну Картера.

— А была тайна?

— Куда он ходит, что делает? Я бываю там совсем недолго, но в разное время — утром, днем, вечером, — так что мои проницательные наблюдения создают полную картину его дня.

— И каковы же твои выводы?

— Никаких, но множество теорий. Удирает ли он из дома потому, что завел бурный роман с миссис Грейди? Или он играет в азартные игры через свой компьютер?

— Возможно, и то и другое.

— Возможно. Он ловкий парень. — Джек умолк, взглянул на этикетку представленной ему бутылки и одобрительно кивнул. — Дама попробует.

Когда начался ритуал открывания бутылки, Джек наклонился к Эмме:

— А в это время наша любимая, доверчивая Макензи работает не покладая рук и ничего не подозревая. Неужели у невинного и милого с виду Картера Магуайра нет никаких порочных тайн? Я должен был это выяснить.

— Ты замаскировался и прокрался за ним в главный дом?

— Обдумал эту идею и отверг.

Сомелье налил немного шампанского в бокал Эммы. Она сделала маленький глоточек, распробовала и улыбнулась, растопив ледяное высокомерие знатока вин.

— Изумительно. Благодарю вас.

— К вашим услугам, *mademoiselle*. — Сомелье ловко наполнил их бокалы. — Надеюсь, вы получите удовольствие от каждого глотка. *Monsieur.* — Он поставил бутылку в ведерко со льдом и откланялся.

— Итак, как же ты раскрыл тайну Картера?

— Дай мне минутку. Из-за шампанского и твоей улыбки я потерял нить. Ах да. Я изобрел гениальный метод. Я его спросил.

— Какая жестокость.

— Он пишет книгу. Что ты наверняка уже знаешь.

— Я вижу Мак с Картером почти каждый день. Мак мне действительно говорила, однако твой метод гораздо веселее. Он пишет книгу урывками уже несколько лет. Но Мак убедила его вплотную

заняться книгой вместо летних занятий с ученика-
ми. Я думаю, он хороший писатель.

— Ты читала?

— Не то, над чем он работает, но у него есть
опубликованные рассказы и эссе.

— Неужели? Он никогда не упоминал. Еще одна тайна Картера.

— Я не думаю, что можно знать все о человеке,
даже если давно и хорошо его знаешь. Всегда найдется что-то неизвестное.

— Думаю, мы отличное тому доказательство.

В ее глазах искрились смешинки, когда она
снова пригубила шампанское.

— Я тоже так думаю.


— Официанты  недостаточно  высокомерные.
Ты их так очаровала, что они наперебой стараются
тебе угодить.

Эмма зацепила ложечкой капельку шоколад-
ного суфле.

— По-моему, они достигли идеального уровня
снобизма.  - Суфле проскользнуло между ее губами, сопровождаемое соблазнительным тихим стоном удовольствия. — Почти так же вкусно, как у
Лорел, но все же ее суфле вкуснее всего, что я пробовала.

— Вот именно, *пробовала*. Почему ты просто не
съешь его?

— Я смакую. — Эмма зачерпнула еще чуточку
суфле. — Ужин состоял из пяти блюд. — Она вздох-

нула над чашкой кофе. — Мне кажется, что я слетала в Париж.

Джек провел пальцем по тыльной стороне ее ладони и подумал: она не носит колец. Видимо, из-за своей работы и не хочет привлекать внимание к своим рукам.

Странно, его они восхищали.

— А ты была?

— В Париже? — Эмма положила в рот еще крошку суфле. — Первый раз совсем маленькой, и запомнила только, как мама катит меня в прогулочной коляске по Елисейским Полям. А потом, когда мне было тринадцать, с Паркер, ее родителями, Лорел, Мак и Делом. В последнюю минуту Линда запретила Мак лететь с нами, придравшись к какой-то мелочи. Это было ужасно. Но мама Паркер поговорила с Линдой и все уладила. Она так и не призналась нам, каким образом. Это была незабываемая поездка. Несколько дней в Париже, а потом две изумительные недели в Провансе.

Эмма позволила себе целую чайную ложечку суфле.

— А ты?

— Пару раз. Летом, после первого курса в колледже, мы с Делом отправились в турпоход по Европе. Тоже незабываемый опыт.

— Ой, я помню. Почтовые открытки, и фотографии, и забавные емейлы из разных интернет-кафе. Мы тоже собирались в Европу. Вчетвером. Но когда погибли Брауны... Это было ужасно. И на нас обрушилось столько дел... Паркер удалось построить фундамент для «Брачных обетов», но к той затее мы так и не вернулись. — Эмма откинулась на спинку стула. — Честно, я больше не смогу проглотить ни капельки.

Джек подал знак принести счет.

— Открой мне один из своих карманов.

— Моих карманов? — удивилась Эмма.

— Расскажи что-нибудь, что я о тебе не знаю.

— А-а. — Эмма засмеялась, отпила кофе. — Хм, дай подумать. О, есть. Ты наверняка не знаешь, что я была победителем окружного конкурса Фэрфилда по спеллингу сложночитаемых слов.

— Не может быть. Правда?

— Чистая правда. На самом деле я участвовала и в конкурсе штата и была совсем близко... — Эмма показала ему эту чуточку, почти сведя вместе большой и указательный пальцы. — Вот *так* близко к победе, когда сделала роковую ошибку.

— И какое слово тебя погубило?

— Автокефальный.

Джек недоверчиво прищурился.

— Хочешь сказать, что такое слово существует?

— Из греческого, означает «независимый, никому не подчиняющийся». — Эмма произнесла слово по буквам. — Может, из-за стресса я сказала *и* вместо *е* и вылетела. Но я всегда выигрываю в Скрабл.

— А я сильнее в математике, — с вызовом сказал Джек.

Эмма наклонилась к нему.

— Теперь твоя очередь. Расскажи что-нибудь о себе.

— Я тоже не промах. — Джек сунул кредитную

карточку в кожаную папку, тактично оставленную у его локтя. — Могу посоперничать с твоим конкурсом.

— Позволь мне судить.

— Я играл Керли в школьной постановке «*Оклахомы*»!

— Серьезно? Я слышала, как ты поешь. Отлично поешь. Но я не знала, что ты увлекался театром.

— Я и не увлекался театром. Я увлекался Зоуи Маллой, которой досталась роль Лори. С ума по ней сходил. Поэтому я из кожи вон лез, когда пел «О, какое прекрасное утро», и получил роль.

— А Зоуи ты получил?

— Получил. На несколько счастливых недель. А потом, в отличие от Керли и Лори, мы расстались. Так печально закончилась моя актерская карьера.

— Держу пари, ты был классным ковбоем.

Джек озорно ухмыльнулся.

— Ну, Зоуи точно так думала.

Получив счет, Джек встал, протянул ей руку.

— Давай вернемся длинной дорогой, — предложила Эмма. — Я уверена, ночь чудесная.

Эмма не ошиблась. Ночь оказалась теплой, с мерцающими звездами, несмотря на снующие по улицам машины с включенными фарами и свет в окнах домов. Не спеша, обходя квартал за кварталом, Джек с Эммой подошли к величественному парадному входу в отель. И здесь было оживленно. Входили и выходили люди в деловых костюмах, в джинсах, в вечерних нарядах.

— Вечное движение, как в киносъемке, когда некому сказать «снято», — сказала Эмма.

— Не хочешь что-нибудь выпить в баре?

— Ммм, нет. — Они прошли к лифтам. — Я получила все, что хотела.

В лифте она повернулась и потянулась к нему. И чем выше поднимался лифт, тем больше учащался ее пульс.

Джек открыл дверь номера, и Эмма вошла в мерцающий свет свечей. На накрытом белой скатертью столе в серебряном ведерке охлаждалась бутылка шампанского. В хрустальной вазе алела единственная роза, и по всей комнате были расставлены свечи в прозрачных стаканчиках. Тихо шелестела музыка.

— О, Джек.

— И как это все сюда попало?

Засмеявшись, Эмма обхватила его лицо ладонями.

— Ты только что превратил потрясающее свидание в свидание мечты. Изумительно. Как ты это устроил?

— Когда принесли чек, попросил метрдотеля позвонить в гостиницу. Не только ты умеешь планировать.

— Мне нравится твой план. — Она поцеловала его. — Очень нравится.

— Я надеялся. Открыть бутылку?

— Обязательно. — Эмма прошла к окну. — Посмотри, какой вид. Там внизу все куда-то мчатся, а мы здесь.

Джек ловко, с легким хлопком, открыл шампанское, наполнил бокалы и подошел к ней.

— За превосходное планирование, — сказала Эмма под тихий звон бокалов.

— Расскажи мне еще что-нибудь, — попросил Джек, легко касаясь пальцами ее волос. — Что-нибудь новое.

— Вывернуть еще один карман?

— Я узнал про победу в спеллинге, про футбольные успехи. Интересные аспекты.

— Кажется, это все мои тайные таланты. — Эмма протянула руку, дернула его за галстук. — Интересно, справишься ли ты с темной стороной моей личности.

— Испытай меня.

— Иногда, когда я остаюсь ночью одна после длинного дня... особенно если немного расстроена. Или нервничаю... — Эмма умолкла, глотнула шампанского. — Не знаю, стоит ли признаваться.

— Не стесняйся. Ты среди друзей.

— Правда. И все же немногие мужчины по-настоящему понимают желания женщины. А некоторые просто не справляются с тем фактом, что некоторые желания просто не в состоянии удовлетворить.

Джек сделал большой глоток шампанского.

— М-да, даже не знаю, бояться или восхищаться.

— Однажды вечером я попросила мужчину, с которым тогда встречалась, заняться этим со мной. Он оказался не готов. И больше я никогда никого не просила.

— Для этого нужны рабочие инструменты? Я прекрасно обращаюсь с инструментами.

Эмма отрицательно покачала головой, отошла подлить себе шампанского и подняла бутылку, приглашая Джека присоединиться.

— Я делаю вот что... — Она налила шампанское в его бокал. — Сначала я отношу в свою спальню большой бокал вина, затем зажигаю свечи. Я включаю музыку, тихую и нежную, расслабляющую и соблазнительную. Потом я ложусь в кровать среди вороха подушек и готовлюсь отправиться в путешествие. И когда я готова... Когда я словно погружаюсь в... я включаю DVD и смотрю *«Верно, безумно, глубоко»*.

— Ты смотришь порно?

— Это не порно. — Рассмеявшись, она легко шлепнула его по руке. — Это нежная история любви. Джулиет Стивенсон безумно страдает, когда умирает Алан Рикман, ее возлюбленный. Она просто раздавлена горем. Так больно смотреть. — Эмма прижала ладонь к горлу. — У меня слезы льются ручьями. А потом он возвращается призраком. Он так сильно любит ее. Сердце разрывается, и хочется смеяться.

— Одновременно?

— Да. Мужчинам этого не понять. И я не собираюсь тебе объяснять. Это просто душераздирающе и очаровательно, печально и жизнеутверждающе. И невыразимо романтично.

— И этим ты занимаешься тайно, ночью, в своей постели, когда остаешься одна.

— Да. Сотни раз. Я уже дважды покупала новые диски.

Прихлебывая шампанское, Джек озадаченно смотрел на нее.

— Мертвый парень — это романтика?

— Эй! Не просто мертвый парень, а Алан Рикман. И да, в данном случае это потрясающе романтично. А после фильма, наплакавшись, я засыпаю, как ребенок.

— А как насчет «*Крепкого орешка*»? Алан Рикман в роли злодея? Вот этот фильм действительно можно смотреть сотню раз. Может, нам как-нибудь устроить двойной сеанс. Если ты справишься.

— Йо-хо-хо!

Джек ухмыльнулся.

— Назначай сеанс на следующую неделю. Но обязательно должен быть попкорн. Нельзя смотреть «*Крепкий орешек*» без попкорна.

— Согласна. Тогда и увидим, из чего ты сделан. — Эмма легко коснулась губами его губ. — Иду переодеваться. Я недолго. Может быть, отнесешь шампанское в спальню?

— Может быть.

Снимая в спальне пиджак и галстук, Джек думал об Эмме, о том, сколько в ней таится сюрпризов. Как странно, считаешь, что знаешь о человеке все, а обнаруживаешь совершенно незнакомые его стороны. И чем больше узнаешь, тем больше хочешь знать. Импульсивно он вынул розу из вазы и положил на подушку.

Когда Эмма вошла в спальню, он перестал дышать. Черные локоны падали на белый шелк, атласная кожа золотилась на фоне белых кружев.

— Ты что-то говорила о свидании мечты, — с трудом выдавил он.

— Я хотела внести свой вклад.

Она приближалась к нему в мерцающем свете свечей, и шелк струился по ее бедрам. А когда она подняла руки и обвила его шею так, как умела только она, ее аромат опьянил его сильнее шампанского.

— Я поблагодарила тебя за ужин?

— Да.

— Хорошо... — Эмма царапнула зубами его нижнюю губу, легко-легко, прелюдией поцелуя. — Еще раз спасибо. А за шампанское? Я поблагодарила тебя за шампанское?

— Насколько я помню.

— Просто на всякий случай. — Она вздохнула и прижалась губами к его губам. — И за свечи, за розу, за долгую прогулку, за вид из окна. — Ее тело скользило по его телу, увлекая в медленное, соблазнительное кружение.

— Всегда рад стараться.

Джек прижимал ее к себе все сильнее, не отрываясь от ее губ, и их сердца бились в унисон. И она пыталась прижаться к нему хотя бы на немного ближе. Она впитывала его запах, его вкус. Такой знакомый и такой новый. Ее пальцы погружались в его волосы, уже успевшие немного выгореть на солнце и поблескивающие золотом и бронзой.

Они скользнули на атласные белые простыни, в аромат единственной алой розы. Снова вздохи, снова плавные, как во сне, движения. И нежные прикосновения, за которыми тянется дорожка покалывающих следов на коже. Эмма гладила его лицо, открывалась ему — телом и душой — и погружалась вместе с ним в страсть, окутанную романтикой.

Нежность и нетерпение. Все, что она хотела, о чем всегда мечтала. И она пьянела от любви. Его тело, такое теплое, наполняло ее спокойной радостью, хотя сердце билось как сумасшедшее, билось только для него.

Понимал ли он это? Чувствовал ли? Как он мог не почувствовать?

И пока он вел ее к вершине, его имя, просто его имя расцветало в ее сердце, отданном ему.

Она окутывала его разум серебряным туманом, она искрилась в его крови, как шампанское. Каждое томное движение, каждый шепот, каждый стон, каждое прикосновение сводили его с ума. И когда она раскрылась ему навстречу, когда поднялась, как волна, когда выдохнула его имя и улыбнулась, его словно громом поразило.

— Ты так красива, — прошептал он. — Невероятно красива.

— Я чувствую себя красивой, когда ты смотришь на меня.

Едва касаясь ее кончиками пальцев, глядя в ее глаза, сияющие от наслаждения, он опустил голову, поцеловал ее и почувствовал, как ее тело задрожало от вновь вспыхнувшего желания.

— Я хочу тебя. — Она судорожно вздохнула, изогнувшись под ним. — Ты все, что я хочу, Джек.

Он двигался вместе с ней медленно, смакуя каждое мгновенье, и, окутанный ею, потерялся в ней.

Удовлетворенный, разомлевший, он прижался щекой к ее груди, позволил себе помечтать.

— Никак нельзя завтра прогулять работу и остаться здесь?

— Ммм. — Она перебирала его волосы. — Не в этот раз. Но какая чудесная мысль.

— Нам придется вставать с рассветом.

— Я лучше обхожусь вообще без сна, чем несколькими жалкими часами.

Джек поднял голову и улыбнулся ей.

— Забавно. Я тоже об этом думал.

— Было бы непростительно не воспользоваться остатками шампанского и клубникой в шоколаде.

— Преступно. Лежи. Не двигайся. Я принесу.

Она потянулась, вздохнула.

— Я никуда не собираюсь.

# 18

Через пять минут после возвращения Эммы Макензи ворвалась в ее дом.

— Еле дождалась, когда Джек смотается. Я проявила безумную выдержку! — крикнула она еще с лестницы и, войдя в спальню, нахмурилась. — Ты разбираешь вещи. Раскладываешь все по местам.

Терпеть не могу такую организованность. Почему среди нас только я одна неряха?

— Ты не неряха. Ты просто свободнее обращаешься со своим личным пространством.

— Эй, твоя формулировка мне нравится. Ладно, хватит обо мне. Расскажи мне все. Собственного любовника я оставила тосковать над миской с кукурузными хлопьями.

Прижав к груди ночную сорочку, Эмма весело закружилась.

— Сказка. Это была сказка. Каждая минута.

— Так-так-так.

— Изысканный французский ресторан, шампанское, апартаменты в «Уолдорфе».

— Боже, это точно твой стиль. Шикарно, элегантно. А еще тебе подошел бы непринужденный шик: свидание в стиле «кэжуал», например пикник на берегу моря лунной ночью — красное вино, свечи в маленьких раковинах.

Эмма закрыла опустевший саквояж.

— И почему я не кручу роман с тобой.

— Мы были бы изумительной парой, не сомневайся. — Обняв Эмму за плечи, Мак повернулась с ней к зеркалу. В зеркале отразились Эмма в классических джинсах и легкой блузке и она сама в хлопчатобумажных штанах и футболке, в которых спала. — М-да, сногсшибательная парочка. Ну, попридержим ее в резерве на случай, если остальное не сработает.

— Всегда приятно иметь запасной вариант. О боже, Мак, это была самая идеальная ночь моей жизни. — Эмма повернулась к подруге, сжала ее в объятиях и снова закружилась. — Мы не спали. Вообще. Я не устаю удивляться, как нам интересно разговаривать, узнавать друг о друге что-то новое. Мы проговорили весь ужин и долгую прогулку. И Джек заказал в номер шампанское, а когда мы пришли, там уже горели свечи и звучала тихая музыка.

— Ох.

— Мы пили шампанское, и разговаривали, и занимались любовью. Это было так романтично. — Эмма тихо замурлыкала, закрыла глаза, обхватила себя руками. — А потом мы опять разговаривали, и опять пили шампанское, и опять занимались любовью. Мы завтракали при свечах и...

— Опять занимались любовью.

— Да. Мы ползли домой в жутких пробках, и это не имело никакого значения. Ничего не имело значения. Ничего не могло иметь значения. Мак? Я самый счастливый человек на свете.

— Да, и, извини, это раздражает.

— Очень жаль. Неважно. Я счастлива, но я никогда не думала, что могу быть так счастлива. Я и не представляла, что так бывает. Мне все время хочется прыгать и кружиться, петь и танцевать. Как Джули Эндрюс в «Звуках музыки».

— Хорошо-хорошо. Я поняла. Но не надо, потому что это раздражает еще больше.

— Я знаю. Поэтому я делаю все это мысленно. Я всю жизнь мечтала безумно влюбиться, но даже близко не представляла, каково это. — Эмма плюхнулась на кровать и, ухмыляясь, уставилась на потолок. — Ты все время это чувствуешь? С Картером.

Мак плюхнулась рядом с Эммой.

— А я никогда не представляла, что влюблюсь. Я никогда не мечтала о любви так, как ты, и не искала любовь. Некоторым образом любовь просто обрушилась на меня, свалилась, как тонна кирпичей. Я до сих пор в шоке, когда задумываюсь о том, что происходит со мной, во мне, — я не кружусь, не пою, даже мысленно, это бы меня раздражало. Но вот насчет прыжков — в самую точку. И я в шоке, когда думаю, что кто-то испытывает такие же чувства ко мне.

Эмма взяла Мак за руку.

— Я не знаю, относится ли ко мне Джек так, как я к нему. Но я знаю, что небезразлична ему. Я знаю, что он испытывает ко мне сильные чувства. А я так его люблю, Мак. Мне остается лишь надеяться, что вся моя любовь... пустит корни, что ли. Я думала, что любила его раньше, но теперь я думаю, что тогда было страстное увлечение, смешанное с похотью. Потому что сейчас все по-другому.

— Ты сможешь ему сказать?

— Еще пару дней назад я ответила бы «нет». Сказала бы, что не хочу ничего разрушать, не хочу нарушать хрупкое равновесие. Собственно, я так и ответила, когда Паркер меня спросила. Но теперь я думаю, что смогу. Я думаю, что должна. Просто осталось решить, как и когда.

— Я безумно испугалась, когда Картер сказал,

что любит меня. Не огорчайся, если Джек сначала немного испугается.

— Я не думаю, что, говоря кому-то о любви, мы чего-то ждем в ответ. Я думаю, мы говорим потому, что можем что-то дать.

— Ты распаковываешь вещи сразу же, как только возвращаешься домой. Это счастливая черта характера. И ты очень мудро рассуждаешь о любви. Просто удивительно, что мы, все трое, регулярно тебя не поколачиваем.

— Вы не можете. Вы же меня любите.

Мак повернулась лицом к подруге.

— Любим. И болеем за тебя. Все мы.

— Значит, у меня все получится, верно?


Эмма разбиралась с утренней доставкой, когда раздался стук. Недовольно заворчав, она отложила цветы и отправилась открывать дверь — и удивленно заморгала, увидев через стекло Кэтрин Симан и ее сестру. Взмокшая, встрепанная, вряд ли она сейчас сможет произвести благоприятное впечатление на важных клиентов.

Однако деваться некуда. Эмма нацепила на лицо радушную улыбку и распахнула дверь.

— Миссис Симан, миссис Латтимер, рада вас видеть.

— Простите за вторжение, но Джессика и девочки определились с платьями подружек невесты. Я привезла вам образец ткани.

— Отлично. Прошу вас, входите. Не хотите ли что-нибудь выпить? Может, холодный чай? Сегодня тепло.

— С удовольствием, — немедленно согласилась Адель. — Если вас не затруднит.

— Вовсе нет. Присядьте пока, отдохните. Я вернусь через минуту.

Чай, судорожно соображала Эмма, торопясь на кухню. Порезать лимон, достать красивые стаканы. Черт, черт, черт. Тарелочку с печеньем. Спасибо Лорел за неприкосновенный запас. Эмма составила все на поднос, пригладила волосы, нанесла на губы блеск — в кухонном ящике всегда лежал тюбик на непредвиденный случай, — пощипала щеки.

Сделав все возможное в данных обстоятельствах, Эмма дважды глубоко вдохнула и выдохнула и вышла к дамам, слоняющимся по ее гостиной.

— Кейт рассказывала, как у вас тут миленько. Она права.

— Спасибо.

— А ваши личные комнаты наверху?

— Да. Это очень удобно.

— Я заметила, что ваша партнер — Макензи — расширяет свою студию.

— Да. — Эмма налила чай, но осталась стоять, поскольку гостьи не спешили садиться. — В декабре Мак выходит замуж, и им нужно больше личного пространства, так что заодно решили расширить и студию.

— Как прелестно! Как волнительно планировать свадьбу для кого-то из своих. — Адель ухватила стакан и снова отправилась разглядывать фотографии и трогать цветы.

— Вы правы. Мы дружим с самого детства.

— Вот эта фотография. Это вы и двое ваших партнеров?

— Да, Лорел и Паркер. Мы любили играть в День Свадьбы, — сказала Эмма, с мечтательной улыбкой глядя на фото. — В тот день я была невестой, а Мак, — словно заглянула в будущее, — официальным фотографом. Она расскажет вам про то мгновение — голубая бабочка, — когда она поняла, что хочет стать фотографом.

— Очаровательно. — Кэтрин повернулась к Эмме. — Однако мы прервали вашу работу и теперь крадем ваше время.

— Я всегда рада неожиданному перерыву.

— Надеюсь, вы говорите искренне, — вклинилась Адель, — потому что я умираю от желания увидеть, где вы работаете. Вы сегодня делаете композиции? Букеты?

— А... вообще-то я обрабатываю утреннюю доставку, поэтому немного испачкалась.

— У меня, наверное, нет совести, но все же я хочу попросить вас показать ваше рабочее место.

— Ах, конечно. — Эмма взглянула на Кэтрин. — Только не падайте в обморок.

— Я уже видела, где вы работаете.

— Да, но вы не видели меня за работой. — Эмма повела дам в мастерскую. — Обработка... ну, вы сами видите. — Она указала на рабочий стол.

— Боже, какие цветы! — Раскрасневшись от возбуждения, Адель бросилась к столу. — О, а как пахнут эти пионы.

— Любимые цветы невесты, — сказала Эмма. — Эти изумительные алые мы используем в ее

букете в контрасте со всеми оттенками от ярко-
розового до самого бледного. Букет будет перевя-
зан вишневой лентой, усыпанной карамельно-ро-
зовыми стразами. Букеты подружек — его умень-
шенные копии в розовых тонах.

— И вы держите цветы в этих ведрах?

— В питательном растворе. А потом я уберу
цветы в холодильник до того момента, как мы
начнем с ними работать. Очень важно, чтобы цветы оставались свежими и после свадьбы.

— Как вы...

— Адель, — перебила сестру Кэтрин, прищелк-
нув языком. — Ты опять устраиваешь допрос.

— Ладно, ладно, я понимаю, но у меня столько вопросов. Я очень серьезно настроена создать
собственную фирму по организации свадеб на
Ямайке. — Кивая как заведенная, Адель снова обвела взглядом мастерскую. — Похоже, у вас тут все
идеально устроено. Вряд ли мне удастся перема-
нить вас.

— Я с радостью отвечу на любые ваши вопросы. Однако, если вас интересует организация бизнеса, вам следует обратиться к Паркер.

— Все, мы больше не будем вам мешать. —
Кэтрин открыла сумочку. — Образец ткани.

— Ой, какой прекрасный цвет. Словно смотришь сквозь росинку на весенний лист. Идеально
для сказочной свадьбы. — Эмма повернулась к
витрине и выбрала белый шелковый тюльпан. —
Видите, как сияет белое на этом бледно-зеленом?

— Да, да, я вас понимаю. Как только будут

одобрены фасоны, мы пришлем вам эскизы. Эмма, благодарю вас за уделенное нам время.

— Мы всегда к вашим услугам и сделаем все, чтобы у Джессики был ее идеальный день.

— Вот видишь, — ткнула Адель сестру. — Именно такое отношение я хочу предложить своим клиентам. Я даже думаю, что «Идеальный день» будет изумительным названием для моего агентства.

— Мне нравится, — сказала Эмма.

— Вот моя визитка на случай, если вы вдруг передумаете, — не унималась Адель. — Обещаю вам десять процентов сверх ваших нынешних ежегодных доходов.


Паркер сбросила туфли с ног, взывающих о снисхождении после двух полноценных консультаций.

— Я честно пытаюсь не раздражаться, но Адель снова пыталась украсть тебя.

— А сколько она предложила тебе за переезд на Ямайку? — спросила Эмма.

— Карт-бланш, что, как я ей честно сказала, серьезная ошибка. Никто не стоит открытого счета, особенно когда только создаешь бизнес-модель.

— Она купается в деньгах, — заметила Лорел. — И да, я знаю, что это не имеет значения при ведении бизнеса. Но она привыкла купаться в деньгах.

— У нее хорошая концепция. Эксклюзивное свадебное агентство «все включено» в популярном для проведения свадеб уголке света. И ей хватает ума переманивать людей с богатым опытом. Но сколько бы у нее ни было денег, необходимо составить бюджет и придерживаться его.

— Так почему мы это не делаем? — воскликнула Мак. — То есть я не хочу сказать, что мы должны срочно собрать вещи и переехать на Ямайку, или на Арубу, или куда угодно, но мы могли бы создать филиал «Брачных обетов» в каком-нибудь экзотическом местечке. Мы бы всех убили.

— Это я тебя убью. — Лорел сложила пальцы пистолетом и «выстрелила» в Мак. — Разве у нас мало работы?

— Я подумывала об этом, — сказала Паркер.

Лорел вытаращила глаза.

— Подожди, я перезаряжу пистолет.

— Просто туманная идея на будущее.

— Когда научатся идеально клонировать людей.

— Скорее франшиза, чем филиал, — объяснила Паркер. — С очень жесткими требованиями. Но я еще не разработала детали. Если и когда я это сделаю, мы все обговорим и запустим дело при условии, что все согласятся. Но пока да, у нас достаточно работы. Если не считать вторую половину августа. Там чисто.

— Я видела и как раз хотела тебя спросить. — Эмма потянулась, чтобы снять напряжение в пояснице. — Наверное, я забыла что-то включить.

— Нет, я там ничего не занимала. Это легко исправить, если никто не хочет пару неделек поваляться на пляже.

С минуту три подруги Паркер ошеломленно

молчали, а затем вскочили и запрыгали по комнате в победном танце. Лорел схватила Паркер за руку и вытащила в круг.

— Похоже, хотят все.

— Можно начать собираться прямо сейчас? Можно? Скажи, что можно! — потребовала Мак.

— Солнцезащитный крем, бикини и блендер для «Маргарит». Что еще? — Лорел закружила Паркер. — Ура! Каникулы!

— Где? — поинтересовалась Эмма. — На каком пляже?

— Какая разница? — Лорел снова плюхнулась на диван. — Пляж есть пляж. Две недели без помадной глазури и сахарной пасты. Подождите, я смахну со щеки слезу счастья.

— Хэмптонс. Дел купил дом.

— Дел купил дом в Хэмптонсе? — Мак вскинула кулаки. — Дел! Гип-гип, ура!

— Точнее, компания «Браун Лимитид» купила дом в Хэмптонсе. Это те самые документы, что он приносил в последний раз. Недвижимость растет в цене. Это хорошая инвестиция. Я ничего не говорила на случай, если сделка расстроится. Но все подписано. Итак, в конце августа мы все отправляемся на пляж.

— Все? — переспросила Лорел.

— Мы четверо, Картер, Дел, Джек, конечно. Там шесть спален, восемь ванных комнат. Места хватит всем.

— А Джек знает? — спросила Эмма.

— Он знает, что Дел ищет недвижимость, но не знает про август. Мы с Делом решили, что нет смысла говорить об отпуске, если сделка сорвется. Теперь у нас есть дом.

— Я должна сказать Картеру! — Мак чмокнула Паркер в щеку и выбежала из комнаты.

— Как чудесно. Побегу обведу эти дни в календаре и украшу маленькими сердечками и лучистыми солнышками. Прогулки по пляжу под луной. — Эмма обняла Паркер. — Это почти так же идеально, как танец в освещенном луной саду. Я позвоню Джеку.

Паркер и Лорел остались одни.

— Что-то не так? — спросила Паркер.

— Что? Нет, господи, что может быть не так. Пляж, отпуск. Просто я в шоке. Необходимо купить новые пляжные наряды.

— Чертовски верно.

Лорел вскочила.

— Я побежала в торговый центр.

На волне вдохновения Эмма передвинула консультацию на час пораньше — слава богу, клиентка не возражала — и сумела освободить вторую половину дня. Уж очень хотелось поразить Джека на уже традиционном свидании в понедельник. По дороге Эмма остановила машину у главного дома и отправилась на поиски Паркер.

Естественно, Паркер нашлась в кабинете — вышагивала взад-вперед с неизменной телефонной гарнитурой за ухом. При виде Эммы Паркер закатила глаза.

— Я уверена, мама Кевина вовсе не хотела критиковать или оскорблять тебя. Ты абсолютно права, это твоя свадьба, твой день, твой выбор. Ты имеешь полное право... Да, он очень мил, Дон, и прекрасно воспитан. Я знаю... я знаю.

Паркер закрыла глаза и схватила себя за горло, пародируя удушение.

— Ты позволишь мне позаботиться об этом и освободить тебя и Кевина? Иногда постороннему легче объяснить и... я уверена, что она ничего подобного не имела в виду. Да, конечно. Я тоже сержусь. Но, но... Дон! — Ее голос прозвучал резче, всего лишь чуточку резче, но достаточно, как знала Эмма, чтобы оборвать любую тираду невесты. — Ты должна помнить, что, несмотря ни на какие осложнения или разногласия, все, что касается этого дня, посвящено тебе и Кевину. И ты должна помнить, что я сделаю все, чтобы этот день был именно таким, каким видишь его ты и Кевин.

Паркер возвела глаза к потолку.

— Почему бы тебе с Кевином не поужинать сегодня в хорошем ресторане? Я могу заказать вам столик где угодно... Чудесно, я обожаю этот ресторан. — Паркер нацарапала название в блокноте. — В семь? Я немедленно зарезервирую вам столик. А вечером поговорю с матерью Кевина. К завтрашнему дню все уладится, можешь ни о чем больше не волноваться. Да, мы обязательно с тобой поговорим. Да, Дон, для этого есть я. Это моя работа. Хорошо. Прекрасно. Ммм-хмм. Пока.

Паркер отключилась, но предупреждающе подняла палец.

— Еще минутка. — Паркер позвонила в выбранный невестой ресторан, зарезервировала столик и с облегчением стянула наушник. Сделав глубокий вдох, она энергично взвизгнула и кивнула. — Мне лучше. Гораздо лучше.

— У Дон проблема с будущей свекровью?

— Да. Как ни странно, МЖ не понимает и не одобряет выбранного невестой хранителя колец.

— Только не говори, что это ее...

— Бинз, бостонский бультерьер, любимец невесты.

— Ох, я совсем забыла. — Эмма нахмурилась. — Погоди. А я знала?

— Может, и нет. Я сама узнала от невесты всего лишь пару дней назад. МЖ считает это глупым, недостойным, постыдным. И в выражениях она не постеснялась. Невеста решила, что ее будущая свекровь — собаконенавистница.

— Бинз будет в смокинге?

Губы Паркер дрогнули в улыбке.

— На данный момент решено ограничиться галстуком-бабочкой. Невеста хочет собаку, она получит собаку. Поэтому я приглашу МЖ на бокал вина — такие проблемы лучше решать лично и с алкоголем — и все улажу.

— Желаю удачи. Я еду в город. Хочу устроить Джеку сюрприз — приготовить ужин. Да, и обязательно проверю, осталось ли в Гринвиче после тебя и Лорел хоть что-нибудь пляжно-сексуальное.

— Разве что топик с завязками на шее. И пара босоножек.

— Я их обязательно найду. И еще заеду в супермаркет и питомник. Тебе что-нибудь нужно в городе? Могу привезти завтра утром.

— Ты не заглянешь в книжный?

— Я еду в город. Что скажет мамочка, если я к ней не загляну?

— Отлично. У нее есть заказанная мной книга.

— Я прихвачу. Если придумаешь что-нибудь еще, просто позвони мне на сотовый.

— Желаю как следует повеселиться.

Когда Эмма уехала, Паркер посмотрела на свой «BlackBerry», вздохнула и набрала телефон матери Кевина.


Предвкушая свободный, полный радостных событий день, Эмма сначала заехала в питомник. Она даже разрешила себе просто ради удовольствия побродить среди растений и только потом занялась делом.

Она любила запахи земли и зелени так сильно, что каждый раз с трудом сдерживалась, чтобы не накупить всего понемногу. Но она пообещала себе, что наутро заедет сюда еще раз и выберет растения для садов поместья.

А сейчас она выбирала горшки для украшения заднего входа в дом Джека. И она нашла то, что показалось ей идеальным: два изящных высоких вазона цвета старой бронзы.

— Нина? — окликнула она менеджера. — Я хочу купить эти два.

— Великолепные, не правда ли?

— Да, изумительные. Пожалуйста, пусть их погрузят в мою машину. Она перед входом. И садовую землю. Я хочу еще выбрать растения.

— Не спеши.

Эмма нашла темно-красные и пурпурные цветы и зелень с золотистыми искорками для обрамления.

— Роскошно, — одобрила Нина, когда Эмма подтолкнула свою тележку к кассе. — Дерзкие цвета, великолепные текстуры. А как благоухает этот гелиотроп. Для свадьбы?

— Нет, подарок другу.

— Другу повезло. Остальное уже в твоей машине.

— Спасибо.

Приехав в город, Эмма побродила по магазинам, купила себе новые босоножки, пышную юбку и, вспомнив о давнем лете на побережье, дерзкой расцветки шарф, легко превращающийся в парео.

Затем Эмма заехала в книжный магазин. Помахала служащей, пробивавшей за кассой очередную покупку.

— Привет, Эмма! Твоя мама в кладовке.

— Спасибо.

Лючия, открывавшая доставленный ящик с книгами, увидев дочь, воскликнула:

— Какой чудесный сюрприз!

— Я сорила деньгами. — Эмма перегнулась через ящик и поцеловала маму в щеку.

— Мое самое любимое занятие. Почти. Ты так счастлива из-за удачной покупки или... — Лючия постучала пальцем по браслету Эммы. — Или ты просто счастлива?

— И то и другое. Я хочу приготовить Джеку ужин, поэтому еще должна успеть в супермаркет. Но я нашла эти миленькие босоножки, которые, естественно, необходимо прогулять.

Эмма покружилась, демонстрируя обновку.

— Они действительно миленькие.

— И... — Эмма коснулась указательными пальцами новых золотых висюлек в ушах.

— Ах, тоже миленькие.

— Плюс чудесная летняя юбка вся в красных маках. Пара топиков, шарф и... и так далее.

— Моя девочка. Я утром видела Джека. Кажется, он сказал, что вы сегодня вечером идете в кино.

— Планы изменились. Я хочу угостить его стейком по твоему рецепту. У миссис Грейди нашелся один в морозилке, я выпросила его, и он мариновался всю ночь. Сейчас он в багажнике, в сумке-холодильнике. К стейку я хочу пожарить мелкую картошку с розмарином, может, спаржу, и еще хороший ломоть оливкового хлеба. Что скажешь?

— Очень мужской ужин.

— Верно, так и задумывалось. Мне не хватило наглости выпрашивать десерт у Лорел. Она по уши в заказах. Может, мороженое с клубникой?

— Очень мужской и продуманный ужин. По особому случаю?

— Отчасти благодарность за невероятную ночь в Нью-Йорке, отчасти... Мама, я хочу сказать ему.

Я хочу рассказать ему о своих чувствах, о том, что я люблю его. Мне кажется неправильным чувствовать все это, — Эмма прижала ладонь к сердцу, — и не говорить ему.

— Любовь — смелое чувство, — напомнила ей Лючия. — Я знаю одно: когда он произносит твое имя, то просто светится счастьем. Я рада, что ты мне сказала. Теперь я помогу тебе, вам обоим, хорошими мыслями.

— Спасибо, пригодится. Ой, и у тебя должна быть книга для Паркер. Я обещала забрать ее.

— Сейчас принесу. — Лючия обняла Эмму за талию и вывела из кладовки. — Ты позвонишь мне завтра? Я хочу знать, как пройдет ужин.

— Обязательно позвоню.

— Эмма?

Эмма оглянулась и улыбнулась хорошенькой брюнетке, отчаянно пытаясь вспомнить, кто это.

— Привет.

— Эмма, это ты! Ой, здравствуй!

Эмма оказалась в энергичных объятиях брюнетки, к тому же принявшейся раскачивать ее туда-сюда. Озадаченная, она дружески сжала девушку, бросив вопросительный взгляд на маму.

— Рейчел, ты вернулась из колледжа. — Понадеявшись, что Эмма поймет намек, Лючия ослепительно улыбнулась брюнетке. — Мне кажется, что только на прошлой неделе Эмма бежала нянчить тебя.

— Я знаю. Я сама едва...

— Рейчел? Рейчел Моннинг? — Эмма слегка отстранилась и пристально посмотрела в ярко-голубые глаза. — О боже. Ну надо же. Я тебя не узнала. Ты выросла красавицей. Когда тебе перестало быть двенадцать?

— Ну, некоторое время назад. Даже довольно давно. Где-то между школой и колледжем. Ой, Эмма, ты выглядишь бесподобно. Как всегда. Поверить не могу, что встретила тебя. Я как раз собиралась тебе звонить.

— Ты учишься в колледже? Приехала на лето?

— Да. Остался еще год. Я работаю в «Эствил», в отделе связей с общественностью. Взяла выходной, чтобы купить книгу о планировании свадьбы. Я помолвлена!

Рейчел продемонстрировала сверкающий бриллиант.

— Помолвлена? — Эмма не сразу оправилась от шока. — Но ведь десять минут назад ты еще играла в куклы.

— Хм, скорее, десять лет. — Рейчел рассмеялась. — Ты должна познакомиться с Дру. Он необыкновенный. Ой, конечно, ты с ним познакомишься. Мы собираемся пожениться следующим летом, когда я закончу колледж, и только ты должна делать мой букет и все, все, все. Мама говорит, что «Брачные обеты» — то, что надо. Ты можешь поверить? Я выхожу замуж, а ты сделаешь мой букет. Раньше ты делала мне цветы из салфеток, а теперь они будут настоящими.

Эмма почувствовала укол зависти и тут же возненавидела себя за это... но ощущение не пропало.

— Я так рада за тебя. Когда это случилось?

— Две недели, три дня и... — Рейчел сверилась

со своими часиками. — Шестнадцать часов назад. Ой, мне пора. Хватаю книжку и бегу, а то опоздаю. — Рейчел снова обняла Эмму. — Я позвоню, и мы поговорим о цветах, и тортах, и, о боже, обо всем. Пока! Пока, миссис Грант. До встречи.

— Рейчел Моннинг выходит замуж.

— Да. — Лючия погладила плечо Эммы. — Рейчел выходит замуж.

— Я же ее нянчила. Я заплетала ей французскую косу и разрешала попозже ложиться спать. А теперь я буду делать для нее свадебные композиции. Мамочка, как же так получилось?

— Ничего, ничего. — Лючия и не собиралась скрывать смешок. — Разве не ты планируешь провести вечер с потрясающим мужчиной?

— Да, верно. Я поняла. У каждого своя судьба. Однако... Боже милостивый.

Чтобы купить все, что нужно, Эмме пришлось отбросить мысли о вчерашних девчонках, выскакивающих замуж, и их свадьбах. Однако не успела она выйти из супермаркета, как ее снова окликнули.

— *Buenos tardes, bonita!*

— Рико! — На этот раз вместо объятий ее пылко расцеловали в обе щеки. — Как поживаешь?

— Гораздо лучше, когда увидел тебя.

— А почему не летишь в какое-нибудь экзотическое местечко?

— Только что вернулся из Италии. Хозяин возил свое семейство в Тоскану на короткий отдых.

— Ах, тяжела жизнь личного пилота. А как Бренна?

— Мы расстались пару месяцев назад.

— О, мне жаль. Я не знала.

— Ничего страшного. — Рико пожал плечами. — Давай помогу тебе. — Он подхватил ее пакеты, заглянул в них по дороге к ее машине. — Похоже, будет классная еда, гораздо лучше, чем мой ужин Голодного Холостяка.

— Ох, бедняжка. — Эмма рассмеялась, открывая пассажирскую дверцу. — Сюда, пожалуйста. Я уже загрузилась до предела.

— Я вижу. — Рико взглянул на растения и мешки на заднем сиденье. — Похоже, тебя ждет очень напряженный вечер, но если передумаешь, я приглашу тебя на ужин. — Он игриво провел пальцем по ее руке. — Или еще лучше, дам тебе наконец тот урок пилотирования, о котором мы столько говорили.

— Спасибо, Рико, но у меня встреча.

— Это должен был быть я. Если все же передумаешь, звони в любое время.

— Если передумаю, ты будешь первым. — Эмма легко коснулась губами его щеки и отправилась вокруг капота к водительской дверце. — Ты помнишь Джилл Берк?

— А... маленькая блондинка, чудесный смех.

— Да, она опять одна.

— Неужели?

— Ты должен ей позвонить. Держу пари, ей понравится урок пилотирования.

Рико улыбнулся во весь рот, в глазах замелькали веселые искры, и Эмма вспомнила, почему ей нравилось проводить с ним время. Она села в машину, помахала ему на прощание и уехала.

Учитывая весь привезенный груз, Эмма припарковала машину за домом Джека как можно ближе к ступенькам и внимательно посмотрела на крыльцо. И поняла, что не ошиблась: и вазы, и растения здесь будут на своем месте.

Ей не терпелось начать поскорее, и она поспешила к парадному входу. Дверное стекло с фаской и высокие окна пропускали в приемную много света и придавали ей элегантность и уют. Джек был прав, больше склоняясь к уюту, подумала Эмма. Пространство словно дышало спокойствием и достоинством, в отличие от подавляющего большинства частных офисов и архитектурных мастерских, где обычно царил хаос.

— Привет, Мишель.

— Эмма. — Женщина, сидевшая за безупречно организованным рабочим столом, оторвалась от компьютера и развернулась на вращающемся стуле к Эмме. — Привет. Как дела?

— Отлично. Как ты себя чувствуешь?

— Двадцать девять недель. То ли еще будет. — Мишель погладила выпирающий живот. — Мы в порядке. Мне очень нравятся твои босоножки.

— Мне тоже. Я только что их купила.

— Потрясающие. Понедельничное свидание, верно?

— Абсолютно верно.

— Ты приехала рановато.

— Новый план. Джек занят? Я вообще-то не говорила ему о новом плане.

— Он еще не вернулся. Задержался из-за проблемы на площадке. Недоволен подрядчиками или новым окружным инспектором. Или то, или другое.

— Понятно. — Эмма поморщилась. — Ну, в данных обстоятельствах мой план или очень хороший, или очень плохой.

— Можешь поделиться?

— Конечно. Я хотела удивить его ужином и растениями для заднего крыльца. Ужин и кино на дому, а не в городе.

— Если хочешь знать мое мнение, классный план. Думаю, после такого сумасшедшего дня он придет в восторг от домашней еды. Ты можешь созвониться с ним, но он, вероятно, не избавится от строительного инспектора еще часа три.

— Давай просто претворим мой план в жизнь. Только у меня нет ключа.

В глазах Мишель промелькнуло изумление.

— О, ничего страшного. — Она открыла ящик своего стола и выудила запасную связку.

— Ты уверена? — «И не унизительно ли, — подумала Эмма, — задавать такой вопрос?»

— Не вижу ни одной причины, почему я не могу дать тебе ключ. Вы с Джеком дружите много лет, а теперь еще...

— Да, конечно, — с нарочитой бодростью сказала Эмма. — И вторая проблема. Два растения из тех, что я купила, весят около пятидесяти фунтов каждый.

— Чип здесь. Я пришлю его.

— Спасибо, Мишель. — Эмма взяла ключи. — Ты спасительница.

Сжав в кулаке ключи, Эмма вернулась к заднему крыльцу. И нечего смущаться, уговаривала она себя. Нечего обижаться на то, что мужчина, с которым она спит уже почти три месяца — и которого знает больше десяти лет, — не удосужился дать ей ключ.

И не надо выискивать никакой символики. Это вовсе не значит, что Джек не желает впускать ее в свою жизнь. Он просто...

Неважно. Она будет придерживаться своего нового плана. Подарит ему цветы, приготовит ему ужин и скажет, что любит его.

И, черт побери, она обязательно попросит у него ключ.

# 19

Эмма целый час с удовольствием раскладывала покупки, украшала кухонный стол подсолнечниками в вазе, выбранной из личных запасов, разбирала купленные для крыльца растения.

Идеальное обрамление двери. Яркие, дерзкие цветовые пятна, думала она, вкапывая красный шалфей позади пурпурного гелиотропа. Комбинация выбранных растений будет радовать Джека цветами все лето и станет еще красивее, когда распустится лобелия и выплеснутся из ваз пышные облака лобулярии.

Цветы будут приветствовать Джека и напоминать о женщине, которая придумала это приветствие.

Откинувшись на пятки, Эмма с улыбкой оценила результаты своих трудов.

— Потрясающе, хотя и не принято себя хвалить.

Собрав пустые горшки и пакеты, она начала копировать композицию во втором вазоне. Интересно, есть ли у Джека лейка? Скорее всего, нет. Ничего, пока можно обойтись и без лейки. Счастливо ковыряясь в земле, Эмма напевала под включенное радио и размышляла, что неплохо бы украсить и парадный вход. На следующей неделе можно подобрать новые растения.

Закончив работу, Эмма смела рассыпанную землю, отнесла горшки, пластмассовые подносы и свои садовые инструменты в багажник и, очищая руки, с восхищением осмотрела свою работу.

Цветы, как она всегда думала, очень важный элемент дома. И теперь у Джека есть цветы. И она всегда верила, что цветы, посаженные с любовью, лучше цветут. Если это правда, у Джека будут прекрасные цветы до глубоких заморозков.

Взглянув на часы, Эмма бросилась наверх. Пора отмыться и приступать к приготовлению ужина, тем более что она решила добавить в меню закуску.


Грязный, потный и разозленный исчезновением водопроводчика и заносчивостью неопытного строительного инспектора, Джек свернул к дому.

Он хотел принять душ, выпить пива, может, заглотить пригоршню аспирина. Если бы генеральный подрядчик не занимался увольнением придурка-водопроводчика, являющегося ко всему прочему братом его жены, то именно генподрядчик объяснялся бы с клиентом. И генподрядчик разобрался бы с инспектором, который нагло придрался к тому, что дверной проем оказался смещенным на каких-то семь восьмых дюйма.

Или сначала аспирин, а затем душ и пиво. Вот в таком порядке.

Может, это как-то поможет ему отвлечься от событий неудачного дня, начавшегося со звонка клиента в шесть утра: тот сорвался с катушек из-за того, что ему привезли барную стойку длиной в пять футов восемь дюймов вместо шести футов.

Нет, Джек не винил клиента. Он сам чуть не сорвался. Шесть футов на чертеже означает ровно шесть футов в работе, а не столько, сколько решит подрядчик.

И, думал Джек, поводя плечами, чтобы хоть чуточку снять напряжение, с того момента все и покатилось под откос.

Ладно, пусть его сегодняшний рабочий день оказался двенадцатичасовым, но Джек надеялся получить хоть какое-то удовлетворение от сделанного, а вместо этого ему пришлось мотаться по всему чертову округу, пытаясь гасить тут и там вспыхивающие скандалы.

Джек сделал последний поворот к заднему крыльцу, уговаривая себя радоваться, что дотащился до дома. Слава богу, офис уже закрыт, не придется разговаривать, объяснять, спорить. Увидев машину Эммы, Джек попробовал напрячь закипающие мозги. Он что-то перепутал? Кажется, они планировали встретиться в городе и начать оттуда или нет?

Ужин, возможно, кино — все это он собирался свести к готовой еде из ресторана и просмотру DVD, и только после того, как немного отдохнет и успокоится. Правда, утонув в проблемах и жалобах клиентов, он забыл позвонить Эмме.

Но если бы она была где-то в городе, он просто мог бы...

Его мысли приобрели совсем другое направление, когда он заметил горшки с цветами и распахнутую сплошную дверь. Прикрыта была только та, что затянута сеткой. Джек замер на мгновенье, швырнул солнцезащитные очки на приборную доску... А когда выбрался из машины, услышал музыку.

«Откуда, черт побери, взялись эти лютики? — удивился он, застигнутый новой вспышкой раздражения и головной боли. — И почему, черт по бери, распахнута дверь?»

Он мечтал о кондиционере, прохладном душе и хотя бы пяти чертовых минутах покоя. А получил цветы, которые придется поливать, ревущую музыку и кого-то, требующего внимания и разговоров в собственном доме.

Джек тяжело поднялся на крыльцо, хмуро взглянул на растения и ввалился в дом.

Эмма возилась у плиты, хотя он настроился на готовую пиццу, и подпевала грохочущему радиоприемнику, усугубляя его дикую головную боль. А на кухонном столе рядом с вазой огромных подсолнечников, от которых рябило в глазах, лежали его запасные ключи.

Одной рукой Эмма встряхнула сковородку, другой потянулась к бокалу с вином... и заметила его.

— Ой! — Рука со сковородкой дернулась, Эмма рассмеялась. — Я не слышала, как ты вошел.

— Неудивительно, поскольку ты развлекаешь весь квартал... Иисусе, это АББА?

— Что? А, музыка. Действительно, громкая. — Эмма снова встряхнула сковородку, уменьшила огонь. И, дотянувшись до пульта, приглушила звук. — Под нее приятно стряпать. Я хотела сделать тебе сюрприз — домашний ужин. Устрицы будут готовы через минутку. Соус уже можешь попробовать. Хочешь вина?

— Нет, спасибо. — Джек потянулся через ее голову в шкафчик за бутылочкой аспирина.

— Тяжелый день. — Эмма с сочувствием потерла его руку, открывающую бутылочку. — Мишель мне сказала. Присядь на минутку, приди в себя.

— Я грязный. Мне нужно в душ.

— Ну, в этом ты прав. — Эмма привстала на цыпочки, легко провела губами по его губам. — Я принесу тебе воды со льдом.

— Я сам могу взять. — Джек протиснулся к холодильнику. — Мишель дала тебе ключ?

— Она сказала, что ты застрял на работе и у тебя тяжелый день. У меня в машине была еда, поэтому... — Эмма снова встряхнула сковородку и выключила плиту. — Стейк маринуется. Красное мясо снимет головную боль. Ты просто вымойся и расслабься. Ужин подождет, пока ты придешь в себя.

— Эмма, что происходит? — Даже тихая музыка скребла по его нервам. Он схватил пульт и выключил приемник. — Это ты втащила на крыльцо горшки?

— Втаскивал Чип. А я с удовольствием выбирала вазоны, растения. — Эмма посыпала устрицы смесью кинзы, чеснока и лайма, полила приготовленным соусом. — Они так красиво смотрятся на фоне дома, правда? Я хотела чем-то отблагодарить тебя за Нью-Йорк, и вот сделала тебе сюрприз.

Эмма поставила пустую миску в раковину, обернулась... и ее улыбка растаяла.

— Я ошиблась, да?

— У меня был паршивый день, только и всего.

— И я, похоже, сделала его еще паршивее.

— Да. Нет. — Джек прижал пальцы к вискам, в которые словно впились электрические дрели. — У меня был плохой день. Просто нужно немного прийти в себя. Ты должна была позвонить, если хотела... все это сделать.

Машинально, просто по привычке, он схватил запасные ключи и сунул в карман.

Эмма восприняла его жест как оплеуху.

— Не переживай, Джек, я не повесила в твой шкаф ни одной своей вещи, ничего не положила в ящик. Моя зубная щетка еще в сумке.

— О чем ты, черт побери?

— Я вторглась только в твою кухню, и больше это никогда не повторится. Я не выскакивала из дома, чтобы заказать дубликаты твоих бесценных ключей, и я надеюсь, ты не устроишь скандал Мишель за то, что она дала их мне.

— Эмма, просто дай мне отдышаться.

— Дать отдышаться *тебе*? Ты хоть представляешь, как унизительно признаваться, что у меня нет ключа? Сознавать, что мы спим с апреля, а ты мне не доверяешь.

— При чем тут доверие? Я просто никогда...

— Чушь собачья, Джек. Чушь собачья. Каждый раз, как я остаюсь здесь — что бывает крайне редко, поскольку это *твоя* территория, — мне приходится уничтожать все следы своего пребывания вплоть до случайно выпавшей шпильки, потому что, боже милостивый, что дальше? Щетка для волос? Сорочка? Не успеешь ты глазом моргнуть, как я с комфортом расположусь здесь?

— Да располагайся как хочешь. И не говори глупостей. Я не хочу с тобой ссориться.

— Очень жаль, потому что я хочу ссориться с тобой. Тебя раздражает мое присутствие, потому что я вторглась в твое личное пространство, расположилась как дома. И это только доказывает, что я попусту трачу свое время. Я попусту трачу свои чувства, потому что заслуживаю лучшего.

— Эмма, послушай, ты просто застала меня в неудачный момент.

— Нет, Джек, дело не в моменте, не только в моменте. Так происходит всегда. Ты не пускаешь меня сюда, потому что не хочешь связывать себя обязательствами.

— Господи, Эмма, я связан обязательствами. Никого, кроме тебя. С того момента, как я до тебя дотронулся, никого больше не было.

— Мы говорим не о других. Мы говорим о тебе и обо мне. Ты хочешь меня, но только на своих условиях, по своим... своему плану. — Эмма взмахнула руками. — И пока мы придерживаемся твоего плана, никаких проблем. Но меня это больше не устраивает. Меня не устраивает то, что я не могу купить тебе пакет молока или оставить чертову губную помаду на полке в твоей ванной комнате. Или подарить чертовы цветы, не обозлив тебя до смерти.

— Молоко? Какое молоко? Боже милостивый. Я тебя не понимаю.

— У нас ничего не получится, если какой-то паршивый ужин ты воспринимаешь как преступление. — Эмма схватила тарелку с устрицами и швырнула в раковину. Керамика с грохотом разлетелась на кусочки.

— Ладно, хватит.

— Нет, не хватит. — Эмма развернулась, яростно отпихнула его обеими руками. В ее затуманенных печалью глазах засверкали слезы. — И я не собираюсь довольствоваться тем, что ты мне предлагаешь. Я люблю тебя, и я хочу, чтобы ты любил меня. Я хочу прожить с тобой жизнь. Я хочу свадьбу, детей и *будущее*. А это? Этого мне недостаточно, нисколечко не достаточно. Получается, ты был прав, Джек. Ты был абсолютно прав. Дай им дюйм, они захватят милю.

— Что? Как? Постой.

— Но не волнуйся, нет нужды пускаться наутек. Я сама отвечаю за свои чувства, за свои потребности, за свой выбор. Я здесь закончила. Я покончила с этим.

— Подожди. — Джек удивился, что его несчастная голова не взорвалась. А может, взорвалась, только он не заметил. — Подожди одну чертову минуту. Дай мне подумать.

— Время раздумий закончилось. Не прикасайся ко мне, — предупредила она, когда Джек шагнул к ней. — Не вздумай дотрагиваться до меня. У тебя был твой шанс. Я отдала тебе все, что могла. Если бы тебе нужно было больше, я бы нашла это и отдала тебе. Так я люблю. И только так я умею любить. Но я не могу отдавать тому, кто меня не хочет и не ценит.

— Можешь злиться! — рявкнул Джек. — Можешь бить посуду! Но не смей говорить, что я не хочу и не ценю тебя.

— Не так, как я хочу, как мне необходимо. И знаешь, Джек, у меня разрывается сердце, когда я пытаюсь не хотеть и не любить тебя так, как только и умею. — Эмма схватила сумочку. — Не приближайся ко мне. Прочь с дороги.

Джек загородил собой дверь.

— Я хочу, чтобы ты села. Не только тебе есть что сказать.

— Плевать мне на то, что ты хочешь. Меня это больше не волнует. Я сказала, прочь с дороги.

Она подняла на него глаза, и он увидел в них не ярость, не злость. С яростью и злостью он справился бы, просто дождался бы, когда они выгорят. Но он не знал, что делать с ее болью.

— Эмма, пожалуйста.

Она только затрясла головой и, протиснувшись мимо него, побежала к своей машине.

* * *

Эмма не знала, как смогла сдержать слезы. Она только знала, что сквозь слезы ничего не увидит, а ей надо было добраться до дома. Ей нужно было домой. У нее затряслись руки, и она крепче вцепилась в рулевое колесо. Дыхание причиняло острую боль. Как это возможно? Как может обжигать такое простое действие, как вдох? Она услышала свой стон и крепко сжала губы, чтобы подавить следующий. Уж слишком ее стон был похож на вой раненого животного.

Она не имеет права на чувства. Не сейчас. Еще не время.

Игнорируя бодрую мелодию мобильника, она не сводила глаз с дороги.

Плотина прорвалась, когда машина въехала в парк поместья. Эмма нетерпеливо смахивала слезы, пока не остановилась перед парадным входом главного дома. Дрожа всем телом, она выбралась из машины, ворвалась в дом, родной, надежный, и тут рыдания настигли и скрутили ее.

— Эмма? — донесся с верхней площадки голос

Паркер. — Почему ты вернулась так рано? Я думала, ты...

Сквозь потоки слез Эмма увидела, что Паркер несется вниз по лестнице.

— Паркер.

Сильные руки крепко обхватили ее.

— Эмма, милая, перестань. Идем со мной.

— Что случилось? Она... пострадала? — бросилась к ним миссис Грейди.

— Не физически. Я отведу ее наверх. Вы не могли бы позвонить Мак?

— Конечно. Успокойся, деточка. — Миссис Грейди погладила Эмму по голове. — Ты дома. Мы обо всем позаботимся. Иди с Паркер.

— Я не могу остановиться. Я не могу это прекратить.

— И не надо. — Обняв Эмму за талию, Паркер повела ее наверх. — Плачь сколько хочешь, сколько понадобится. Мы пойдем в гостиную. На наше место.

Когда они почти достигли третьего этажа, вылетела Лорел и молча обняла Эмму за талию с другой стороны.

— Как я могла быть такой дурой?

— Ничего подобного, — прошептала Паркер. — Ты не дура.

— Я принесу ей воды, — сказала Лорел, и Паркер кивнула, подводя Эмму к дивану.

— Как больно, как же мне больно. Разве можно это выдержать?

— Я не знаю.

Они опустились на диван. Эмма свернулась клубочком и положила голову на колени Паркер.

— Я должна была добраться до дома. Просто скорее добраться до дома.

— Ты уже дома. — Лорел села на пол, всунула салфетки в руку Эммы.

Спрятав в них лицо, Эмма зарыдала от боли и горя, пульсирующих в груди, вонзающих кинжалы в живот. Неудержимые рыдания раздирали ей горло, пока наконец не иссякли. Только слезы беззвучно текли по ее щекам.

— Это похоже на страшную болезнь. — Эмма на мгновение крпско сжала веки. — Как будто я никогда больше не буду здоровой.

— Выпей воды. Это поможет. — Паркер приподняла голову Эммы. — И аспирин.

— Как жуткий грипп. — Эмма глотнула воды, судорожно вздохнула и проглотила таблетку аспирина. — Даже когда он заканчивается, остается слабость, тошнота, беспомощность.

— А вот чай и суп. — Мак опустилась на пол рядом с Лорел. — От миссис Грейди.

— Нет. Спасибо. Пока нет.

— Это была не просто ссора, — сказала Лорел.

— Да. Не просто ссора. — Совершенно обессиленная, Эмма положила голову на плечо Паркер. — Как вы думаете, все еще хуже, потому что я сама виновата?

— Не смей винить себя. — Лорел сжала ногу Эммы. — Не смей.

— Я не освобождаю его от ответственности, поверьте. Но я сама это спровоцировала. Да еще сегодня вечером, особенно сегодня вечером. Я взвинтила себя желаниями... ожиданиями. Я размечталась о том, чего не могло быть. Я же знаю его и все равно прыгнула в пропасть.

— Ты можешь рассказать нам, что случилось? — спросила Мак.

— Да.

Лорел протянула ей чашку.

— Выпей сначала чаю.

Эмма глотнула и поперхнулась.

— Тут виски.

— Миссис Грейди велела выпить. Это поможет.

— На вкус как лекарство. Наверное, и есть лекарство. — Эмма сделала еще глоточек. — Думаю, можно сказать, что я нарушила его границы. Но я не признаю эти границы. Поэтому все кончено. Нам пришлось расстаться, потому что я не могу чувствовать так, как он.

— Какие границы? — спросила Паркер.

— Он не подпускает к себе. — Эмма покачала головой. — Я хотела что-то для него сделать. Конечно, отчасти для себя, но я хотела сделать для него что-то особенное. Поэтому я поехала в питомник...

Она допила чай, но головная боль лишь притаилась, пульсируя где-то в глубине.

— А потом мне пришлось сказать Мишель, что у меня нет ключа. И внутренний голос предупредил: стоп.

— Какого черта? — подала голос Лорел.

— То же самое я и сказала себе. Мы вместе. Мы пара. И мы добрые друзья. Что плохого, если я войду в его дом, приготовлю ему ужин? Но я знала. Та, другая часть меня знала. Можт, я хотела испытать его. Я не знаю. Мне все равно. А может, еще хуже — может, я нарочно перегнула палку, и все рухнуло... Потому что в книжном магазине я столкнулась с Рейчел Моннинг. Паркер, ты ее помнишь? Я ее нянчила.

— Да, смутно.

— Она выходит замуж.

— *Нянчила?* — Лорел вскинула руки. — Теперь двенадцатилетним разрешают выходить замуж?

— Она учится в колледже. Заканчивает на будущий год и выходит замуж. Между прочим, свадьбу она хочет устроить здесь. И когда я преодолела первоначальный шок, то могла думать только: я тоже это хочу. Я хочу то, что есть у девчонки, которую я *нянчила*. Черт побери, я хочу то, что вижу на ее лице. Всю ту радость, уверенность, нетерпение начать жизнь с любимым мужчиной. Почему я не должна это желать? Разве я не имею права? Желание выйти замуж так же законно, как и нежелание.

— Ты ломишься в открытую дверь, — заметила Мак.

— Ну, я хочу замуж. Я хочу клятвы, и совместную жизнь, и детей, я все хочу. Все. И сказку я тоже хочу. И танец в освещенном луной саду, но это просто... ну, это как букет или прекрасный торт. Это символ. Я хочу то, что он символизирует. Джек не хочет. — Эмма откинулась на спинку дивана и на секундочку закрыла глаза. — Мы оба правы. Просто мы хотим разные вещи.

— Он так сказал? Что он не хочет того, чего хочешь ты?

— Паркс! Он разозлился, когда нашел меня в своем доме. Даже не разозлился. Хуже. Он был раздражен. Я оказалась слишком бесцеремонной.

— О, бога ради, — пробормотала Мак.

— Я думала, что он обрадуется мне, что ему понравится, если я поухаживаю за ним после долгого тяжелого дня. Я привезла диск «*Верно, безумно, глубоко*». Мы до этого шутили насчет двойного сеанса. Я хотела показать ему, почему люблю этот фильм, и мы собирались объединить его с «*Крепким орешком*».

— Алан Рикман, — кивнула Лорел.

— Точно. Я привезла подсолнечники и растения — боже, какие они красивые, — и я уже почти приготовила закуску, когда он вошел. Я просто лепетала некоторое время. Позволь налить тебе вина, почему бы тебе не расслабиться? Господи! Какая же я идиотка. А потом все стало просто и ясно. Он... схватил запасные ключи и сунул их в карман.

— Жестоко, — с тихой яростью произнесла Лорел. — Мерзко и жестоко.

— *Его* ключи, — уточнила Эмма. — Его право. Поэтому я высказала ему все, что думаю, что чувствую и что больше не желаю пытаться *не* хотеть и *не* чувствовать. Я сказала, что люблю его. А все, что он смог ответить, мол, дай мне минутку подумать.

— Вот кто идиот! — Мак так бурно возмутилась, что Эмма чуть не улыбнулась.

— Я, мол, застала его врасплох, он не ожидал. Даже «застала меня в неудачный момент».

— О мой бог.

— Это было еще до того, как я сказала, что люблю его, но это не имеет значения. Поэтому я все это закончила и ушла. Так больно. И, наверное, еще долго-долго будет болеть.

— Он звонил, — сказала Мак.

— Я не хочу с ним разговаривать.

— Я так и поняла. Он хотел убедиться, что ты здесь, что добралась до дома. Я не на его стороне, поверь мне, но он был очень взволнован.

— Мне все равно. Я не хочу об этом думать. Если я сейчас прощу его, если вернусь, если соглашусь на то, что он может мне дать, я потеряю себя. Я должна сначала переболеть им. — Эмма снова свернулась клубочком. — Я должна с этим справиться. Я не хочу видеть его, не хочу разговаривать с ним, пока не справлюсь. Или хотя бы не соберусь с силами.

— Как скажешь. Я перенесу твои завтрашние консультации.

— О, Паркер...

— Тебе необходим выходной.

— Выплакаться?

— Да. А сейчас долгая горячая ванна, и мы подогреем суп. А потом ты еще поплачешь... и мы дадим тебе еще супа.

— Хорошо. — Эмма вздохнула. — Хорошо.

— А потом мы уложим тебя в постель. И ты будешь спать столько, сколько сможешь.

— А когда проснусь, то все еще буду любить его.

— Да, — согласилась Паркер.

— И все еще будет больно.

— Да.

— Но я стану немного сильнее.

— Обязательно.

— Я приготовлю ванну. Я знаю рецепт. — Мак вскочила, наклонилась и поцеловала Эмму в щеку. — Мы все с тобой.

— А я подогрею суп и попрошу миссис Грейди нажарить ее фирменной картошки. Конечно, это клише. Но это очень важное клише. — Лорел еще раз сжала ногу Эммы.

Когда они остались одни, Эмма закрыла глаза и потянулась к Паркер.

— Спасибо. Я знала, что найду вас здесь.

— Всегда.

— О боже, Паркер. О боже, подступает вторая волна.

— Ничего. — Паркер обняла разрыдавшуюся Эмму и погладила ее по спине. — Ничего.


В то время как Эмма рыдала, Джек стучался в дверь Дела. Он должен был чем-то занять себя, чтобы не броситься к Эмме. Если бы даже она ясно не сказала, что не желает его видеть — а она сказала, — Мак удвоила эту ясность.

Дел распахнул дверь.

— Что случилось? Боже, Джек, ну и дерьмово же ты выглядишь.

— Как и чувствую.

Дел нахмурился.

— Если ты явился сюда плакать над пивом из-за ссоры с Эммой...

— Это была не ссора. Не... не просто ссора.

Дел вгляделся повнимательнее и сделал шаг назад.

— Ну, давай выпьем пива.

Джек захлопнул за собой дверь и только тогда заметил, что Дел в вечернем костюме и при галстуке.

— Ты куда-то собирался?

— Еще успею. Доставай пиво. Я должен позвонить.

— Я мог бы сказать «ничего страшного, может подождать». Но не скажу.

— Доставай пиво. Я вернусь через минуту.

Джек достал две бутылки пива и вышел на заднюю веранду. Но не сел в кресло, а подошел к перилам и уставился в темноту. И попытался вспомнить, было ли ему когда-нибудь так же паршиво. Если не считать тот раз, когда он очнулся в больнице после автокатастрофы с сотрясением мозга, сломанной рукой и парой сломанных ребер, то ответ — нет.

И тогда боль была только физической.

Нет, вдруг вспомнил он. Ему знакомо это чувство. Почти такое же. Тошнота, смущение, замешательство. Когда родители усадили его и очень цивилизованно сообщили, что разводятся.

Ты ни в чем не виноват, сказали они. Мы тебя любим и всегда будем любить. Однако...

В тот момент его мир перевернулся вверх тормашками. Так почему сейчас еще хуже? Почему так страшно сознавать, что Эмма могла уйти... ушла от него? Смогла и ушла, потому что он — пусть не сознательно — унижал ее, а должен был из кожи вон вылезти, лишь бы она чувствовала себя любимой и желанной.

За его спиной открылась дверь.

— Спасибо, — сказал Джек, не оборачиваясь. — Большое спасибо.

— Я мог бы сказать «не за что». Но не скажу.

Джек с трудом выдавил смешок.

— Боже, Дел, я все испортил. Я все испортил и даже сейчас не совсем понимаю как. Но я точно знаю, что обидел ее. Я очень сильно ее обидел, так что можешь избить меня, как обещал, я и пальцем не шевельну. Только подожди, пока я выскажусь.

— Я подожду.

— Она сказала, что любит меня.

Дел отхлебнул пива.

— Джек, ты же не идиот. Ты будешь уверять меня, что не знал?

— Ну, не вполне. Это просто случилось, и... Нет, я не идиот и понимаю, что мы куда-то двигались. Но потом этот прыжок, и я оказался не готов. Не смог соответствовать, не знал, что делать, что говорить, и она так обиделась, так обиделась и разозлилась, и не дала мне ни шанса. Она ведь никогда не злится. Ты же ее знаешь. Она же почти никогда не взрывается, но если уж взрывается, и молитвы не помогут.

— Почему она взорвалась?

Джек снова схватился за бутылку, но не сел.

— У меня был отвратительный день. Я говорю о таком дне, когда ад кажется Диснейлендом. Я был грязный и злой, и голова раскалывалась от боли. Я подъезжаю, а она там. В доме.

— Я не знал, что ты дал ей ключ. Важный шаг для тебя, Кук.

— Я не давал. Она взяла ключ у Мишель.

— Ой-ой. Просочилась сквозь линию обороны?

Джек замер, вытаращил глаза.

— Неужели я такой? Да брось ты.

— Ты именно такой с женщинами.

— И как это меня характеризует? Я монстр? Психопат?

Дел оперся бедром о перила.

— Нет, может, у тебя фобия... в легкой форме. Ну, и?

Ну, я грязный, настроение соответствующее, и вдруг Эмма. Она поставила эти горшки у задней двери. Над чем ты ржешь?

— Просто представил твой шок и панику.

— В общем, она стряпает, везде цветы, ревет музыка, моя голова раскалывается. Боже, если бы я смог отмотать все назад, я бы отмотал. Я бы отмотал. Я бы никогда ее не обидел.

— Я знаю.

— Она обижена, она в ярости, потому что... потому что я мерзавец. Без вопросов. Если бы она устроила скандал, мы наорали бы друг на друга, разрядились бы и все уладили. — Поскольку головная боль стала его постоянной спутницей, Джек прижал холодную бутылку к виску. — Нет, она выкладывает все, что думает обо мне. Что я ей не доверяю и не хочу видеть в своем доме. А это ее не устраивает. Она меня любит и хочет...

— И что она хочет?

— А ты как думаешь? Брак, детей, весь комплект. Я пытаюсь понять, пытаюсь просто удержать голову на плечах. Я пытаюсь *думать*, но она не дает мне ни секунды. Не дает разобраться в ее словах. Она покончила со мной, с нами. Я разбил ей сердце. Она заплакала. Она плакала.

Джек вспомнил ее лицо в тот момент, и ему стало совсем плохо. Сколько бы он ни сожалел, изменить он уже ничего не мог.

— Я просто хотел, чтобы она села, подождала минутку и посидела, пока я переведу дух, пока смогу соображать. Она не захотела. Она запретила мне приближаться к ней. Сказала, чтобы я убрался с ее дороги.

— Это все? — спросил Дел после паузы.

— Тебе мало?

— Я как-то спрашивал тебя, но ты не ответил. Спрошу снова. И ты ответишь «да» или «нет». Ты ее любишь?

— Ладно. — Джек хлебнул пива. — Да, думаю, без этой встряски до меня бы еще долго доходило, но да. Я люблю ее. Но...

— Ты хочешь все уладить?

— Я только что сказал, что люблю ее. Как я могу не хотеть все уладить?

— Хочешь узнать как?

— Черт тебя побери, Дел. — Джек снова присосался к бутылке. — Да, раз уж ты такой умный. И как мне все уладить?

— Пресмыкайся.

Джек вздохнул.

— Это я могу.

# 20

Пресмыкаться Джек начал прямо с утра. Он заготовил речь. Почти всю ночь он мысленно редактировал ее, исправлял, расцвечивал. Самое главное теперь, насколько он понимал, заставить Эмму выслушать его.

Она выслушает, говорил он себе, въезжая в поместье Браунов. Она же Эмма. Нет на свете человека более доброго, более великодушного, чем Эмма, — и не это ли одна из дюжины причин, почему он ее любит?

Да, он был идиотом, но она его простит. Она обязательно его простит, потому что... она Эмма.

И все же у него внутри все сжалось, когда он увидел ее машину перед главным домом. Она не поехала к себе.

Значит, придется иметь дело не только с ней, подумал он, впадая в панику, а со всеми. Со всеми четырьмя и миссис Грейди в придачу.

Они поджарят его яйца.

Он это заслужил, без вопросов. Но, боже милостивый, все четверо, не много ли? Его чуть пот не прошиб.

— Возьми себя в руки, Кук, — пробормотал Джек, вылезая из пикапа.

Подходя к двери, он вдруг подумал, чувствует

ли приговоренный к смерти такую же обреченность и отупляющий страх.

— Возьми себя в руки, успокойся. Они же не могут тебя убить.

Возможно, покалечат, более вероятно — словесно уничтожат. Но они не могут его убить.

Джек по привычке начал открывать дверь, затем понял, что, как персона нон грата, не имеет на это права. Он позвонил в колокольчик.

И подумал, что сможет просочиться мимо миссис Грейди. Она его любит, искренне любит. Он бы сдался на ее милость, но...

Дверь открыла Паркер. Вот мимо Паркер Браун никто не просочится.

— Уф, — выдохнул он.

— Привет, Джек.

— Я хочу... мне нужно... увидеть Эмму. Извиниться за... за все. Если бы я мог поговорить с ней несколько минут и...

— Нет.

Такое короткое слово, подумал он, и такое категоричное.

— Паркер, я просто хочу...

— Нет, Джек. Она спит.

— Я могу вернуться, или подождать, или...

— Нет.

— Это все, что ты можешь мне сказать? Просто нет?

— Нет, — снова сказала она без тени иронии. — Это не все, что я могу тебе сказать.

Мак и Лорел подошли и остановились за ее спиной. Если сравнивать с планом военной кампании, идеально. Ему оставалось лишь капитулировать.

— Что бы вы мне ни сказали, я заслужил. Вы хотите, чтобы я признал, что был не прав? Я был не прав. Что я был идиотом? Я был. Что...

— Я бы сказала, эгоистичный мерзавец, — вклинилась в его самобичевание Лорел.

— И это тоже. Может, были причины, может, были обстоятельства. Но все они не имеют значения. Для вас уж точно.

Мак шагнула вперед.

— Ничто не имеет значения, когда ты оскорбляешь лучшего человека из всех, кого мы знаем.

— Я не смогу все уладить, все исправить, если вы не позволите мне поговорить с ней.

— Она не хочет с тобой разговаривать. Она не хочет тебя видеть, — сказала Паркер. — Сейчас. Я не могу сказать, что жалею тебя. Я вижу, что ты переживаешь, но не могу тебя пожалеть. Сейчас не могу. Сейчас главное — Эмма, не ты. Ей нужно время. Ей нужно, чтобы ты оставил ее в покое. Поэтому ты оставишь ее в покое.

— И надолго?

— На сколько понадобится.

— Паркер, ты не могла бы выслушать...

— Нет.

Пока Джек таращился на нее, из кухни вышел Картер, бросил на Джека короткий сочувственный взгляд и вернулся на кухню.

Вот вам и мужская солидарность.

— Ты не можешь просто захлопнуть дверь перед моим носом.

— Могу и захлопну. Но сначала кое-что скажу тебе, потому что я люблю тебя, Джек.

— Боже мой, Паркер. — Ну, почему бы просто не поджарить его яйца. Это было бы не так больно.

— Я люблю тебя. Ты мне не как брат, ты мне брат. Всем нам. Поэтому я кое-что тебе скажу. В конце концов я тебя прощу.

— Я в этом не участвую, — сказала Лорел. — У меня есть сомнения.

— Я тебя прощу, Джек, — продолжала Паркер, — и мы снова будем друзьями. Но что более важно, тебя простит Эмма. Она найдет способ. Пока она не найдет, пока не будет готова, ты не будешь искать с ней встреч. И мы не скажем ей, что ты приходил сегодня, если она не спросит. Лгать ей мы не станем.

— Сюда не приезжай, Джек. — В голосе Мак проскользнула тень сочувствия. — Если со студией возникнут какие-нибудь проблемы или вопросы, мы созвонимся. Но не приезжай, пока Эмма не будет готова.

— И как вы об этом узнаете? — спросил Джек. — Она просто скажет: «Эй, пусть Джек приходит, я не возражаю»?

— Мы узнаем, — сказала Лорел.

— Если она тебе небезразлична, ты предоставишь ей столько времени, сколько необходимо. Дай мне слово.

Джек провел пятерней по волосам. Паркер ждала.

— Ладно. Вы, все вы, знаете ее лучше, чем кто-либо другой. Если вы говорите, что именно это ей нужно, значит, именно это ей нужно. Я даю вам слово. Я оставлю ее в покое, пока... пока.

— И еще, Джек, — добавила Паркер. — Проведи это время с пользой для себя. Подумай, чего ты в действительности хочешь, что тебе нужно. И пообещай мне еще кое-что.

— Поклясться на крови?

— Обещания будет достаточно. Когда Эмма будет готова, я тебе позвоню. Я сделаю это для тебя и для нее, но только если ты пообещаешь сначала поговорить со мной.

— Хорошо. Обещаю. Вы не могли бы иногда позванивать мне? Я хотел бы знать, как она. Что она...

— Нет. До свидания, Джек. — Паркер закрыла дверь. Спокойно. Перед его носом.

По другую сторону двери Мак протяжно выдохнула.

— Считается предательством, если я скажу, что мне его немного жаль? Я представляю, каково быть придурком в таких делах. Когда кто-то тебя любит, а ты ведешь себя как полная задница.

Лорел кивнула.

— Да, кому знать, как не тебе. Можешь пожалеть его минуточку. — Лорел помолчала, взглянула на часики. — Ну, достаточно?

— Вполне.

— Пожалуй, я тоже возьму минутку. Парень выглядел ужасно. Но Эмме гораздо хуже. Надо бы проведать ее.

— Я схожу. Думаю, мы должны придерживаться обычного распорядка, насколько получится, — сказала Паркер. — Ей будет только хуже, если ее беда повлияет на бизнес. Итак, работаем и, если возникнут трудности, пытаемся справляться без нее, пока она не наберется сил.

— Если понадобятся лишние руки, попросим Картера. Мой парень лучший.

— Ты не устала им хвастаться? — спросила Лорел.

Мак задумалась, обняла Лорел за плечи одной рукой.

— Если честно, нет. Наверное, поэтому я чуть-чуть сочувствую Джеку и всем сердцем — Эмме. Любовь действительно может вытянуть все жилы, пока не научишься с ней жить. А когда научишься? Просто изумляешься, как, черт побери, жила без нее. Думаю, я должна немедленно зацеловать Картера до смерти. Я вернусь вечером. — Мак направилась к дверям кухни. — Позвоните, если понадоблюсь раньше.

— Любовь может вытянуть все жилы, пока не научишься с ней жить, — задумчиво повторила Лорел. — Знаешь, Паркс, мы могли бы поместить это изречение на нашей веб-страничке.

— В нем что-то есть.

— И Мак права насчет Картера. Он лучший. Но он все равно не войдет в мою кухню, когда я работаю. Мне не хочется травмировать его. Паркс, дай мне знать, если Эмме понадобится еще одно плечо, а тебе — боец на передовой войн невест.

Паркер кивнула и отправилась наверх.

\* \* \*

Эмма приказала себе выбраться из кровати. Хватит валяться и жалеть себя. Однако она только покрепче прижала к груди подушку и уставилась в потолок.

Подруги задернули шторы на всех окнах, поэтому в комнате было темно и тихо. Они подоткнули ей одеяло, как инвалиду, завалили подушками, поставили на тумбочку вазу с фрезией. Они сидели с ней, пока она не заснула.

Какой стыд, сказала она себе. Стыдно быть такой зависимой, такой слабой. Но она была так благодарна им за понимание и поддержку.

Только наступил новый день. Придется двигаться дальше, придется справляться с реальностью. Разбитые сердца излечиваются. Может, трещинки и остаются, как тоненькие шрамы, но люди с этими трещинками живут и работают, смеются и едят, ходят и разговаривают.

А у многих даже шрамы рассасываются, и появляется новая любовь.

Но у многих ли из тех людей жизнь так тесно переплетена с жизнью того, кто разбил им сердце? Многим ли приходится встречаться со старой любовью снова и снова? Для многих ли их возлюбленный словно ниточка, вплетенная в ковер их повседневной жизни? Только потяни, и распустится все полотно.

Она не может исключить Джека из своей жизни. Невозможно не встречаться с ним, невозможно видеться только изредка по особым случаям.

Вот почему офисные романы столь опасны. После расставания приходится ежедневно смотреть в лицо своему прошлому. С девяти до пяти, пять дней в неделю. Или увольняться, переводиться, переезжать в другой город. Бежать, чтобы исцелиться и жить дальше.

Не ее случай, потому что...

Ямайка. Предложение Адель.

Не просто другой офис, другой город, но другая страна. Совершенно новый старт. Она продолжала бы заниматься любимым делом, но стала бы совершенно новым человеком. Не обремененным отношениями, сложными связями. Не видела бы Джека в поместье, не сталкивалась бы с ним в супермаркете или на вечеринке.

Никаких жалостливых взглядов десятков людей, знающих о ее растрескавшемся сердце.

Она хорошо бы работала. Все те чудесные тропические цветы. Вечные весна и лето. Домик на пляже. А по ночам она слушала бы музыку волн.

Одна.

Эмма повернулась на скрип приоткрывшейся двери.

— Я не сплю.

— Кофе, — Паркер подошла к кровати, протянула блюдце с чашечкой. — Я принесла на всякий случай.

— Спасибо, Паркер, спасибо.

— Как насчет завтрака? — Паркер подошла к окнам, раздернула шторы, впустила свет.

— Я не голодна.

— Хорошо. — Паркер присела на край кровати, пригладила разметавшиеся волосы Эммы. — Ты спала?

— Представь себе, да. Сбежала от действительности. А теперь чувствую себя слабой и глупой. У меня ведь не смертельная болезнь. Я не переломала кости. Не истекаю кровью. Никто не умер, слава богу. А я не могу уговорить себя выползти из постели.

— Еще и суток не прошло.

— Ты хочешь сказать, чтобы я не торопилась. Что станет легче.

— Станет. Некоторые говорят, что развод похож на смерть. Думаю, это правда. И я думаю, что когда любовь такая сильная, все так же. — Синие глаза Паркер лучились сочувствием. — И никуда не деться от скорби.

— Почему я не могу просто злиться? Обзывать его? Сукин сын, ублюдок, как угодно. Почему я не могу пропустить скорбь и просто возненавидеть его?

— Только не ты, Эмма. Если бы я думала, что это поможет, я бы освободила день, мы бы напились и начали ругать его последними словами прямо сейчас.

— Ты бы это сделала. — Сумев наконец улыбнуться, Эмма села, оперлась на подушки. — Знаешь, о чем я думала перед самым твоим приходом, упиваясь жалостью к себе?

— О чем?

— Что мне следовало бы принять предложение

Адель. Я переехала бы на Ямайку, помогла бы ей начать дело. У меня бы получилось. Я знаю, как все спланировать, как справиться со всеми аспектами бизнеса. Или нашла бы хороших специалистов. Для меня это был бы новый старт. И я создала бы классную фирму.

— Да, у тебя получилось бы. — Паркер встала, подошла к окну, поправила шторы. — Это важное решение, особенно когда находишься в состоянии эмоционального стресса.

— Я спрашивала себя, как можно справиться, если Джек все время будет перед глазами, здесь, в городе, на приемах. Его каждый месяц приглашают как минимум на одно из наших мероприятий. У нас столько общих знакомых, наши жизни так переплетены. Даже когда я смогу думать о нем, о нас, без... — Эмма умолкла, чтобы взять себя в руки, — ...без дикого желания разреветься, как я справлюсь со всем этим? Я же знала, что так будет, я знала, но...

— Но. — Паркер обернулась.

— В общем, я лежала, представляя, как принимаю предложение, начинаю все с нуля, строю что-то новое. Пляж, солнце, новые перспективы. Я думала минут пять. Нет, ближе к трем. Здесь дом, семья, ты, мы. Я. Значит, придется придумать, как справляться здесь.

— Я могла бы по-настоящему разозлиться на него за то, что он довел тебя даже до трехминутных размышлений.

— Но если бы я решила, что так лучше для меня, ты бы меня отпустила.

— Я бы попыталась тебя отговорить. Я бы завалила тебя графиками, схемами, планами, слайдами, фотографиями, компакт-дисками.

Слезы снова хлынули по щекам Эммы.

— Паркер, я так тебя люблю. — Паркер снова села на кровать, обняла подругу и крепко прижала к себе. — Я сейчас встану, приму душ, оденусь и начну думать, как буду справляться.

Эмма как-то пережила этот день... и следующий. Она создавала композиции, собирала букеты, встречалась с клиентами. Она плакала, а когда к ней заехала мама, еще поплакала. Но потом осушила слезы и потащилась по жизни дальше.

Она справлялась со своим кризисом, умудрялась принимать высказанное и невысказанное сочувствие своей команды. Она смотрела, как невесты, украшенные ее цветами, идут навстречу любимым мужчинам.

Она жила и работала, смеялась и ела, ходила и разговаривала. И хотя пустота в ее душе казалась безграничной, простила Джека.

На совещание в середине недели она опоздала на пару минут.

— Прошу прощения. Хотела дождаться цветов для пятничной свадьбы. Я вызвала Тиффани, но хотела посмотреть каллы. Мы используем «Зеленую богиню», и надо было проверить, как она сочетается с орхидеями, до того, как Тиффани начнет обрабатывать цветы. — Эмма подошла к шкафчику, достала диетическую пепси. — Что я пропустила?

— Пока ничего. И можем начать с тебя, — предложила Паркер. — В пятницу у нас самая большая свадьба недели, а ты только что получила цветы. Есть проблемы?

— С цветами никаких. Доставили все, что было заказано, и хорошего качества. Невеста пожелала ультрасовременные композиции с легким намеком на «фанк». Зеленые каллы, орхидеи симбидиум — очень красивые, в желто-зеленых тонах — с белыми лилиями эухарис в сложном букете. Для каждой из ее десяти, да, десяти подружек — по три каллы «Зеленая богиня», перевязанные лентой. Маленький букет из лилий эухарис и заколка из орхидей для девочки-цветочницы. Вместо букетиков на корсажи, или тусси-мусси, по одной орхидее для МН и МЖ. Для всех букетов на столах — и во время ужина, и во время танцев — предусмотрены вазы. «Зеленая богиня» с хвощом в вазонах портика, орхидеи, амарант и...

Эмма захлопнула крышку своего ноутбука.

— И я должна на пару минут отвлечься и кое-что вам сказать. Во-первых, я вас люблю и я не знаю, как пережила бы без вас последнюю неделю. Наверное, я до смерти утомила вас своими рыданиями и стенаниями...

— Меня точно. — Лорел подняла руку и помахала, рассмешив Эмму. — Вообще-то твои рыдания весьма примитивны, а стенания требуют значительной доработки. Я надеюсь, что со временем ты усовершенствуешься.

— Я постараюсь. Но на данный момент с этим покончено. Я в порядке. И поскольку Джек не появлялся, не старался дозвониться, не присылал емейлы и не подавал дымовые сигналы, я делаю вывод, что вы его предупредили.

— Да, — подтвердила Паркер, — предупредили.

— И за это спасибо. Мне необходимо было время и пространство, чтобы все продумать и, ну, успокоиться. Поскольку Дела я тоже не видела, полагаю, вы и его попросили некоторое время держаться подальше.

— Это казалось разумным, — сказала Мак.

— Вероятно, вы правы. Но дело в том, что мы все друзья. Мы семья. И мы не должны об этом забывать. Поэтому, если вы разработали условный сигнал, можете его послать. Мы с Джеком выясним отношения, если он в этом нуждается, и вернемся к прежней жизни.

— Если ты уверена, что готова.

Эмма кивнула:

— Да, Паркс, уверена. Итак, переходим к украшению вестибюля.

Джек проскользнул в кабинку «Кофейного разговора».

— Картер, привет. Спасибо, что согласился встретиться.

— Я чувствую себя шпионом. Двойным агентом. — Картер задумчиво уставился в свою чашку с зеленым чаем. — И, если честно, мне нравится.

— Ну, как она? Что она делает? Что вообще происходит? Все, Картер, выкладывай все. Прошло десять дней. Мне запрещено разговаривать с ней, видеть ее, посылать ей сообщения и электронные письма. И сколько это будет продолжаться... — Джек нахмурился. — Это я?

— Да, да. Это ты.

— Боже милостивый, я сам себя не выношу. — Джек поднял глаза на официантку. — Морфий. Двойной.

— Ха-ха, — сказала она.

— Попробуй чай, — предложил Картер.

— Мне плохо, но не настолько. Пока еще. Кофе. Черный. Картер, как она?

— Нормально. У них сейчас очень много работы. Июнь... это просто безумие. Эмма работает с утра до ночи. Как и все они. И обязательно кто-то из них вечерами сидит с ней, хотя бы немного. Приезжала ее мать, и я знаю, что встреча была очень эмоциональной. Мак доложила. Я же двойной агент. Со мной Эмма об этом не разговаривает. Я не враг, но...

— Понимаю. Я и в книжный не заглядывал, потому что Лючия вряд ли бы мне обрадовалась... Я чувствую себя прокаженным! — воскликнул Джек, разрываясь между раздражением и горечью. — Они и Дела не пускают. Указание Паркер. Господи, я же Эмме не изменял, я ее не поколачивал, я не... И да, я пытаюсь оправдаться. Как мне попросить у нее прощения, если я не могу с ней поговорить?

— Ты можешь пока потренироваться.

— Я и тренируюсь. Непрерывно. А как это у тебя, Картер?

— Ну, мне разрешают разговаривать с Мак.

— Я имел в виду...

— Да, я понял. Точно так же. Она — свет. Как будто раньше ты топтался в темноте или в полумраке и не представлял, что может быть иначе. Но потом появляется этот свет, она. И все меняется.

— А если свет гаснет или — что еще хуже — если ты по глупости гасишь его сам, тьма становится совсем непроницаемой.

Картер подался вперед.

— Думаю, чтобы вернуть свет, нужно дать Эмме стимул. Слова — это одно, но главное, по-моему, это то, что ты будешь делать.

Джек кивнул, достал затрезвонивший мобильник.

— Паркер. Сейчас. Сейчас. — Он открыл телефон. — Да? Она.. Что? Прости. Хорошо. Спасибо. Паркер... ладно. Я еду.

Джек захлопнул телефон.

— Они открыли дверь. Я должен ехать. Я...

— Поезжай. Я заплачу за кофе.

— Спасибо. Господи, меня подташнивает. Пожелай мне удачи.

— Желаю удачи, Джек.

— Спасибо, удача мне точно понадобится.

Джек вскочил и поспешил к выходу. Он приехал в главный дом точно в то время, что назначила Паркер. Он не хотел ее злить. Тихие сумерки, напоенный ароматом цветов воздух... А у него взмокли ладони.

Второй раз за все годы знакомства с Браунами Джек позвонил в колокольчик.

Откликнулась Паркер. Серый деловой костюм, волосы, собранные в аккуратный пучок на затылке. Такая элегантная, такая свежая, такая прелестная. Джек понял, как сильно скучал по ней.

— Привет, Паркер.

— Заходи, Джек.

— Я уж начал сомневаться, что когда-нибудь услышу твой голос.

— Она готова поговорить с тобой, поэтому я готова разрешить тебе поговорить с ней.

— Мы с тобой больше никогда не будем друзьями?

Паркер посмотрела на него, обняла его лицо ладонями, легко поцеловала.

— Ты выглядишь ужасно. Это говорит в твою пользу.

— Прежде чем я поговорю с Эммой, я хочу сказать тебе, что сдох бы от тоски, если бы потерял вас. Тебя, Лорел, Мак. Это меня просто убило бы.

— Семья прощает. — Паркер обняла его, крепко сжала и отпустила. — Что нам остается? У тебя есть две возможности, Джек, и ты должен определиться, когда пойдешь к Эмме. Первая. Если ты ее не любишь...

— Паркер, я...

— Нет, мне не говори. Если ты ее не любишь, если не можешь дать ей то, в чем она нуждается, то, что она хочет — не только для себя, но и для тебя, — порви близкие отношения. Она уже простила тебя, и она примет твое решение. Не обещай ей того, чего не можешь или не хочешь дать. Она никогда не смирится, и вы никогда не будете счастливы. Вторая возможность. Если ты любишь ее, если можешь дать ей то, в чем она нуждается и чего хочет — не только для нее, но и для себя, — я скажу тебе, что делать, что тебе действительно поможет.

— Говори.

* * *

Эмма работала допоздна и в одиночестве, как случалось теперь почти каждую ночь. Скоро с этим будет покончено. Она скучала без людей, разговоров, суеты. Она уже была почти готова покинуть свою зону безопасности. Осталось прояснить ситуацию, сказать то, что должно быть сказано, и снова стать Эммой.

Она вдруг поняла, что скучает и по прежней Эмме.

Эмма отнесла законченную композицию в холодильник и вернулась убрать свое рабочее место. Ее остановил стук. Еще не подойдя к двери, она знала, что это Джек. Паркер прекрасный организатор.

Джек стоял на пороге с огромной охапкой огненно-красных георгинов. У Эммы кольнуло сердце.

— Привет, Джек.

— Эмма. — Он судорожно выдохнул. — Эмма. Я понимаю, что это пошлость. Притащить цветы, чтобы расчистить себе дорогу, но...

— Они прекрасны. Спасибо. Заходи.

— Я так много должен тебе сказать.

— Нужно поставить их в воду. — Эмма развернулась, ушла в кухню за вазой, кувшином с питательным раствором, ножницами. — Я понимаю, что тебе есть что сказать, но сначала выслушай меня.

— Хорошо.

Эмма начала обрезать стебли под струей воды.

— Я хочу извиниться.

— Не надо. — Он чуть не потерял самообладания. — Не делай это.

— Я хочу извиниться за свое поведение, за свои слова. Когда я пришла в себя, я поняла, что ты был измучен, расстроен, плохо себя чувствовал, а я — намеренно — нарушила границы.

— Мне не нужны чертовы извинения.

— Однако я их приношу, а ты разбирайся. Я рассердилась, потому что ты не давал мне то, что я хотела. — Она собрала цветы стебелек к стебельку. — Я должна была уважать твои границы, я их нарушила. Ты разозлился, это на твоей совести, но я слишком сильно на тебя надавила. Это на моей совести. Однако, самое главное, мы пообещали друг другу остаться друзьями, а я не сдержала обещание. Я нарушила свое слово и за это прошу прощения.

Только сейчас она посмотрела на него.

— Мне так жаль, Джек.

— Прекрасно. Ты закончила?

— Не совсем. Я все еще твой друг. Мне просто необходимо было немного времени, чтобы к этому вернуться. Для меня очень важно, чтобы мы остались друзьями.

— Эмма. — Он хотел положить ладонь на ее руку, но она ловко ускользнула и снова завозилась с цветами.

— Они действительно прекрасны. Где ты их взял?

— У твоего поставщика. Я просил, умолял и сказал, что они для тебя.

Эмма улыбнулась, но руки старательно держала вне его досягаемости.

— Вот видишь. Как мы можем не быть друзьями, если ты подумал об этом? Давай забудем обо всех обидах. Мы все еще важны друг другу. Просто все остальное оставим в прошлом.

— Это то, чего ты хочешь?

— Да, это то, чего я хочу.

— Хорошо. Теперь давай поговорим о том, чего хочу я. Давай прогуляемся. Мне необходим глоток свежего воздуха.

— Конечно. — Гордясь своей выдержкой, Эмма отложила цветы, отставила кувшин.

Как только они вышли в сад, она сунула руки в карманы и снова похвалила себя. Она справляется, и справляется прекрасно. Но она не выдержит, если Джек до нее дотронется. К этому она пока не готова.

— Тот вечер, — начал Джек. — Я был измучен, и зол, и все такое. Но ты была права. Я не понимал. Себя. Не задумывался. Ни о своих барьерах, ни об ограничениях. А после твоих слов я все время думал, почему стал таким. И лучшее, что мне пришло в голову, — из-за развода моих родителей. Я остался с отцом, и в доме все время были вещи других женщин. В ванной комнате, повсюду. Это меня беспокоило. Конечно, они расстались, но...

— Они были твоими родителями. Естественно, ты переживал.

— Я так и не смирился с их разводом.

— О, Джек.

— Еще одно клише, но это правда. Я был подростком и ничего не замечал, и вдруг... Они любили друг друга, были счастливы. И вдруг ни любви, ни счастья.

— Но это никогда не бывает вдруг.

— Это логика, разум. А для меня все случилось внезапно. И только недавно до меня начало доходить, что они сумели расстаться по-человечески, смогли построить новые счастливые жизни, не превратив меня в заложника, в жертву. А тогда у меня в голове все перевернулось. Не давай обещаний, не строй будущее, потому что чувства меняются и могут вообще закончиться.

— Могут. Ты прав, но...

— Но, — прервал он. — Позволь мне сказать.

Но если ты не можешь доверять себе и своим чувствам, если не можешь рискнуть, какой смысл? Это шаг в неизвестность, рискованный шаг, и я думаю, что если делаешь этот шаг, то должен быть абсолютно уверен, потому что речь не только о тебе и данном моменте. Нужно очень сильно верить, чтобы сделать этот шаг.

— Ты прав. Теперь я лучше понимаю, почему... Ну, почему.

— Может, теперь мы оба лучше понимаем. Прости за то, что чувствовала себя нежеланной. Прости за то, что чувствуешь, будто нарушила границы, пытаясь что-то сделать для меня. Что-то, что я должен был оценить. Что я ценю. Я поливаю твои цветы.

— Хорошо.

— Ты была... Господи, я так сильно скучал по тебе. Я не могу вспомнить все, что хотел сказать тебе, все, что репетировал. Я не могу вспомнить, потому что смотрю на тебя. Ты была права, я мало ценил тебя. Дай мне еще один шанс. Пожалуйста, дай мне второй шанс.

— Джек, мы не можем вернуться назад и...

— Не назад, вперед. — Он взял ее за руки, повернул лицом к себе. — Вперед, Эмма. Пожалей меня. Дай мне еще один шанс. Мне никто не нужен, кроме тебя. Я нуждаюсь в твоем... свете, — вспомнил он слова Картера. — Я нуждаюсь в твоем сердце и твоем смехе. В твоем теле, в твоем разуме. Эмма, вернись ко мне.

— Но это невозможно. Мы оба хотим... нам

обоим нужны совершенно разные вещи... Это было бы неправильно. Я не могу.

Ее глаза налились слезами. Он притянул ее к себе.

— Эмма, позволь мне. Позволь мне сделать этот шаг, потому что с тобой я верю. С тобой это не только сейчас. Это завтра, это будущее, это все. Ты — все. Останься со мной, Эмма. Будь со мной.

— Я с тобой. Я хочу... что ты делаешь?

— Танцую с тобой. — Он поднес ее руку к своим губам. — В саду, под луной.

Ее сердце затрепетало, и все трещинки начали затягиваться.

— Джек.

— И я говорю, что люблю тебя. Я прошу тебя прожить со мной жизнь. — Он поцеловал ее. — Я прошу тебя дать мне то, в чем я нуждаюсь, то, чего я всегда хотел, хотя слишком долго не понимал. Я прошу тебя выйти за меня замуж.

— Выйти за тебя замуж?

— Выходи за меня. — Каким легким оказался этот шаг, каким правильным. — Живи со мной. Просыпайся со мной, сажай для меня цветы, только тебе придется все время напоминать, чтобы я их поливал. Мы будем строить планы и менять их, в зависимости от обстоятельств. Мы будем строить будущее. Я дам тебе все, что у меня есть, а если тебе понадобится больше, я найду и отдам тебе.

В благоухающем лунном саду она услышала свои собственные слова, кружась в вальсе с любимым мужчиной.

— Кажется, ты только что это сделал. Ты подарил мне мой сон, мою мечту.

— Скажи «да».

— Ты уверен?

— Как хорошо ты меня знаешь?

Она улыбнулась, похлопала ресницами, смахивая слезы.

— Довольно хорошо.

— Я сделал бы тебе предложение, если бы не был уверен?

— Нет. Нет, не сделал бы. Как хорошо ты меня знаешь, Джек?

— Довольно хорошо.

Она потянулась к нему, поцеловала.

— Тогда ты знаешь мой ответ.


На веранде третьего этажа, обнимая друг друга за талии, стояли три молодые женщины и смотрели вниз на кружащуюся пару. За их спинами послышался вздох миссис Грейди. Всхлипнула Мак. Паркер достала из кармана пачку салфеток и протянула одну салфетку Мак, одну Лорел, одну миссис Грейди, одну взяла себе.

— Это прекрасно, — наконец сказала Мак. — Они прекрасны. Посмотрите, какой свет, какой серебристый свет. И тени, отбрасываемые цветами, и их блеск, и силуэты Эммы и Джека.

— Ты мыслишь образами. — Лорел вытерла глаза. — Здесь настоящий роман.

— Не просто образами. Мгновениями. Это мгновение Эммы. Ее голубая бабочка. Наверное, мы не должны смотреть. Если они увидят нас, их мгновение будет испорчено.

— Они не видят никого, кроме друг друга. — Паркер взяла за руки подруг и улыбнулась, почувствовав на плече ладонь миссис Грейди.

Идеальное мгновение, точно такое, каким должно быть.

Так они и смотрели на Эмму, танцующую нежной июньской ночью с любимым мужчиной в освещенном луной саду.

Литературно-художественное издание

Нора Робертс

ШИПЫ И ЛЕПЕСТКИ

Ответственный редактор *В. Краснощекова*
Художественный редактор *Е. Савченко*
Технический редактор *О. Куликова*
Компьютерная верстка *Г. Клочкова*
Корректор *Е. Сербина*

В оформлении обложки использовано фото:
Left Heel / Shutterstock.com
Используется по лицензии от Shutterstock.com

ООО «Издательство «Эксмо»
127299, Москва, ул. Клары Цеткин, д. 18/5. Тел. 411-68-86, 956-39-21.
Home page: **www.eksmo.ru**  E-mail: **info@eksmo.ru**

Подписано в печать 01.02.2012.
Формат 80х100 $^1/_{32}$. Гарнитура «Таймс».
Печать офсетная. Усл. печ. л. 19,26.
Тираж 7 500 экз. Заказ 3311.
Отпечатано с электронных носителей издательства.
ОАО "Тверской полиграфический комбинат". 170024, г. Тверь, пр-т Ленина, 5.
Телефон: (4822) 44-52-03, 44-50-34, Телефон/факс: (4822)44-42-15
Home page - www.tverpk.ru Электронная почта (E-mail) - sales@tverpk.ru

ISBN 978-5-699-54843-9

*Оптовая торговля книгами «Эксмо»:*
ООО «ТД «Эксмо». 142700, Московская обл., Ленинский р-н, г. Видное,
Белокаменное ш., д. 1, многоканальный тел. 411-50-74.
E-mail: reception@eksmo-sale.ru

*По вопросам приобретения книг «Эксмо» зарубежными оптовыми*
*покупателями* обращаться в отдел зарубежных продаж ТД «Эксмо»
E-mail: international@eksmo-sale.ru

*International Sales: International wholesale customers should contact*
*Foreign Sales Department of Trading House «Eksmo» for their orders.*
international@eksmo-sale.ru

*По вопросам заказа книг корпоративным клиентам,*
*в том числе в специальном оформлении,*
обращаться по тел. 411-68-59, доб. 2299, 2205, 2239, 1251.
E-mail: vipzakaz@eksmo.ru

*Оптовая торговля бумажно-беловыми*
*и канцелярскими товарами для школы и офиса «Канц-Эксмо»:*
Компания «Канц-Эксмо»: 142702, Московская обл., Ленинский р-н, г. Видное-2,
Белокаменное ш., д. 1, а/я 5. Тел./факс +7 (495) 745-28-87 (многоканальный).
e-mail: kanc@eksmo-sale.ru, сайт: www.kanc-eksmo.ru

*Полный ассортимент книг издательства «Эксмо» для оптовых покупателей:*
**В Санкт-Петербурге:** ООО СЗКО, пр-т Обуховской Обороны, д. 84Е.
Тел. (812) 365-46-03/04.
**В Нижнем Новгороде:** ООО ТД «Эксмо НН», ул. Маршала Воронова, д. 3.
Тел. (8312) 72-36-70.
**В Казани:** Филиал ООО «РДЦ-Самара», ул. Фрезерная, д. 5.
Тел. (843) 570-40-45/46.
**В Ростове-на-Дону:** ООО «РДЦ-Ростов», пр. Стачки, 243А.
Тел. (863) 220-19-34.
**В Самаре:** ООО «РДЦ-Самара», пр-т Кирова, д. 75/1, литера «Е».
Тел. (846) 269-66-70.
**В Екатеринбурге:** ООО «РДЦ-Екатеринбург», ул. Прибалтийская, д. 24а.
Тел. +7 (343) 272-72-01/02/03/04/05/06/07/08.
**В Новосибирске:** ООО «РДЦ-Новосибирск», Комбинатский пер., д. 3.
Тел. +7 (383) 289-91-42. E-mail: eksmo-nsk@yandex.ru
**В Киеве:** ООО «РДЦ Эксмо-Украина», Московский пр-т, д. 9.
Тел./факс: (044) 495-79-80/81.
**Во Львове:** ТП ООО «Эксмо-Запад», ул. Бузкова, д. 2.
Тел./факс (032) 245-00-19.
**В Симферополе:** ООО «Эксмо-Крым», ул. Киевская, д. 153.
Тел./факс (0652) 22-90-03, 54-32-99.
**В Казахстане:** ТОО «РДЦ-Алматы», ул. Домбровского, д. 3а.
Тел./факс (727) 251-59-90/91. RDC-Almaty@eksmo.kz

*Полный ассортимент продукции издательства «Эксмо»*
можно приобрести в магазинах «Новый книжный» и «Читай-город».
Телефон единой справочной: 8 (800) 444-8-444.
Звонок по России бесплатный.

**В Санкт-Петербурге в сети магазинов «Буквоед»:**
«Парк культуры и чтения», Невский пр-т, д. 46. Тел. (812) 601-0-601
www.bookvoed.ru

*По вопросам размещения рекламы в книгах издательства «Эксмо»*
*обращаться в рекламный отдел. Тел. 411-68-74.*